KU-168-044

Hors de l'abri

Du même auteur
chez le même éditeur

Jeu de société
Changement de décor
Un tout petit monde
La Chute du British Museum
Nouvelles du Paradis
Jeux de maux

en collection de poche

Jeu de société
Changement de décor
Un tout petit monde
La Chute du British Museum
Nouvelles du Paradis

David Lodge

Hors de l'abri

Roman traduit de l'anglais
par Maurice et Yvonne Couturier

Rivages

Titre original : *Out of the Shelter,*
Martin Secker & Warburg, 1985

106, boulevard Saint-Germain – 75006 Paris

ISBN : 2-86930-818-3
ISSN : 0299-0520

À la mémoire d'Eileen.

Introduction

Hors de l'abri est probablement le plus autobiographique de mes romans si l'on considère que l'enfance du jeune héros, Timothy Young, et les circonstances qui l'ont conduit à Heidelberg, correspondent parfaitement à mon expérience personnelle. Pour la première partie, j'ai fait appel à mes souvenirs de guerre : le Blitz de Londres en 1940, mon évacuation à la campagne avec ma mère où nous sommes restés une bonne partie de la guerre (bien que mon père, différent sur ce point comme sur beaucoup d'autres du père de Timothy, ne fût pas préposé à la défense passive mais musicien dans la Royal Air Force), les années d'austérité de l'après-guerre pendant lesquelles j'ai grandi dans une banlieue sinistre du sud-est de Londres, fréquentant un collège catholique subventionné par l'État, quelque peu surpris moi-même par mes succès scolaires (qui allaient en fin de compte me faire accéder à cette branche de la bourgeoisie réservée aux professions libérales).

Le reste du livre s'inspire des vacances que j'ai passées à Heidelberg l'été de 1951, invité par ma tante Eileen, la sœur de ma mère, qui travaillait là-bas en tant que secrétaire civile pour l'armée américaine. Elle avait déjà occupé cet emploi au quartier général de l'armée américaine à Cheltenham, en Angleterre, et s'était portée volontaire pour servir en Europe pendant les dernières phases de la guerre et ensuite pendant l'occupation de l'Allemagne par les Alliés. Pour elle, cette expérience fut une véritable libération personnelle. Après avoir vécu avec des moyens très limités et sans perspectives d'avenir, elle se retrouva soudain sous l'aile protectrice de la nation la plus riche, la plus puissante et la plus favorisée du monde, propulsée dans une vie de voyages, de plaisirs, une vie de luxe telle qu'elle ne l'avait imaginée qu'en rêves auparavant. C'était une célibataire enjouée et jolie qui paraissait toujours au moins quinze ans plus jeune qu'elle ne l'était en fait; elle avait le don de se faire des amis et menait une vie sociale active. Les lettres qu'elle envoyait à la maison parlaient constamment de soirées, de restaurants, de bals et d'excursions. Tandis que l'Europe s'employait à réparer les ravages causés par la guerre, l'armée américaine et son contingent de civils étaient pratiquement les seuls à avoir de l'argent et aussi la liberté de mouvement pour en faire leur terrain de jeu. Pendant quelques années, alors que la plupart des Européens se démenaient pour rebâtir leurs villes ravagées par la guerre et devaient faire face aux rationnements de nourriture et à toutes sortes de pénuries, ils étaient les seuls à pouvoir investir les hôtels de luxe, les stations chic, les restaurants les plus huppés, les golfs et les casinos – et tout ce qui manquait pour maintenir *« the American way of life »* était importé de la mère patrie et se trouvait en vente au P.X. *

En Grande-Bretagne, l'austérité semblait se prolonger plus longtemps que partout ailleurs à l'ouest du rideau de fer. De nombreux produits alimentaires de base étaient encore rationnés en 1951, six ans après la fin de la guerre. Cette année-là, le gouvernement essaya même de réduire la ration de fromage de quatre-vingt-dix à soixante grammes mais il fut mis en échec par un vote surprise à la Chambre des communes. En France et en Belgique, juste en face, de l'autre côté de la Manche, la nourriture était abondante, et même les Allemands (qui avaient soi-disant perdu la guerre comme on le faisait souvent remarquer avec ironie) étaient à cette époque-là mieux lotis à certains égards que les Britanniques. Pour couronner le tout, on ne pouvait pas en tant que touristes profiter de la bonne vie sur le continent en raison des quantités ridicules de devises qu'on pouvait exporter à l'étranger lorsqu'on n'était pas en voyage d'affaires. Il ne me fut possible de faire ce voyage à Heidelberg que parce que ma tante parraina ma visite et s'engagea à couvrir toutes mes dépenses.

Pour un garçon de mon âge (seize ans) et de mon milieu (juste au-dessus des classes populaires), c'était une aventure

* Coopérative militaire.

inhabituelle et quelque peu inquiétante. Je m'étais toujours bien entendu avec ma tante, et ce qu'elle racontait sur la vie des expatriés américains à Heidelberg était alléchant. Mais l'Allemagne, terre de l'ennemi héréditaire, encore perçue à travers le prisme déformant d'une enfance vécue pendant la guerre, n'était pas un endroit bien engageant pour aller passer ses vacances; et le voyage en train et en bateau, avec son cortège de risques inconnus – les langues étrangères, les douanes, les monnaies, etc. – était une perspective intimidante pour quelqu'un qui n'avait encore jamais fait plus de cinquante kilomètres seul. Mes parents, qui n'avaient aucune expérience en la matière, étaient difficilement à même de m'aider ou de me conseiller. Je me souviens d'avoir passé des heures interminables à faire la queue pour obtenir un passeport et un visa allemands car j'avais attendu jusqu'au dernier moment pour remplir ces formalités. Il y eut des moments où je me demandai si j'allais bien partir à la date prévue et d'autres où j'eus à moitié envie d'abandonner le projet.

Mais je persévérai, et je m'en félicitai par la suite car ce voyage à Heidelberg fut incontestablement l'une des expériences les plus formatrices de ma vie. Le bon déroulement de ce voyage, long et épuisant, cette initiation à un monde de plaisirs et de divertissements sophistiqués sous les auspices de ma tante et de ses amis américains, ce face-à-face avec l'histoire et le pittoresque de l'Allemagne et ces rapports limités avec les Allemands, tout cela renforça considérablement ma confiance en moi (jamais très solide jusque-là) et donna à mes projets d'avenir de nouveaux horizons. Trois ans plus tard, alors que j'étais étudiant à l'université, je retournai à Heidelberg où je passai de nouveau de très bonnes vacances; et en 1967 – ma tante avait alors quitté la ville depuis longtemps – j'y suis retourné encore une fois faire des recherches pour écrire *Hors de l'abri.* Mais ce fut la première visite qui fut la plus cruciale pour moi; et, bien que j'aie puisé parmi mes impressions et mes expériences de ces trois séjours, je n'ai pas hésité à le replacer dans le contexte de mon premier séjour et à mettre en scène un héros de seize ans.

J'ai utilisé au lieu de ma tante un personnage fictif, Kate, la sœur de Timothy (je suis moi-même fils unique). Les relations et les intrigues entre adultes dans lesquelles Timothy se trouve impliqué dans la deuxième et la troisième parties sont également inventées, mais le contexte dans lequel elles se déroulent est tiré de mon expérience et de mes observations personnelles. Par exemple, j'ai bel et bien vécu clandestinement dans un foyer de jeunes filles lors de mon premier séjour à Heidelberg sans que cela eût les mêmes conséquences intéressantes que pour Timothy. Je suis navré de le reconnaître, mais Gloria Rose est un personnage totalement imaginaire (Dieu sait pourtant si j'avais désespérément besoin de quelqu'un comme elle en 1951) et la soirée d'anniversaire sur le Neckar, qui s'avère si mémorable pour Timothy, me fut suggérée par une affiche pour une promenade en bateau que je n'ai pas faite. Je me suis cependant lié d'amitié avec le jeune concierge du foyer de ma tante, et la visite que fait Timothy aux parents de Rudolf est fondée sur une expérience personnelle.

En terme d'histoire littéraire, *Hors de l'abri* est une combinaison de deux genres : le *Bildungsroman* (terme allemand bien commode, qui désigne un roman racontant le passage de l'enfance à la maturité et la découverte de la vocation personnelle) et le « roman international » qui tourne autour des conflits de codes éthiques et culturels et dont le pionnier fut Henry James. *Dedalus, portrait de l'artiste par lui-même* de James Joyce et *Les Ambassadeurs* de Henry James sont les modèles littéraires les plus évidents de mon roman. Le titre joue sur les différents sens du mot « abri », désignant tour à tour l'abri aérien dans lequel Timothy a connu une expérience traumatisante au début de l'histoire, l'abri sur la plage dans lequel il laisse libre cours à ses fantasmes patriotiques et se représente des scènes de guerre héroïques, et enfin « la vie abritée » qu'il connaît dans une famillle protectrice et répressive. Bien que le roman soit d'origine autobiographique, ce qui m'a encouragé à le fonder sur mon premier voyage en Allemagne, avec en premier plan l'Angleterre de l'après-guerre, ce fut la conviction que mon expérience avait une signification symbolique qui transcendait l'importance qu'elle avait pour moi personnellement. Peut-être ai-je ressenti cela d'autant plus intensément que j'ai écrit ce roman à la fin des années 60, à une époque où le fossé entre la génération de ceux qui se souvenaient de la Deuxième Guerre mondiale et celle de ceux qui ne s'en souvenaient pas était inscrite dans ce slogan insolent : « Ne faites jamais confiance aux gens de plus de trente ans». J'avais trente et un ans quand j'ai commencé à travailler sur ce roman.

La guerre et ses séquelles ont marqué ma génération à maints égards. Sa dimension et sa portée épiques, perçues à travers le regard d'un enfant, ont gravé en nous une éthique et une mythologie patriotiques très primitives dont il n'allait pas être facile de se débarrasser de sitôt. (On a vu avec quelle force ces vieilles émotions ont resurgi pendant la guerre des Malouines!) Les angoisses et les privations que la guerre a engendrées ont fait de nous des êtres prudents et timides, satisfaits par des petits riens et modestes dans leurs ambitions. On ne croyait pas que le plaisir, l'abondance, la richesse étaient dans l'ordre naturel des choses; c'étaient des privilèges qu'on ne pouvait obtenir que par un travail acharné (comme en passant des examens par exemple) et même quand on y accédait, il nous arrivait de nous sentir quelque peu coupables. Ma rencontre en 1951 avec la communauté des Américains expatriés en Allemagne m'a donné un avant-goût inouï de la «bonne vie» matérialiste, hédoniste, à laquelle les Britanniques et les autres nations de l'Ouest, sans oublier l'Allemagne, allaient bientôt aspirer et qu'ils allaient finalement considérer comme normale, une vie faite de biens et de loisirs tout faits: transports individuels, appareils ménagers qui font le travail pour vous, vêtements chic et bon marché, tourisme de masse, loisirs et divertissements basés sur la technologie. Le fait que le capitalisme moderne ait réussi à offrir à une grande partie de la société des plaisirs autrefois réservés à une petite minorité de privilégiés, a eu des conséquences énormes qui ne sont pas près de disparaître (la dernière en date étant la chute du communisme en Europe de l'Est). Est-ce une liberté nouvelle pour l'homme ou un nouvel esclavage? Je n'ai pas la prétention de fournir une réponse mais la question est indirectement posée à travers l'histoire de Timothy.

Cette question est particulièrement pertinente dans le contexte de l'Angleterre de 1951, car cette année-là apparaît, avec le recul historique, comme une année de transition cruciale, comme une année charnière où notre société est passée du socialisme au consumérisme, de l'austérité à l'abondance. Lorsque je me suis rendu à Heidelberg pendant l'été de 1951, le gouvernement travailliste de Clement Attlee – dont la majorité écrasante de 1945 s'était réduite à six sièges à la Chambre des communes – était à bout de souffle. Le parti travailliste avait été divisé par la démission de deux ministres importants du gouvernement à propos de l'introduction de nouvelles dépenses en matière de sécurité sociale, et très affaibli par la maladie des autres. Parmi les autres problèmes qui mirent le gouvernement dans l'embarras, il faut citer : les pénuries de fuel domestique, la confiscation par le gouvernement perse de la raffinerie d'Abadan et la disparition des diplomates Burgess et Maclean, qui allaient bientôt refaire surface à Moscou. Mais la cause essentielle des problèmes du gouvernement – ainsi que j'allais le découvrir en faisant quelques lectures sur la période pour mon roman – résidait dans une crise économique qu'il était incapable de contrôler en raison de sa dépendance politique vis-à-vis des États-Unis.

Le grand rejet à l'égard du parti travailliste lors des élections de 1950 avait montré clairement que l'électorat en avait assez de s'imposer des sacrifices et réclamait avec impatience la part du gâteau qu'on lui promettait depuis si longtemps. Et le gouvernement se trouvait enfin à même d'en distribuer quelques parts. Le budget de sir Stafford Cripps en avril 1950 prévoyait que deux cents millions de livres supplémentaires allaient être disponibles pour les dépenses des ménages. Trois mois plus tard, ce pécule laborieusement amassé lui fut arraché des mains par la guerre de Corée qui venait d'éclater. Bien que le conflit eût lieu loin en Asie, tout le monde craignait que la guerre froide qui régnait en Europe ne se transformât en guerre ouverte. L'Amérique avait promis de renforcer la défense de l'Europe mais à condition seulement que ses Alliés européens fassent pour leur propre défense les mêmes efforts qu'elle. Ainsi donc, au moment même où le gouvernement travailliste commençait enfin à faire tourner correctement l'économie de paix et qu'il se préparait à desserrer le frein sur la consommation des ménages, les circonstances politiques l'obligeaient à assumer le fardeau financièrement écrasant du réarmement. Étant donné que beaucoup d'autres pays, y compris les États-Unis, faisaient la même chose, il s'ensuivit une pénurie de matières premières à l'échelle mondiale, ce qui ralentit la reprise de l'industrie en Grande-Bretagne, mit à mal la balance des paiements, fit chuter le dollar, vida les réserves en or et provoqua l'inflation. Le budget de 1951 s'attaqua à ces problèmes en augmentant les impôts, en restreignant les dépenses des ménages et en réduisant les dépenses de sécurité sociale. C'était probablement la seule politique réaliste mais elle provoqua l'éclatement du parti travailliste et fit que, dans l'esprit du public, les travaillistes furent plus que jamais associés à l'idée d'austérité.

La victoire du parti conservateur aux élections d'octobre 1951 ne fut donc pas une surprise, même si pendant leurs deux premières années au pouvoir les conservateurs n'eurent pas plus de succès que les travaillistes dans la gestion de l'économie. Puis la crise disparut aussi vite qu'elle avait éclaté lorsque prit fin la guerre de Corée et que le mouvement de balancier sur les marchés mondiaux s'inversa, favorisant les pays industrialisés au détriment des producteurs de matières premières. Le parti conservateur en récolta tout le bénéfice politique, ce qui se résuma par le slogan de Harold Macmillan pour les élections de 1959 : *« You've never had it so good »* [vous n'avez jamais connu une aussi bonne vie], expression typiquement américaine qui sonnait bizarrement dans la bouche de cet homme politique tellement anglais; le parti travailliste, quant à lui, allait ronger son frein dans l'opposition pendant les treize années suivantes.

L'été de 1951, la plupart de ces changements politiques et économiques étaient bien sûr encore à venir ou étaient tout simplement peu perceptibles par un collégien de seize ans mais ils font partie du contexte de *Hors de l'abri* et resurgissent de temps en temps dans le dialogue.

Hors de l'abri fut publié pour la première fois en 1970; c'était mon quatrième roman à paraître, juste entre *La Chute du British Museum* (1965) et *Changement de décor* (1975). La publication du roman ne fut pas une expérience très heureuse. Les éditeurs (à qui j'allais fausser compagnie par la suite) m'avaient déjà demandé de réduire le manuscrit d'un quart. Ensuite, ils réussirent à me convaincre de le faire recomposer selon une technique informatique, ce qui m'empêcha de relire les épreuves. Le résultat fut un livre affreusement imprimé, truffé d'erreurs. Lorsque mon éditeur actuel réédita le livre en 1985, j'en profitai pour le revoir et aussi pour le corriger, restituant certains passages supprimés, élaguant et fignolant certains autres. Toutes ces circonstances expliquent en partie – mais pas entièrement – pourquoi le livre reçut un accueil si décevant la première fois en Angleterre et fut tellement plus apprécié la seconde fois. Le climat culturel de 1970, avec ses rêves de révolution, ses hippies pacifiques et son atmosphère de permissivité sexuelle, ses mouvements féministes et son avant-gardisme post-moderne n'était pas favorable à cette évocation gentiment nostalgique des années 40 et 50, décrite avec une telle retenue. Quinze ans plus tard, le réalisme romanesque avait à nouveau la cote et l'on se retournait plus volontiers vers les années de reconstruction de l'après-guerre en Grande-Bretagne et en Europe, de manière à prendre la mesure des développements qui s'en suivirent.

Je suis ravi de voir que le roman va connaître encore une autre vie, dans une autre langue, avoir de nouveaux lecteurs qui y trouveront peut-être des échos et des réminiscences de leurs propres expériences. La plupart des gens, après tout, ont fait le même voyage que Timothy. Ce n'est peut-être pas un voyage au sens strict (bien que ce soit le cas très souvent) et l'itinéraire peut en être très différent, mais la signification symbolique est toujours la même : c'est un rite de passage, c'est la rencontre avec l'autre, la perte des illusions de l'enfance et la découverte de vérités douloureuses.

David LODGE
Birmingham, avril 1993.

I

L’abri

1

La première chose ou presque qu'il se rappelait, c'était sa mère, debout sur un tabouret dans la cuisine, en train d'empiler des boîtes de conserve dans le placard du haut. Sur la table, il y avait d'autres boîtes : ananas, pêches, petites oranges – c'étaient les images qui le disaient. Il lui demanda :

« Pour quoi faire toutes ces boîtes ? »

Le soleil brillait derrière elle à travers les vitres en verre dépoli de la fenêtre de cuisine et bien qu'il plissât les yeux pour ne pas être aveuglé, il ne voyait pas très bien son visage mais il se souvenait qu'elle avait jeté sur lui un regard qui lui avait paru très long avant de dire :

« Parce qu'on est en guerre, mon chéri.

– Qu'est-ce que c'est que la guerre ? » demanda-t-il. Mais il n'arrivait jamais à se rappeler ce qu'elle lui avait répondu.

Bientôt, il découvrit que la guerre c'était un masque à gaz à la Mickey qui fumait quand on respirait à l'intérieur, c'était son père qui avait reçu un casque et un sifflet, Jill qui pleurait parce que son papa partait rejoindre la Royal Air Force et la radio toujours allumée et le papier noir collé sur les vitres de la porte d'entrée et le bruit des sirènes et les réveils en pleine nuit à cause des raids. C'était amusant de se lever en pleine nuit.

Ils n'avaient pas d'abri à eux. Sa mère et lui allaient au bout de la rue jusque chez Jill, au numéro 64, où il y avait un abri au fond du jardin que le père de Jill avait fait lui-même. Son père à lui était en général de service pendant les raids aériens, il était chef d'îlot, et s'assurait que tout le monde était bien dans un abri et que personne n'avait laissé de lumières transparaître à travers les rideaux. Quand les avions allemands voyaient de la lumière briller derrière vos rideaux, ils savaient où vous étiez et ils lâchaient une bombe sur vous. Parfois au cours d'un raid, son père passait au numéro 64 et descendait à l'abri pour vérifier que tout allait bien pour eux. Ou encore il venait les chercher dès que la sirène avait sonné la fin de l'alerte. Quelquefois, il emportait à la maison Timothy qui dormait et qui se réveillait dans son lit le matin sans avoir entendu le dernier coup de sirène. La sirène qui sonnait la fin de l'alerte faisait un bruit continu, mais celle qui annonçait un raid montait et descendait en faisant *ouououOUM... ouououOUM... ouououOUM...* C'était très astucieux d'avoir deux sirènes différentes qui sonnaient comme ce qu'elles voulaient dire. À la fin de l'alerte, la sirène avait un bruit fatigué, sécurisant comme ce qu'on ressentait quand, après un raid, on rentrait à la maison en bâillant, mais la sirène qui annonçait le début de l'alerte faisait un bruit terrifiant.

Timothy n'était pourtant pas terrifié. Au bout de quelque temps, il s'était si bien habitué aux sirènes des raids aériens que sa mère devait le réveiller pour qu'ils aillent chez Jill au bout de la rue avant l'arrivée des bombardiers allemands. Jill avait le même âge que lui, cinq ans, mais il était plus vieux qu'elle parce que son anniversaire était avant le sien. Jill était jolie. Il allait se marier avec elle quand ils seraient grands. Sa sœur, Kath, elle, était beaucoup plus âgée que lui, elle avait seize ans, était presque une adulte, mais elle ne vivait plus à la maison. Elle était partie à la campagne avec son école, avec les religieuses. L'école de Kath avait déménagé à cause des raids. Et les raids étaient à cause de la guerre. On appelait ça le Blitz. Sa mère disait que si le Blitz durait encore longtemps, elle partirait avec Timothy pour aller vivre aussi à la campagne. Ils habitaient à Londres, la plus grande ville du monde. Timothy ne voulait pas partir pour aller vivre à la campagne. Il y était allé une fois et s'était fait piquer par des orties et était tombé dans une chose de vache. Mais il ne voulait pas non plus voir les raids s'arrêter, car c'était amusant de se lever en pleine nuit.

« Timothy! Timothy! Réveille-toi, mon chéri. »

Il geignit et se blottit bien au creux du lit douillet.

« Timothy, réveille-toi, c'est un raid. »

Une sirène retentit, toute proche, *ouououOUM... ouououOUM... ouououOUM...* et il ouvrit les yeux. Le visage de sa mère était penché vers lui, blanc et ridé ; elle avait un foulard sur les cheveux.

« Dépêche-toi, mon chéri. C'est un raid.

– Je sais », dit-il, en bâillant.

Il s'assit au bord du lit, écoutant les sirènes, tandis que sa mère lui passait des chaussettes aux pieds.

« Ce bruit est agaçant », dit-elle. Elle portait un pantalon pour les raids et une vieille veste de son père fermée devant par une fermeture éclair. Il aimait sa mère en pantalon.

« Voilà ta tenue d'alerte, elle était à côté du ballon d'eau chaude. »

Il portait sa tenue d'alerte par-dessus son pyjama. Elle était bleue. Winston Churchill en avait une pareille. Il se sentait courageux dès qu'il l'avait sur lui. Les pyjamas et les robes de chambre avaient des fentes et des ouvertures et des zones dégagées, mais sa tenue d'alerte était bien serrée par des élastiques autour des poignets et des chevilles et avait une fermeture éclair sur le devant. Quand la fermeture éclair de sa tenue d'alerte était tirée jusqu'en haut, il sentait que rien ne pouvait lui faire de mal.

Sa mère laça ses chaussures, tirant bien fort sur la boucle.

« Te voilà prêt. As-tu tes jouets ? »

Il prit la boîte en carton où il gardait ses jouets pour les alertes et descendit l'escalier derrière sa mère jusqu'au vestibule. Elle prit leurs masques à gaz accrochés près de la porte d'entrée et l'aida à passer la ficelle de son masque de Mickey autour de son cou.

« Éteins d'abord la lumière, rappela-t-il à sa mère qui ouvrait déjà la porte. Autrement papa va avoir des ennuis. »

Elle éteignit la lumière et il fit tout noir dans l'entrée. Dehors, les seules lumières étaient celles des projecteurs qui balayaient le ciel de long en large comme de grands doigts agités. Timothy lambinait en remontant la rue, pour bien montrer d'abord qu'il n'avait pas peur et aussi dans l'espoir de voir un avion allemand pris dans les projecteurs. Un jour il en avait vu un, on aurait dit une minuscule croix en argent dans le rayon lumineux, mais il avait disparu dans un nuage avant que les canons aient pu l'abattre. Il entendait maintenant des canons tonner au loin. Sa mère buta contre le trottoir.

« Zut! On ne voit rien avec ce fichu couvre-feu. »

On y voyait plus clair quand on ressortait de l'abri à la fin de l'alerte, à cause des incendies. Les incendies étaient du côté des Docks et ils éclairaient le ciel d'une grande lueur rouge comme un immense feu de joie.

Soudain, il y eut une grosse détonation derrière les maisons de leur rue qui les fit sursauter tous les deux. Sa mère lui serra la main encore plus fort et se mit à courir, en le traînant derrière elle.

« Arrête, tu me fais mal, se plaignit-il, ce n'est que le canon de la voie ferrée.

– Allez, viens, Timothy! »

Le canon faisait la navette sur les rails derrière les maisons du côté de chez Jill. On apercevait la voie ferrée du bout du jardin de Jill mais, dans la journée, il n'y avait que les trains électriques verts à passer. Son père allait au travail en train. Il travaillait dans un bureau.

Sa mère avait la clé de la maison de Jill, mais quand elle glissa la clé dans la serrure, la porte s'ouvrit et l'oncle Jack apparut dans l'entrée.

« Salut, salut! dit-il. Juste à temps pour les réjouissances.

– Eh bien, Jack! Vous m'avez fait une de ces peurs, dit sa mère. Qu'est-ce que vous faites à la maison? »

L'oncle Jack ferma la porte derrière eux et alluma la lumière.

« Je m'suis débrouillé pour avoir une perme de trente-six heures. J'ai voulu faire un saut à la maison pour voir si tout le monde allait bien. »

Le papa de Jill portait son uniforme bleu de la Royal Air Force avec ses ailes dessus. Il était grand, fort et toujours gai et Timothy l'adorait. Il l'appelait « oncle Jack » même si ce n'était pas son oncle. Il aurait bien aimé voir son père porter un vrai uniforme plutôt qu'un casque et un brassard. Son père n'avait pu entrer dans la Royal Air Force parce qu'il était trop vieux, ce qui était une chance inouïe, disait sa mère, car ainsi il n'aurait pas à quitter la maison comme l'oncle Jack. Timothy était content que son père ne quitte pas la maison, mais il pensait que c'était mieux d'être aviateur que chef d'îlot.

« Alors comment va le petit Tim? » dit l'oncle Jack en passant la main dans les cheveux de Timothy. Oncle Jack l'appelait toujours comme ça, ou quelquefois simplement « Petit ». C'était une plaisanterie entre eux. Timothy fit semblant de ne pas apprécier. Il serra les poings et se campa devant l'oncle Jack comme un boxeur.

« Pas maintenant, Petit, dit-il, tu ferais mieux de descendre tout de suite à l'abri. »

Il les accompagna du vestibule jusqu'à la cuisine. La maison de Jill était exactement comme la sienne et, malgré tout, elle était différente. Toutes les pièces avaient la même taille et la même disposition, mais les choses dedans étaient différentes et l'odeur était différente, surtout dans la cuisine. Dans la cuisine, l'oncle Jack prit une lampe électrique qui avait un bout de papier collé sur la moitié du verre. C'était pour éviter de renvoyer la lumière vers le haut et de montrer aux bombardiers allemands où on était. L'oncle Jack éteignit la lumière de la cuisine et ouvrit la porte donnant sur le jardin. Il éclaira le sentier avec sa lampe.

« Attention où vous mettez les pieds. »

À peine avait-il dit ces mots qu'un avion passa au-dessus de la maison, très bas. La mère de Timothy retourna dans la maison.

« Tout va bien, dit l'oncle Jack. C'est l'un des nôtres. On reconnaît à l'oreille le bruit du moteur. »

Timothy releva la tête et eut un moment de vénération silencieuse pour l'homme qui était capable de reconnaître à l'oreille le bruit d'un moteur.

L'abri se trouvait au fond du jardin, en fait à deux pas de la maison. Ce genre d'abri s'appelait un Anderson, et ce n'était qu'un gros trou dans la terre avec des murs en ciment et un toit en fer arrondi. Le toit était recouvert de terre et dans la journée, on aurait dit une petite colline. L'oncle Jack avait semé un peu d'herbe et planté des fleurs dessus. Il y avait des marches qui descendaient à une petite porte et à l'intérieur encore quelques marches en bois. L'oncle Jack appela et tante Nora ouvrit la petite porte.

« Entrez donc, mes chéris, dit-elle, je commençais à me demander où vous étiez passés.

– Est-ce que je peux rester regarder? demanda Timothy, comme il le demandait à chaque fois.

– Bien sûr que non, dit sa mère, descends tout de suite et tiens-toi bien à la rampe. »

Timothy descendit lentement, regardant le ciel jusqu'au dernier moment. Si seulement il pouvait voir un avion allemand se faire descendre, rien qu'un seul. Mais les bombardiers n'étaient pas encore arrivés.

« Nous y voilà », dit tante Nora, tandis qu'ils se glissaient péniblement à l'intérieur de l'abri. Elle était en train de tricoter comme d'habitude.

Il faisait bien chaud à l'intérieur de l'abri. L'oncle Jack avait installé une ampoule électrique et il y avait un poêle à huile qui sentait fort et un petit réchaud, appelé un Primus, pour faire du chocolat ou du thé. Il y avait deux couchettes et quelques vieilles chaises et des caisses recouvertes de coussins. Il y avait un vieux tapis sur le sol, tout usé et plein de terre.

Jill était assise sur l'une des couchettes. Timothy alla s'asseoir auprès d'elle en portant sa boîte avec son petit stock de jouets. Jill était en train d'habiller sa poupée, Susan, une poupée noire. Les autres poupées étaient assises à côté d'elle. Timothy ouvrit sa boîte. À l'intérieur, il avait son lapin à l'oreille cassée, des billes de couleur, cinq petits soldats, sa voiture de pompiers à échelle et son petit canon sur roues qui crachait des allumettes. Son lapin à l'oreille cassée prenait à lui tout seul presque toute la place dans la boîte, mais il ne pouvait tout de même pas prendre le risque de le laisser à la maison pendant les raids.

« Susan est très méchante, dit Jill, j'ai été obligée de la gifler.

– Le canon du chemin de fer s'est mis à tirer juste comme on arrivait, dit Timothy, mais je n'ai pas eu peur.

– Elle ne veut pas se tenir tranquille.

– Je voulais rester dehors regarder avec ton papa, mais ma mère n'a pas voulu.

– Mon papa est revenu à la maison.

– Je sais.

– Il va toujours rester à la maison maintenant. »

Tante Nora s'arrêta de tricoter.

« Jill, tu sais bien que papa doit repartir demain. Mais il sera bientôt de retour à la maison. » Elle tira un peu sur la laine rouge et les aiguilles reprirent leur cliquetis.

« Il se débrouille bien pour les permissions, en fin de compte, dit-elle à la mère de Timothy.

– Il a dit qu'il allait toujours rester à la maison », dit Jill d'un ton boudeur. Elle mordilla l'une de ses boucles brunes. Timothy lui tirait les boucles quelquefois, mais il les aimait bien.

« Il n'a jamais dit ça. Ce n'est pas bien de mentir, Jill. Bien sûr qu'il aimerait rester à la maison avec nous, mais il est bien obligé de retourner à la base.

– Il n'est pas obligé. » La lèvre de Jill tremblait.

« Elle ne comprend pas, dit tante Nora à la mère de Timothy.

– C'est un peu normal à leur âge, non? dit la mère. J'ai reçu une lettre de Kath, ce matin.

– Tiens! Comment va-t-elle? Si on faisait un petit chocolat? dit tante Nora.

– Tu veux une tasse de chocolat, Jill? Et toi, Timothy?

– Non, dit Jill.

– On dit : *non merci, maman.* Et un biscuit? »

Jill hésita.

« Je peux en avoir un à la crème? »

Les biscuits étaient un peu comme des sandwichs, remplis d'une délicieuse crème jaune à l'intérieur. Timothy grignota d'abord tout le tour du sien, là où il n'y avait pas beaucoup de crème; et il lui resta alors un biscuit plus petit avec une couche de crème très épaisse. Jill, elle, enleva la croûte supérieure de son biscuit, lécha la crème à l'intérieur, recolla les deux morceaux et mangea une bouchée. Puis, elle laissa tomber son biscuit par terre. Tante Nora n'avait rien vu. Elle était penchée sur le réchaud en train de faire chauffer le lait pour le chocolat et continuait de tricoter.

« Alors, comment va Kath? Comment trouve-t-elle le pays de Galles? »

Timothy fit semblant d'être très occupé avec son biscuit, mais il écoutait ce qu'on racontait sur Kath. Sa grande sœur l'intéressait beaucoup. Il avait l'impression qu'elle était partie depuis longtemps. Il avait du mal à se rappeler à quoi elle ressemblait, sauf qu'elle était grosse et portait des lunettes comme leur père.

« Elle va bien, dit la mère. Du moins, c'est ce qu'elle prétend. La maison lui manque, bien sûr, et elle dit que la nourriture est infâme.

– Bah ! En tout cas, elle est mieux là-bas.

– Oh, ça oui ! Et entre nous soit dit, j'espère qu'elle saura mieux apprécier la maison à son retour. Elle était devenue insupportable avec moi. Impossible de lui faire faire quoi que ce soit.

– C'est l'âge qui veut ça. Quel âge elle a ?

– Seize ans. On pense qu'on devrait la laisser dans ce collège de bonnes sœurs jusqu'à la fin de ses études. Même si les frais de scolarité...

– Ce doit être un gouffre.

– Et puis... elle échouera sûrement. C'est une petite écervelée et l'évacuation de l'école n'a pas dû arranger les choses... Avec Timothy, c'est une autre histoire, on pense qu'il sera doué.

– Ça ne m'étonnerait pas. » Tante Nora jeta un coup d'œil en direction de Timothy et aperçut le biscuit par terre.

« Jill ! Pourquoi as-tu pris un biscuit si tu n'en voulais pas ?

– C'est pour Susan. » Jill ramassa le biscuit et fit semblant de donner à manger à sa poupée.

« Tu ferais mieux de ne pas le gaspiller, c'est le dernier paquet et il n'y en a plus chez *Shepherd.*

– C'est de plus en plus difficile de faire les courses, vous ne trouvez pas ? dit la mère de Timothy.

– Oh, affreux ! J'ai fait la queue pendant trois quarts d'heure chez *Shepherd* ce matin... »

Timothy se désintéressa des deux mères qui parlaient de nourriture et de rationnement. Des avions bourdonnaient maintenant au-dessus d'eux, des tas d'avions qui arrivaient groupés, des avions allemands. Les canons tonnaient fort. Timothy pointa son petit canon vers le toit de l'abri.

« *Bing*, fit-il. *Bing ! Bing ! Bing !* » Jill se boucha les oreilles.

« Timothy, arrête, il y a déjà assez de bruit comme ça, dit sa mère.

– Ils ont l'air bien proches, dit tante Nora qui tricotait de plus en plus vite. Je trouve que Jack devrait descendre. C'est prendre un risque idiot de rester là-haut. » Elle entrouvrit la porte de l'abri et appela : « Descends, Jack, c'est idiot de rester là-haut. Je fais du chocolat ».

L'oncle Jack descendit les marches d'un pas lourd. Il était grand et fort et, à l'intérieur de l'abri, il avait du mal à se tenir debout. Il s'assit sur l'une des caisses recouverte d'un coussin. Jill se précipita vers lui et s'assit sur son genou.

« Eh bien, qu'est-ce qu'ils ont dû trinquer du côté des Docks, dit-il. Le ciel est tout rouge par là-bas.

– Est-ce qu'ils ont abattu des avions allemands? demanda Timothy.

– J'imagine que oui, Petit. La D.C.A. a craché assez comme ça.

– Vous avez vu des avions tomber? », demanda-t-il. Mais tante Nora donnait à l'oncle Jack son chocolat et il n'entendit pas la réponse.

Tandis qu'ils buvaient leur chocolat, le père de Timothy débarqua dans l'abri. Il n'était pas aussi grand que l'oncle Jack et pouvait rester debout à l'intérieur de l'abri sans avoir à se pencher. Il enleva son casque et s'essuya le front avec un mouchoir. Il y avait une marque rouge tout autour de son front, à l'endroit du casque. Il n'avait pas beaucoup de cheveux sur le crâne. Il portait un vieil imperméable et un brassard avec les lettres A.R.P., qui voulaient dire « *Air Raid Patrol* », inscrites dessus. Il disait qu'il allait avoir bientôt un vrai uniforme, mais il n'y aurait pas d'ailes dessus.

« Ils trinquent sec du côté des Docks, ce soir, dit-il.

– C'est bien ce que je me disais, dit l'oncle Jack.

– On dit que c'est le raid le plus important jusqu'à présent. Les Boches ont perdu un tas d'avions, paraît-il. Mais ils continuent d'arriver par vagues entières.

– Oh, Seigneur, si seulement on n'habitait pas si près de la rivière, dit tante Nora.

– On est très bien ici, les enfants, dit l'oncle Jack. Ces incendies sont au moins à cinq kilomètres d'ici.

– Eh bien, j'espère seulement qu'on n'en aura pas de ce côté-ci, ce soir, dit le père de Timothy, car j'imagine que toutes les voitures de pompiers du sud-est de Londres se trouvent du côté des docks.

– Pas la mienne! dit Timothy, brandissant sa voiture de pompiers à échelle, et tous les adultes se mirent à rire.

– Bien dit, Petit », dit l'oncle Jack. Il sortit un paquet de cigarettes et en offrit à tout le monde. La mère de Timothy refusa d'un geste de la tête, mais tante Nora en prit une.

« C'est pas dans mes habitudes, dit-elle, mais ces raids... »

La fumée de cigarette flottait dans l'air en faisant des boucles. L'odeur se mélangeait à celle du poêle à huile et du chocolat. Timothy bâilla.

« Il est temps que les enfants dorment un peu, dit la mère de Timothy. Partis comme on est, on va passer toute la nuit ici.

– Je ne suis pas fatigué, dit Timothy.

– Moi non plus, dit Jill, passant ses bras autour du cou de son père.

– Je ferais mieux de partir, dit le père de Timothy. Sois bien sage, Tim. Je reviendrai vous chercher dès la fin de l'alerte. » Il mit son casque et boutonna son imperméable.

« Je te raccompagne, Geoff », dit l'oncle Jack. Il se leva, tenant Jill dans ses bras, et la porta jusqu'à la couchette où se trouvait Timothy.

« Dors bien maintenant, ma chérie, et toi aussi, Timothy. Je te reverrai demain matin.

– Tu t'en vas pas demain, dis, papa ? » demanda Jill, les bras toujours serrés autour du cou de son père qui avait du mal à se redresser.

« Non, pas tout de suite, non, mon trésor.

– Plus jamais ?

– Dors bien maintenant, mon lapin, sinon tu seras trop fatiguée pour jouer avec moi demain matin.

– Est-ce que Timothy peut venir dormir avec moi dans ma couchette ?

– On le leur permet d'habitude, dit tante Nora.

– Je n'y vois pas d'inconvénient du moment qu'il veut se marier avec toi, dit l'oncle Jack, ce qui fit bien rire les adultes.

– Est-ce que je peux aller voir dehors juste un tout petit peu ? supplia Timothy comme les deux hommes se préparaient à sortir.

– Non, dit sa mère. Couche-toi maintenant et arrête de dire des bêtises.

– Pourquoi je peux pas ?

– Parce que tu pourrais te faire tuer, tout simplement.

– Alors, pourquoi il peut, lui, papa ?

– Papa est un adulte et il a un casque.

– L'oncle Jack n'a pas de casque.

– L'oncle Jack devrait être plus raisonnable, dit tante Nora, sauf que c'est un vrai gosse, à peine plus raisonnable que toi, Timothy.

– Mais non, mais non, c'est un adulte ! Il est courageux, dit Jill.

– À vrai dire, dit l'oncle Jack avec un grand sourire, on oublie presque qu'on est en guerre quand on est à la base. Il faut que je revienne à la maison pour voir un peu d'animation.

– Alors, tu vas être servi, dit le père de Timothy, comme ils disparaissaient et remontaient les marches. C'est la sixième nuit qu'on y a droit.

– Mince alors, regarde ce ciel! entendirent-ils dire l'oncle Jack tandis que tante Nora fermait la porte derrière eux.

– Allez, on va vous préparer pour la nuit, vous deux. »

Sa mère lui enleva sa tenue d'alerte et tante Nora enleva la robe de chambre de Jill. Puis tante Nora les borda, serrant bien fort les couvertures autour d'eux. Elle plaça une sorte de cache sur la lampe pour que la lumière ne leur vienne pas dans les yeux. Sa mère lui mit dans les bras son lapin à l'oreille cassée; Jill, quant à elle, avait Susan. Il leva les yeux vers le toit arrondi de l'abri et se sentit bien au chaud et en sécurité. Les deux mères étaient assises près du poêle à huile et parlaient à voix basse. Elles parlaient encore de Kath. Il n'entendait pas très bien et, ce qu'il entendait, il ne le comprenait pas.

« Elle veut s'engager dès qu'elle pourra dans la W.A.A.F., le personnel auxiliaire féminin de la Royal Air Force, mais Geoff ne veut pas en entendre parler...

– Je vous comprends, Jack dit que la moralité...

– On la garderait bien à la maison si on pouvait, y'a assez de choses à faire...

– Y'a des mariages presque toutes les semaines, prétend Jack, parce que la plupart du temps elles...

– La fille des Robert au bout de la rue... »

Les deux têtes se rapprochèrent, les voix chuchotèrent, les aiguilles à tricoter de tante Nora poursuivirent leur cliquetis. Les ombres se déplaçaient rapidement sur le toit de l'abri, au rythme de ses mains. Le bruit des canons était maintenant très faible et venait de loin. Il baissa le pantalon de son pyjama et Jill se tortilla à côté de lui en remontant le bas de sa chemise de nuit. Alors il sentit la fraîcheur de ses petits doigts doux sur sa chose et ses doigts à lui allèrent chercher la petite fente entre ses jambes. Il se sentait bien au chaud et en sécurité et avait envie de dormir. Il espérait qu'il y aurait un autre raid la nuit prochaine.

Une forte détonation le réveilla. Il y avait un bourdonnement dans ses oreilles, et bien que Jill fût toujours dans le lit à côté de lui, il avait l'impression qu'elle pleurait loin de lui. La première chose qu'il fit fut de remonter son pantalon de pyjama. Il lui était tombé de la terre sur la tête. L'ampoule électrique se balançait dans le vide, projetant des ombres folles sur les murs et le toit. Les deux mères étaient debout au bas des marches.

« Jack, criait tante Nora, tu vas bien, Jack? Jack? Oh, Seigneur! » Elle grimpa les marches, trébucha et se glissa hors de l'abri en appelant Jack.

« Nora, arrêtez, faites attention », dit la mère. Il vit qu'elle faisait le signe de la croix, que ses lèvres remuaient en silence et qu'elle serrait les paupières.

« Maman! Papa! dit Jill en gémissant tout en serrant sa poupée contre elle. Où est mon papa? »

Timothy se mit aussi à pleurer, sans trop savoir pourquoi. Jill bondit hors du lit et courut vers les marches. La mère de Timothy ouvrit les yeux.

« Jill! Reviens! »

Mais déjà Jill avait franchi la petite porte du haut. La mère de Timothy escalada à son tour les marches pour la rattraper. Timothy eut très peur. Il allait se retrouver seul.

« Maman! » hurla-t-il.

Elle s'arrêta et se retourna en lui disant quelque chose, mais il ne put l'entendre. Il y eut un sifflement strident, un éclair et un grondement, et, juste avant que ne s'éteigne la lumière, il lui sembla que sa mère volait vers lui, propulsée à travers l'abri. Il sentit son corps tomber sur le sien et il poussa un cri parce qu'elle lui avait fait mal mais il n'entendit pas sa propre voix à cause du bourdonnement dans ses oreilles. Beaucoup de terre était tombée sur le lit, cette fois. Il faisait complètement noir et il avait très peur. Puis, il sentit sa mère bouger et ses bras le serrer bien fort. Elle lui disait quelque chose mais il n'entendait pas très bien. Il parvint enfin à entendre mais sa voix semblait venir de très loin. Elle disait : « Timothy, tu vas bien, Timothy? » Elle pleurait.

Au bout d'un moment, il commença à voir des choses. Bizarrement, le poêle à huile était toujours allumé et une faible lueur rougeâtre apparaissait par la petite fenêtre du bas et un peu de lumière jaune sortait par les trous du couvercle. De la terre et des pierres bloquaient la porte de l'abri et s'étaient éparpillées à l'intérieur. Il semblait y avoir de l'herbe et même des fleurs parmi toute cette saleté. Et il y avait deux yeux qui brillaient, éclairés par la petite lumière du poêle. Il ne voyait pas de visage, rien que ces deux yeux, deux yeux très rapprochés qui lui faisaient peur. Sa mère essaya de se lever mais il ne voulait pas la lâcher. Elle dit : « Timothy, si tu me lâchais je pourrais allumer une bougie et on ne serait plus dans le noir ».

Alors il la lâcha et elle, en se cognant partout, fit lentement le tour de l'abri à la recherche d'une bougie. Elle en trouva une et l'alluma. Il vit alors que les yeux étaient ceux de Susan, la poupée de Jill.

« Regarde, dit-il, en montrant du doigt. Susan. »

Sa mère dégagea la poupée du tas de saletés et se mit à pleurer. Il y avait un trou dans la joue de Susan et elle avait perdu un bras et une jambe et sa robe était sale et toute déchirée. Sa mère alla vers la porte et commença à creuser la terre avec ses mains. Des pierres et un peu de terre tombèrent encore dans l'abri. Une brique tomba sur son pied et elle poussa un cri de douleur.

« Pas la peine, dit-elle, il va falloir attendre ici qu'on nous dégage. Papa va venir bientôt pour nous faire sortir de là. » Elle alla jusqu'au lit en boitant et s'assit, l'entourant de ses bras.

« Je ne veux pas sortir d'ici, dit-il, je ne veux pas aller là-haut.

– Papa va venir bientôt. Tout ira bien. »

Ils brûlèrent trois bougies avant que les hommes ne parviennent jusqu'à eux. Son père n'était pas parmi eux. Mais ils dirent qu'il allait très bien. Le choc avait été terrible pour lui, c'est tout. Il se reposait à la maison en les attendant.

« Allez viens, fiston, ton papa t'attend », dirent-ils.

Mais Timothy ne voulait pas quitter l'abri. À la fin, alors qu'il se débattait et hurlait toujours, l'un des hommes dut le prendre dans ses bras pour le sortir de l'abri et l'emmener à l'air libre.

2

On ne se leva plus jamais la nuit pour se rendre à l'autre bout de la rue jusqu'à la maison de Jill. La maison de Jill n'était plus là et Jill était partie au ciel, sa maman aussi, et son papa avait regagné la Royal Air Force. Timothy et sa mère partirent vivre à la campagne où les gens n'avaient jamais entendu parler des raids aériens. Ils habitèrent dans un endroit appelé Blyfield, dans une maison sombre, très étroite, près de l'usine à gaz. La maison appartenait à Mrs. Tonks, une grosse dame qui avait une drôle d'odeur. Ils occupaient la pièce de devant, tout encombrée de meubles brillants aux angles durs, et une chambre à l'étage. Sa mère partageait la cuisine avec Mrs. Tonks, ce qui était un gros inconvénient.

Il y avait pas mal d'inconvénients à vivre chez Mrs. Tonks, disait souvent sa mère. Il n'y avait pas d'électricité dans la maison, et ils devaient allumer la lampe à gaz quand il faisait noir. Sa mère approchait une petite torche de papier contre le bout de dentelle blanche qui s'allumait en faisant un petit « pop » et devenait bleu puis rouge et enfin jaunâtre et sifflait légèrement en brûlant. On pouvait rendre la flamme plus ou moins brillante en tirant sur une petite chaîne. Mrs. Tonks refusait de mettre une lampe à gaz dans l'escalier parce que c'était du gaspillage, alors, quand sa mère l'emmenait au lit, elle prenait un bougeoir et elle laissait la bougie allumée sur la cheminée de la chambre parce que, maintenant, Tim n'aimait pas le noir. Si la bougie s'éteignait avant qu'il ne s'endorme, il appelait et elle venait allumer une autre bougie. Il faisait froid l'hiver et quand on se réveillait le matin, il y avait une couche de glace à l'intérieur de la vitre. Il la grattait avec son ongle et regardait l'usine à gaz par les trous qu'il avait faits. Derrière l'usine, il y avait un champ avec des vaches. Un jour sa mère voulut prendre un raccourci par le champ, mais comme ils s'avançaient pour traverser, une vache les regarda, il eut très peur, alors ils firent le tour par la route. Le matin, ils se lavaient dans une cuvette dans la chambre. Sa mère montait l'eau chaude de la cuisine dans un pot. Il n'y avait pas de salle de bains dans la maison de Mrs. Tonks. Sa mère lui donnait un bain dans une baignoire en fer-blanc devant le feu, dans la pièce de devant. C'était bon de prendre un bain devant le feu et surtout de se faire sécher après, mais il n'avait pas le droit de faire des éclaboussures; et quand son père lui rapporta ses bateaux de la maison, il n'y eut pas vraiment de place pour eux dans la baignoire en fer-blanc. Son père travaillait toujours dans un bureau à Londres, mais il venait les voir les week-ends.

Il alla à l'école dans un couvent de religieuses près du village. Il aimait sa maîtresse, sœur Teresa, elle avait un joli sourire et des joues roses, mais il avait très peur de sœur Scholastica qui avait un gros bouton au menton avec des poils qui poussaient dessus. Sœur Scholastica était la maîtresse des grandes, mais quelquefois elle était dans la cour de récréation. Son nom était difficile à prononcer et, un jour, il l'avait appelée sœur Elastica et les petites filles avaient ri et sœur Scholastica avait eu l'air fâchée. Le dimanche, sa mère et lui allaient à la messe à la chapelle du couvent. Le prêtre venait à bicyclette. La messe était très longue parce que les sœurs chantaient beaucoup. C'était sœur Teresa qui avait la plus jolie voix et sœur Scholastica la moins jolie.

Il y avait une chanson qu'on entendait souvent à la radio; elle s'appelait *Les blanches falaises de Douvres.*

Les oiseaux bleus du bonheur voleront d'aise,
À Douvres, au-dessus des blanches falaises,
Demain, avec patience, attendons.
L'amour et les rires reviendront
Et la paix à jamais s'établira,
Demain, quand libre notre monde sera.

Et, vers la fin de la chanson, il y avait ces mots :

Et Jimmy retrouvera son lit
Dans sa petite chambre à lui.

Quand il arrivait à ces paroles, il pensait toujours à sa petite chambre de Londres.

Un jour, il y eut un concert à l'école et chacun dut chanter une chanson ou réciter un poème. Il chanta *Les blanches falaises de Douvres* et sœur Teresa pleura et vint l'embrasser après. Douvres était une ville au bord de la mer où il y avait de grandes falaises blanches. Il pensait que ce serait bien d'aller là-bas quand la guerre serait finie pour voir les oiseaux bleus.

Un jour, sa mère l'accompagna à l'école pour voir la Mère supérieure et lui demander si elle pouvait le prendre comme pensionnaire. Il ne voulait pas être pensionnaire, mais sa mère dit qu'elle devait retourner travailler à Londres et que c'était trop dangereux pour lui de repartir avec elle. La Mère supérieure dit qu'il serait heureux, que les pensionnaires s'amusaient beaucoup et elle sortit d'un tiroir un paquet de caramels et lui en offrit un. Il prit un caramel mais ne le mangea pas. En revenant chez Mrs. Tonks, il le jeta dans un fossé. Sa mère le vit faire mais elle ne dit rien.

Le lendemain, elle le conduisit à l'école, portant une valise où elle avait mis ses vêtements mais aucun de ses jouets, à l'exception de son lapin à l'oreille cassée. Les pensionnaires n'étaient pas autorisés à avoir leurs jouets personnels, mais la Mère supérieure dit qu'il pouvait garder son lapin à l'oreille cassée. Sa mère l'embrassa en le quittant et lui dit d'être bien sage. Elle pleurait et il ne comprenait pas pourquoi elle le laissait comme ça tout seul. Lui, il ne pleurait pas mais il avait peur et était malheureux. La partie de l'école réservée aux pensionnaires était froide et sombre et les couloirs et les escaliers en bois sans tapis craquaient sous les pieds. Il y eut du ragoût au dîner avec des bouts de gras blancs dans une sauce très liquide qui avait complètement ramolli les pommes de terre. Il n'en mangea pas une seule bouchée, mais il eut peur de se faire remarquer par sœur Scholastica. Après le dîner, ils allèrent à la chapelle et chantèrent des cantiques et dirent de longues prières qu'il ne connaissait pas. Il ouvrit et ferma la bouche en silence pour faire croire qu'il chantait et priait avec les autres. Puis, ce fut l'heure d'aller au lit. Son lit se trouvait dans une grande pièce avec quelques autres petits garçons. Il y avait un endroit pour se laver mais seulement à l'eau froide. Il y avait par terre un simple lino qu'il trouva très froid sous ses pieds quand il enleva ses chaussures et ses chaussettes, si bien qu'il se mit vite au lit. La sœur qui était de surveillance lui demanda s'il avait dit sa prière du soir et il dit que sa mère lui permettait de la dire au lit quand il faisait froid et les autres garçons pouffèrent de rire. La sœur dit que la prochaine fois il allait devoir se mettre à genoux au pied de son lit pour dire sa prière comme les autres. Elle éteignit les lumières et ne garda qu'une petite lampe à l'autre bout de la pièce où elle s'assit pour dire son chapelet. Les grains du chapelet cliquetaient entre ses doigts. Cela lui rappela les aiguilles à tricoter de tante Nora dans l'abri. Il aurait bien voulu se retrouver dans l'abri avant l'explosion de la bombe. Il n'aimait pas être pensionnaire dans ce couvent. Il avait envie de pleurer, mais les autres garçons allaient l'entendre et ça ne servirait à rien. Quand sa mère viendrait le voir, il pleurerait beaucoup et il lui demanderait de le sortir de là. Il s'imagina en train de pleurer et de dire à sa mère : *emmène-moi, emmène-moi, emmène-moi*, et elle l'emmenait. L'image lui plaisait. Avec cette image dans la tête, il s'endormit.

Le lendemain matin une cloche le réveilla alors qu'il faisait encore noir. Quelqu'un avait sorti ses bras de dessous les couvertures pendant la nuit et ils étaient tout froids. Il tira les couvertures par-dessus sa tête et essaya de revoir l'image de sa mère qui l'emmenait, mais c'était peine perdue. Il avait du mal à y croire alors qu'il entendait autour de lui les autres garçons se lever, l'eau couler et les chaussures claquer dans les escaliers en bois. Il sortit du lit, frissonnant dans l'air glacé, et s'habilla. Mais il n'avait pas l'habitude de s'habiller tout seul et n'arriva pas à boutonner ses manches de chemise et à lacer ses chaussures. Il resta planté près de son lit avec ses lacets de chaussures qui traînaient et ses poignets de chemise ouverts jusqu'à ce que la sœur vienne l'aider. Elle enleva sa chemise et lui dit d'aller faire sa toilette. Quand il revint, elle regarda ses oreilles pour voir si elles étaient propres. Au petit déjeuner, il y eut du porridge mais pas du bon comme en faisait sa mère. Il était trop liquide et à peine sucré.

Après le petit déjeuner, ils se rendirent au vestiaire pour nettoyer leurs chaussures. Une sœur avec un tablier bleu lui donna une boîte de cirage noir et une brosse. Il regarda ces objets avec des yeux ronds, complètement désemparé. Soudain, il se mit à pleurer, à verser de grosses larmes de désespoir, des larmes tout à fait inutiles qu'il avait voulu garder pour sa mère le jour où elle viendrait le voir et qu'il gaspillait maintenant en pure perte devant ces garçons et ces filles indifférents autour de lui ; des larmes que personne ne voyait, personne n'entendait dans ce vestiaire sombre et bruyant qui sentait le cirage.

« Qu'est-ce qui se passe, Timothy ? On ne pleure pas quand on est un grand garçon. »

Il se retourna et leva la tête vers la sœur. Il s'essuya les yeux du revers de la main et renifla.

« Je sais pas comment faire.

– Eh bien, voyons, il ne faut pas pleurer pour ça. Regarde, je vais te montrer. »

La sœur se pencha pour prendre ses chaussures et se mit à les brosser énergiquement. Quelques enfants ricanèrent et l'observèrent. Timothy eut très honte, détourna la tête et regarda par la fenêtre à barreaux qui donnait sur l'entrée principale, et il vit soudain sa mère qui remontait l'allée, apportant ses bottes Wellington. Sans réfléchir un seul instant, il sortit précipitamment du vestiaire à toute vitesse et partit en courant dans le couloir. Une sœur l'aperçut et lui barra la route en levant les mains. Il était interdit de courir dans les couloirs. Elle souriait mais il sentait en son for intérieur que si elle l'arrêtait, il ne verrait pas sa mère et qu'il serait pensionnaire à tout jamais. Il passa par-dessous le bras de la sœur, sentit qu'elle le rattrapait par la manche, se débattit, lui échappa et fonça en titubant vers la porte. Une autre sœur venait juste de l'ouvrir et sa mère était là, sur le seuil. Il se jeta dans ses bras.

C'était délicieux de se retrouver chez soi. Pendant des jours, il flâna à travers la maison dans un état d'extase et de ravissement, osant à peine parler ou jouer de crainte de voir le charme se rompre et d'être renvoyé au couvent. Mais sa mère lui promit qu'il n'aurait pas à y retourner. Il n'y avait plus beaucoup de raids à Londres maintenant et ils avaient un abri à eux. Il n'était pas dans leur jardin comme celui de Jill ; il était dans la pièce de devant et ressemblait à une grande table en fer. On dormait dessous, sur des matelas. On appelait ce type d'abri un Morrison et il remplissait presque toute la pièce de devant. Son père disait qu'il ne protégeait pas des tirs directs, mais il n'y avait pas grand-chose à faire contre ça. Toujours est-il que Timothy se sentait en sécurité dès qu'il se glissait à quatre pattes à l'intérieur de l'abri. Il était protégé par des matelas et des coussins et il y avait des grillages tout autour pour qu'on puisse respirer, mais si le plafond de la pièce venait à s'effondrer, on ne serait pas blessé. Timothy dormait dans le Morrison toutes les nuits et quand il y avait un raid, sa mère descendait de sa chambre et venait se glisser sous l'abri à côté de lui.

L'oncle Jack habitait quelquefois chez eux quand il était en permission parce qu'il n'avait plus de maison. À l'endroit où se trouvaient autrefois la maison de Jill et toutes les autres de chaque côté, il n'y avait qu'un grand espace vide et des tas de briques et de tuyaux tordus. De l'herbe et des plantes sauvages avaient poussé dessus pendant l'absence de Timothy. Un jour il vit l'oncle Jack sur les lieux du bombardement, les mains dans les poches, les yeux fixés au sol. Timothy faillit l'appeler mais se retint de le faire. Quand il revint à la maison, il en parla à sa mère et un peu plus tard il entendit celle-ci tout raconter à son père. Sa mère dit que c'était bien normal mais qu'il ferait mieux de ne pas trop ruminer toutes ces choses. Son père dit que Jack s'en voulait beaucoup mais que ça ne servait à rien. En les entendant parler, il apprit ce qui s'était passé la dernière nuit dans l'abri. Quand la première bombe - celle qui l'avait réveillé - était tombée dans la rue d'à côté, l'oncle Jack s'était précipité pour aller porter secours. Il avait d'abord appelé tante Nora mais elle ne l'avait pas entendu. Quand elle était sortie de l'abri à sa recherche, suivie de Jill, leur maison avait alors été touchée par une deuxième bombe et elles avaient été tuées dans le jardin. Quand on est tué, ça veut dire qu'on est mort et qu'on est mis dans la terre, mais votre âme monte au ciel. On est heureux au ciel mais les gens qu'on laisse derrière sont tristes, comme l'oncle Jack. Timothy regrettait de ne plus avoir Jill pour jouer avec lui, mais il n'était pas aussi triste que quand il était pensionnaire au couvent.

Il y avait beaucoup d'endroits bombardés dans les rues du quartier. On n'était pas censé y aller, mais les grands garçons ne s'en privaient pas. Il pouvait y avoir des bombes qui n'avaient pas explosé et, si on marchait dessus, elles pouvaient éclater et vous tuer. Les grands allaient chercher des éclats d'obus sur les sites bombardés. Timothy trouva un éclat d'obus, un matin en allant à l'école. Il traînait dans le caniveau et, quand il le ramassa, il était encore chaud. Il pesait lourd dans sa main et était rugueux au toucher, comme la pierre ponce de la salle de bains quand elle était sèche. Jean Collins essaya de lui faire lâcher l'éclat d'obus et le pinça même mais il le garda. Le morceau de métal, chaud, rugueux et lourd dans sa main, l'excitait bizarrement : c'était un morceau de guerre qui était tombé du ciel. Il se mit à collectionner les éclats d'obus. En principe on devait les ramasser pour les donner au gouvernement qui en faisait de nouveaux obus; mais Timothy gardait les morceaux qu'il trouvait dans une boîte en carton sous son lit.

Il alla à l'école paroissiale. Il eut un peu peur au début – certains garçons étaient violents et les maîtres criaient après les mauvais élèves et les battaient – mais c'était toujours mieux que d'être pensionnaire au couvent. Petit à petit, il réussit à s'accoutumer à la brutalité qui régnait sur la cour de récréation surpeuplée. Ce qu'il supportait le moins, c'était d'être toujours harcelé par Jean Collins. Elle le conduisait à l'école et le ramenait à la maison et était en principe chargée de le surveiller parce que sa mère s'occupait des cartes de rationnement. Quelquefois, quand Jean était de mauvaise humeur, elle disait que Hitler allait l'attraper un de ces jours et lui faire d'horribles choses. Il ne la croyait pas mais il n'aimait pas qu'elle dise ça. Hitler était le chef des Allemands. C'était lui qui avait commencé la guerre. C'était un méchant monsieur avec une moustache noire. On appelait aussi les Allemands les Boches, un nom qui sonnait comme moches, et qui leur allait parfaitement.

Un jour, Timothy alla au cinéma avec son père et sa mère, voir un film sur Hitler. C'était un film soi-disant drôle qui se moquait de Hitler. L'homme se pavanait, criait, hurlait et bafouillait et, dans la salle, tous les gens riaient, mais Timothy riait avec un temps de retard sur les autres car, au fond de lui, il avait très peur. Il n'était pas vraiment sûr que ce n'était qu'un homme déguisé en Hitler, parce qu'il paraissait si vrai et que tous les autres personnages et tous les lieux qu'on voyait dans le film semblaient si réels. Pas réels vraiment, mais un peu comme un rêve ou un cauchemar qu'on croyait réel jusqu'au moment de se réveiller. Après cela, il rêva parfois de Hitler et se réveillait en larmes au milieu de la nuit avec des images de Hitler en noir et blanc qui dansaient encore devant ses yeux comme dans le film.

Un jour, dans la cour de récréation, des grands garçons se mirent à courir après Jean Collins et lui soulevèrent la jupe par-derrière en criant : « Elle a une culotte bleue ! Une culotte bleue ! »

Jean Collins rougit jusqu'aux oreilles et se mit à pleurer et tous les gars rigolèrent et Timothy rigola aussi, il était content de voir Jean Collins se faire chahuter pour une fois. Mais le directeur avait tout vu de sa fenêtre et le lendemain, les grands garçons reçurent la bastonnade et Timothy, terrorisé, passa sa journée à trembler et à raser les murs, se demandant si le directeur ne l'avait pas vu rire.

Quand il eut sept ans, il fit sa première communion. Mais avant de faire sa première communion, on devait aller se confesser pour la première fois. On pénétrait dans un petit endroit sombre sur le côté de l'église, une sorte de placard où il y avait un grillage, et l'un des prêtres était assis de l'autre côté et on lui disait ses péchés et il vous pardonnait, mais, en fait, c'était Jésus. Alors l'âme était lavée, débarrassée de toute tache de péché, elle était brillante et étincelante. Les péchés, c'était par exemple dire des mensonges ou répondre à ses parents ou manquer la messe du dimanche. Il y avait aussi des péchés d'impureté. Miss Marples n'expliqua jamais vraiment ce qu'étaient les péchés d'impureté mais il savait que c'était faire des choses grossières, comme les dessins que certains grands garçons faisaient dans les cabinets, ou de soulever la jupe de Jean Collins pour voir sa culotte. Timothy était content de n'avoir rien fait de tout ça, parce que ça devait être affreux d'avoir à dire ces choses-là à confesse.

Il essaya de ne pas penser à ce qu'il avait fait avec Jill quand ils s'étaient regardés dans la salle de bains chez elle, et quand ils s'étaient touchés dans la couchette de l'abri. Jamais il ne pourrait dire ça au prêtre. Le prêtre ne le raconterait à personne, d'ailleurs il n'était pas censé savoir qui on était parce qu'il faisait noir dans le confessionnal et qu'on parlait tout bas. Mais si par hasard, même en parlant tout bas, il reconnaissait votre voix, ou encore s'il glissait un œil derrière son rideau et si, vous repérant, à genoux au milieu des autres garçons et filles, il se mettait à faire des calculs pour savoir quand ce serait votre tour? Il essaya d'imaginer comment il pourrait raconter au prêtre ce qui s'était passé entre Jill et lui, mais rien que d'y penser il en avait mal au ventre. Il ne pourrait jamais le dire. Mais il fallait bien en principe confesser tous les péchés qu'on se rappelait avant de faire sa première communion, ou bien c'était un sacrilège, le pire de tous les péchés.

Il dormit mal la nuit avant d'aller se confesser et il rêva de nouveau à Hitler. Allongé dans l'abri Morrison, les yeux grands ouverts, tandis que le jour pénétrait doucement dans la pièce, il décida qu'il allait s'accuser d'un péché qu'il n'avait pas commis pour ne pas avoir à dire ce qu'il avait fait avec Jill. Il inventa un péché et raconta qu'il avait volé un peu d'argent dans le sac à main de sa mère bien qu'il n'eût jamais rien volé de sa vie. Le prêtre lui dit : « Combien était-ce, mon enfant? »

Timothy ne s'attendait pas à cette question et répondit une livre, la première somme qui lui vint à l'esprit. Le prêtre eut l'air de penser que c'était beaucoup d'argent et il lui expliqua longuement que c'était très mal de voler, si bien qu'à la fin Timothy fut terrorisé et s'en voulut d'avoir parlé d'une somme pareille. Mais de toute façon, pensa-t-il par la suite, ça compensait sûrement le fait d'avoir caché son histoire avec Jill, et il fit sa première communion sans se faire trop de soucis.

Sa sœur Kath revint à la maison, parce qu'elle avait quitté l'école. Elle avait dix-sept ans. Timothy était très timide au début avec elle, ça faisait tellement longtemps qu'il ne l'avait pas vue. Elle était très grosse. Quand elle marchait dans sa chambre au premier, les choses sur le buffet de la salle à manger se mettaient à trembler et son père qui lisait son journal relevait la tête en disant : « Seigneur, elle va passer à travers le plafond un de ces jours. Enfin ça n'a pas d'importance, on fera passer ça en dommages de guerre. »

La chambre de derrière était maintenant bien différente avec toutes les photos des camarades d'école de Kath et les cartes postales de vedettes de cinéma, et elle sentait le parfum. Kath avait aussi des tubes de rouge à lèvres, bien qu'elle ne fût pas censée en mettre. Un jour, il regarda dans sa chambre à travers la petite fente qu'il y avait entre les gonds de la porte et il la vit, devant la glace, en train de se mettre du rouge à lèvres sur la figure. Il imaginait qu'elle se débarbouillait avant de descendre même si ça paraissait bizarre de mettre du rouge quand personne ne vous regardait.

Après avoir vécu quelque temps à la maison, Kath se mit à travailler. Elle partait pour la Cité avec son père, tous les matins en train, et travaillait dans un bureau. La femme qui dirigeait son bureau s'appelait Miss Harper, et Kath l'appelait le vieux dragon. Quand elle eut dix-huit ans, Kath voulut s'engager dans la W.A.A.F., le personnel auxiliaire féminin de la Royal Air Force, mais le père et la mère s'y opposèrent et à peine Timothy était-il parti se coucher que de violentes disputes éclataient dans la salle à manger et elles se terminaient presque toujours de la même façon : Kath montait en tapant des pieds dans l'escalier et claquait la porte de sa chambre. Timothy prenait le parti de sa sœur. Lui, s'il était plus grand, il serait pilote, il aurait un Spitfire et descendrait plein d'Allemands.

Ses petits avions étaient ses jouets préférés. C'était l'oncle Jack qui les lui donnait. Un de ses amis de la Royal Air Force les fabriquait avec du bois et peignait dessus des taches de camouflage et aussi des cercles rouges, blancs et bleus sur les ailes. Il avait des Spitfires, des Hurricanes et des bombardiers Wellington. Le dessus de l'abri Morrison était son terrain d'aviation. Dans la pièce de devant, il y avait un buffet marron foncé qu'il n'avait jamais aimé à cause de ses tiroirs difficiles à ouvrir et de ses angles pointus; et il décida que c'était l'Allemagne et envoya ses Wellingtons le bombarder. L'oncle Jack était canonnier arrière sur un Wellington maintenant. Il passa les voir après avoir fini sa période d'entraînement et il était tout excité. Il dit qu'il avait hâte de rendre aux Fritz la monnaie de leur pièce. C'était le dix-huitième anniversaire de Kath et elle demanda à l'oncle Jack s'il ne pensait pas qu'elle devrait s'engager dans la W.A.A.F., ce qui relança une nouvelle dispute. L'oncle Jack ne dit rien au début, mais, après le dîner, il dit au père de Timothy qu'à son avis, si Kath y tenait vraiment, il fallait la laisser s'engager dans la W.A.A.F., parce que c'était plus utile que de travailler dans un bureau. Le père de Timothy soupira et dit : « Eh bien, j'imagine que tu as raison, Jack. Bon alors, c'est d'accord ».

Alors Kath lui sauta au cou et l'embrassa et embrassa également l'oncle Jack, et la mère, qui revenait de la cuisine, versa quelques larmes et l'oncle Jack dit : « Ne va surtout pas t'imaginer que ça se passe comme dans les histoires de guerre écrites pour les petites filles ».

Kath dit qu'elle ne lisait plus ce genre de revue. Le lendemain, elle se rendit au bureau de recrutement de la W.A.A.F. mais elle ne fut pas autorisée à s'engager parce qu'elle échoua à l'examen médical. Elle revint à la maison et pleura pendant trois jours et trois nuits et puis retourna travailler dans le même bureau, et tout continua à aller comme avant, en un peu plus triste seulement.

Kath était constamment de mauvaise humeur et n'était pas drôle du tout. L'oncle Jack ne venait plus les voir. La mère disait que c'était parce que sa base était très loin mais, un jour, elle lui dit que l'oncle Jack était porté disparu. Disparu, ça voulait dire que l'avion n'était pas revenu d'un raid. Mais l'oncle Jack avait probablement sauté en parachute de son avion et avait été fait prisonnier. Quand la guerre serait finie, il reviendrait en Angleterre. Timothy était triste de savoir l'oncle Jack prisonnier en Allemagne. Il pensait que ça devait faire le même effet que d'être pensionnaire dans un couvent, être tout seul et avoir peur de ne jamais revenir chez soi.

Car la guerre durait toujours. Son père et sa mère parlaient souvent de l'avant-guerre, mais Timothy avait du mal à se souvenir comment c'était. Il se souvenait d'être allé au bord de la mer et d'avoir mangé une banane qui craquait sous les dents parce qu'il l'avait fait tomber dans le sable. Ça devait être avant la guerre parce qu'on ne trouvait plus de bananes. Et il se souvenait d'un arbre de Noël illuminé dans une vitrine; ça aussi ce devait être l'avant-guerre parce qu'il faisait noir et que les lumières brillaient jusque sur le trottoir, ça ne pouvait pas être pendant un couvre-feu. Ses parents parlaient beaucoup de l'avant-guerre au moment de Noël, des choses qu'on pouvait alors acheter à manger : des bananes et des oranges, du raisin, des figues et des dattes et autant de fruits secs qu'on en voulait, sans tickets. Toutes ces choses allaient revenir après la guerre. Mais la guerre n'en finissait pas.

À un Noël, Kath offrit un atlas à Timothy. Il y avait une carte du monde qui s'étalait sur les deux premières pages et la Grande-Bretagne et tous les pays de l'Empire britannique étaient en rose. La Grande-Bretagne était très petite mais il y avait beaucoup de pays en rose et certains d'entre eux étaient très grands. L'Allemagne était un petit pays en jaune et l'Italie était un petit pays en vert. Quand il voyait la taille des pays en rose, et en plus celle de l'Amérique et de la Russie, il se disait que la guerre n'était pas très juste, mais il préférait ne pas y penser. On faisait la guerre au Japon aussi, mais c'était encore un petit pays. C'était l'Allemagne, l'Italie et le Japon qui avaient commencé la guerre, alors c'était leur faute s'ils étaient battus, mais il en fallait du temps pour les battre. Timothy aimait peindre des scènes de courses – courses de voitures, courses d'avions et de bateaux. Chaque voiture, avion ou bateau avait un petit drapeau pour indiquer à quel pays il appartenait. Ses peintures représentaient toujours la fin de la course et l'ordre était toujours le même : l'Angleterre était première, l'Amérique deuxième, la Russie troisième, la France quatrième, l'Italie cinquième, l'Allemagne sixième et le Japon dernier. Quelquefois, l'Allemagne et le Japon avaient un accident ou coulaient et ne finissaient pas la course.

Un jour, Kath ramena à la maison un pilote américain appelé Rod qu'elle avait rencontré dans un bal. Il était bronzé et son uniforme était très lisse et très doux, pas comme celui de l'oncle Jack qui était rugueux et poilu. Rod avait des chewing-gums, appelés Juicy Fruit, qui se présentaient sous la forme de longues plaquettes et qu'il donnait à Timothy. Les plaquettes étaient si grosses qu'on n'en prenait que la moitié à chaque fois. Rod avait un gros rire sonore qui découvrait ses dents blanches, et il appelait Timothy « fiston » et son père « monsieur ». La deuxième fois que Rod vint chez eux, il apporta du chocolat au lait pour Timothy et sa mère, et des cigarettes pour son père. Timothy aimait bien Rod et était content de voir que les Américains se battaient du même côté que l'Angleterre. Mais Rod cessa un jour de venir les voir. Il y eut un soir à ce sujet une grosse dispute qu'il entendit du palier alors qu'on le croyait au lit. Son père hurlait après Kath et lui disait qu'elle ne devait pas sortir avec un homme marié, et elle remonta l'escalier à toute vitesse, ne lui laissant que le temps de retourner au lit, et elle claqua la porte de sa chambre.

Puis, un jour, Kath quitta la maison. Elle partit travailler comme secrétaire pour l'armée américaine, dans un endroit appelé Cheltenham. Le père et la mère ne voulaient pas qu'elle y aille mais elle les harcela jusqu'à ce qu'ils lui donnent la permission. Elle leur écrivit des lettres où elle disait qu'elle s'amusait bien, que c'était un plaisir de travailler pour les Américains qui étaient des gens charmants et qu'elle trouvait à manger tout un tas de choses qu'on ne trouvait pas dans les magasins. La mère dit qu'elle allait devenir plus grosse que jamais. Le père dit que les Yankees savaient décidément profiter de la vie. Kath travaillait à l'aumônerie et la mère dit que c'était plutôt rassurant. Kath disait que, pour des raisons de sécurité, elle ne pouvait rien dire de plus sur son travail. Ça voulait dire espions et compagnie et Timothy était plutôt impressionné.

Quelque temps après le départ de Kath pour Cheltenham, ce fut le Débarquement. Tout le monde était très excité et garda la radio allumée toute la journée. Le père dit que la guerre serait bientôt finie et Timothy poussa un grand « chouette » parce que l'oncle Jack allait revenir. Mais, ce soir-là, quand il alla se coucher, sa mère dit que l'oncle Jack ne reviendrait pas. Ils savaient depuis le début que l'oncle Jack avait été tué quand son avion avait été abattu, mais ils ne l'avaient pas dit à Timothy parce qu'il était trop petit. Mais maintenant qu'il devenait un grand garçon, il devait savoir que, quand on fait la guerre, on se fait tuer et c'est pour ça que les guerres sont si affreuses. Il fallait qu'il dise une prière tous les soirs pour le repos de l'âme de l'oncle Jack, comme il le faisait pour Jill et sa maman. Timothy sentit comme une envie de pleurer mais fut incapable de verser une larme. Mais il était plein de haine pour les Allemands parce qu'ils avaient tué l'homme le plus gentil qu'il avait jamais connu.

Puis vinrent les bombes sifflantes et on se serait cru au début de la guerre et non à la fin. Les bombes sifflantes ressemblaient à des avions, seulement elles n'avaient pas de pilote et elles allaient très vite et c'était donc difficile de les abattre. Leur vrai nom était des V1, mais on les appelait des bombes sifflantes parce qu'elles sifflaient en passant au-dessus de vous et quand elles s'arrêtaient de siffler, on savait qu'une grosse explosion allait se produire juste après. Une de ces bombes tomba sur un *Woolworth* du quartier et tua plein de gens, et son père dit qu'il était trop dangereux pour Timothy et sa mère de rester à

Londres, alors ils retournèrent à Blyfield. Pas chez Mrs. Tonks cette fois, mais dans une autre maison qui appartenait à Mr. Barwood. C'était un vieil homme dont la femme était morte et qui les accepta chez lui gratuitement parce que la mère de Timothy faisait la cuisine pour lui et nettoyait la maison.

Tous les jours, toutes les nuits, les bombardiers passaient au-dessus de Blyfield en allant bombarder l'Allemagne. Il se trouvait généralement dans le jardin, ou dans le champ juste derrière, en train de chasser les papillons et, lorsqu'il entendait le bourdonnement lointain des moteurs, il lâchait son filet, levait la tête et fouillait le ciel bleu en se protégeant les yeux. Peu à peu, le bourdonnement grossissait et finissait par emplir tout le ciel, mais c'était drôle parce que au début on ne voyait aucun avion. Et puis on en apercevait un, haut, très haut dans le ciel, un minuscule petit point argenté; et quand on en voyait un, on les voyait aussitôt tous, par centaines semblait-il, qui progressaient en formation serrée. Quelquefois, ils traçaient des lignes de fumée blanche comme de la craie derrière eux et alors il était facile de les voir. C'étaient des bombardiers américains qu'on appelait des forteresses volantes parce qu'ils avaient beaucoup de tourelles. Les bombardiers anglais étaient surtout des Lancasters et avaient une tourelle en moins. Il n'avait jamais vu de Lancasters parce qu'ils volaient la nuit mais il en avait vu des images et il les entendait passer. Le palpitement de leurs moteurs faisait vibrer les vitres de sa chambre. Il les entendait aussi revenir le matin avant qu'il fasse jour, mais alors ils ne faisaient pas tant de bruit parce qu'ils ne revenaient pas tous ensemble. Et quelques-uns ne revenaient pas du tout, comme celui de l'oncle Jack.

Son père venait quelquefois à Blyfield pendant le weekend. Maintenant, ils étaient bombardés par des V2 aussi bien que des V1 à Londres. Les V2 étaient des fusées qui étaient si rapides qu'on n'arrivait pas à les abattre. On n'avait même pas le temps de déclencher l'alerte aérienne. Tout ce qu'on voyait, c'était un éclair dans le ciel et puis, la seconde d'après, il y avait une explosion. Dieu merci les Boches ne les ont pas eus avant, dit son père. Il disait qu'ils étaient très bien loin de tout ça et il était content de savoir Kath à Cheltenham.

Ils reçurent alors des nouvelles passionnantes de Kath. Elle ne leur avait pas envoyé, cette semaine-là, son habituelle lettre hebdomadaire et la mère commençait à s'inquiéter et elle se demandait si elle n'allait pas essayer de lui téléphoner quand ils apprirent qu'elle se trouvait à Paris qui venait d'être libéré trois semaines seulement auparavant. L'armée américaine avait eu besoin de secrétaires en France et avait demandé des volontaires et Kath s'était portée volontaire sans en parler à personne. Elle racontait qu'on ne leur avait pas dit où elles allaient et qu'elles ne savaient pas que c'était à Paris, jusqu'au moment où l'avion s'était mis à tourner en rond et qu'elles avaient aperçu la tour Eiffel et alors toutes les filles dans l'avion avaient applaudi, même celles qui avaient été malades. Elle disait qu'elle se portait bien et qu'elle ne courait aucun danger et que c'était la chose la plus excitante qui lui soit arrivée de sa vie. Timothy pensait qu'elle était plutôt courageuse d'aller en France alors qu'on se battait encore là-bas contre les Allemands. Et si les Allemands se remettaient à gagner et la faisaient prisonnière? Il pensait que sa mère s'inquiétait pour ça aussi. Elle disait qu'elle préférait ne pas penser à Kath, toute seule à Paris, qu'elle était trop jeune et que, d'abord, ils n'auraient jamais dû la laisser partir à Cheltenham. Chaque jour, la mère se précipitait à la porte dès l'arrivée du facteur pour voir s'il y avait une lettre de Kath. Les lettres étaient écrites sur une seule feuille de papier qui se repliait et servait en même temps d'enveloppe. Ça s'appelait un V-Mail et, sur le dessus, il y avait des bandes rouges et un endroit réservé au tampon du censeur.

Le V sur le V-Mail voulait dire victoire. Winston Churchill faisait le V de la victoire avec les doigts quand on le prenait en photo, et tenait son cigare dans l'autre main. Tout le monde aimait Mr. Churchill, on l'appelait Winnie, un prénom qu'on donnait d'habitude aux filles, mais c'était aussi le diminutif de Winston. Churchill était le chef des Anglais et Roosevelt était le chef des Américains et Staline était le chef des Russes. Les Russes étaient eux aussi en train de gagner maintenant de l'autre côté de l'Allemagne. Timothy avait des bandes dessinées qui racontaient toutes les farces que faisait un petit garçon cosaque aux Allemands qui battaient en retraite.

Timothy retourna à l'école dans le couvent où il avait été auparavant. D'habitude, on n'y prenait pas les garçons de plus de sept ans, mais comme c'était la guerre, on fit une exception.

Ça faisait drôle de se retrouver là-bas même si les sœurs dont il se souvenait le mieux, sœur Teresa et sœur Scholastica, étaient parties. C'était parfaitement ennuyeux d'être dans une classe de filles, avec un seul autre garçon de son âge, mais c'était toujours mieux que d'avoir à aller à l'école du village. Il craignait les garçons du village et leurs brutalités, mais en même temps, il les méprisait. Ils étaient restés à Blyfield toute leur vie, et ils ne connaissaient rien de rien. La guerre, pour eux, ce n'était qu'un V1 qu'on abattait de temps en temps et ces bombardiers qui bourdonnaient au-dessus de leur tête. Ils n'avaient aucune idée de ce qui se passait à Londres où il y avait des sites bombardés et des abris et des éclats d'obus dans les rues. Timothy avait très hâte de retrouver les rues de Londres, les magasins, les bus rouges et les trams. East Grinstead, la grande ville la plus proche de Blyfield, n'était pas si grande que ça mais Timothy adorait y aller avec sa mère en prenant les bus verts qui desservaient la campagne. Il y avait un hôpital dans la ville où on réparait la peau des pilotes qui avaient été brûlés quand leurs avions avaient été abattus, et on les voyait souvent flâner dans les rues avec leurs uniformes bleu clair de l'hôpital et leurs pansements blancs. Quelquefois, ils avaient toute la figure recouverte de pansements avec seulement des trous pour les yeux et la bouche; et quelquefois aussi, ils n'avaient pas de pansements du tout, et pas vraiment de figure non plus, comme si leur figure avait été en cire et qu'elle avait fondu. Quand ils rencontraient ces hommes sur le trottoir, sa mère lui prenait la main et passait bien vite. Elle disait que c'était malpoli de regarder la figure de ces pauvres hommes et il pensait qu'elle avait raison; mais ça semblait aussi malpoli de passer devant eux et de regarder de l'autre côté. C'était difficile de savoir quoi faire. Il se demandait ce que les hommes préféraient.

Timothy fut absolument ravi quand sa mère dit qu'ils allaient rentrer à la maison pour Noël et qu'ils y resteraient probablement. Les V1 et V2 avaient pratiquement cessé maintenant et son père pensait qu'il n'y avait plus de danger. Les nouvelles étaient bonnes et tout le monde pensait que la guerre allait bientôt finir. Mais, quand son père vint les chercher à la gare Victoria, la première chose qu'il dit à la mère, ce fut : « Il semblerait qu'on soit encore en train de perdre la guerre ».

Il disait ça en plaisantant mais Timothy voyait bien qu'il était un peu soucieux. Les Allemands étaient repartis à l'attaque et les Américains devaient battre en retraite. Dans les journaux, on appelait ça la bataille des Ardennes. Noël fut complètement gâché, parce que les parents se faisaient du souci pour Kath. Mais, le lendemain de Noël, les nouvelles étaient déjà meilleures. La radio annonçait que les Américains repartaient à l'attaque et que les Allemands battaient à nouveau en retraite. Ils reçurent alors une lettre de Kath. La mère la lut à haute voix au petit déjeuner :

Je mène une vie formidable à Paris. J'adore travailler pour les Américains - ils sont très gentils et on s'amuse beaucoup. Tout le monde s'occupe très bien de nous - on est bien logés, bien nourris et on sort beaucoup, etc. Il a beaucoup neigé hier, et Paris est vraiment très joli sous cette épaisse couche de neige. Paris est une ville superbe. Les rues sont beaucoup plus larges qu'à Londres. J'espère que vous avez passé ensemble un bon Noël au numéro 33. On se faisait une fête d'aller à la messe de minuit à Notre-Dame mais tout a été annulé à cause des derniers événements.

Les derniers événements dont elle parlait, c'était la bataille des Ardennes où les lignes alliées avaient un instant cédé.

« Si elle n'avait pas dit ça, on aurait pu croire qu'il n'y avait pas la guerre, dit la mère. À l'entendre, on dirait qu'elle est en vacances.

– Au lieu de s'occuper des lignes alliées, elle ferait bien de s'occuper de sa ligne à elle, si tu veux mon avis, dit le père, avec toute la nourriture yankee qu'elle est en train d'ingurgiter. »

La guerre avec l'Allemagne prit fin au printemps. Ils écoutaient tous les bulletins d'informations à la radio, et chaque fois, on donnait le nom des nouvelles villes capturées par les Alliés. Chaque jour, Timothy regardait les cartes dans le *Daily Express* et suivait le déplacement des grandes flèches blanches des armées alliées qui pénétraient en Allemagne. Les Anglais et les Américains avançaient par l'ouest et les Russes par l'est. Ils allaient bientôt se rejoindre et l'Allemagne serait battue. Il était tout excité et attendait la fin avec impatience. Ça lui faisait la même impression que quand on appelait, le matin au rassemblement à l'école, un de ces petits tyrans pour recevoir la bastonnade – un mélange de joie intense, de soulagement et de bonne conscience. Quand on commença à entendre parler de Belsen et que, dans les journaux, parurent des photos d'hommes affamés vêtus de pyjamas en lambeaux, avec leurs bras et leurs jambes maigres comme des bâtons, leurs côtes saillantes sous la peau, d'autres empilés, morts, les membres tout emmêlés, Timothy fut presque content, content de voir la preuve que les Allemands étaient encore plus méchants qu'on l'avait imaginé, ça rendait la guerre d'autant plus juste. C'était comme si tout le mal et la méchanceté et la cruauté du monde avaient été regroupés en un seul endroit et étaient maintenant punis et anéantis, écrasés entre les puissantes armées alliées.

Il ne supportait pas que la moindre imperfection puisse venir ternir la victoire, et la mort du président Roosevelt, juste avant la capitulation des Allemands, lui sembla une fausse manœuvre de la part de Dieu. Il avait déjà vaguement imaginé dans sa tête Churchill, Roosevelt et Staline entrant triomphalement dans Berlin et se serrant la main sous un ciel bleu, debout sur un tas de gravats, tandis que les soldats des trois nations enlevaient leur fusil de leur épaule, retiraient leur casque, riaient et applaudissaient. Et il avait aussi en tête une image de Hitler qu'on traînait devant eux, terrorisé, plein de remords, demandant grâce et qu'on pendait ou qu'on exécutait d'une façon ou d'une autre. Mais Hitler se tua avant que les Alliés n'aient pu le capturer et, ça, c'était encore une autre imperfection. Puis, on ne put retrouver le corps de Hitler et les journaux dirent qu'il s'était peut-être enfui après tout et qu'il se cachait quelque part. Les garçons à l'école discutèrent beaucoup pour savoir s'il était mort ou vivant et Timothy se rangea derrière ceux qui disaient qu'il était mort parce qu'il ne pouvait supporter l'idée que Hitler ait pu en réchapper et il avait un peu peur que, si c'était vrai, il réapparaisse un jour à la tête d'une armée. Car, pour Timothy, il y avait toujours eu quelque chose de surhumain dans le personnage de Hitler, un peu comme s'il avait été le diable. Comment expliquer autrement qu'un petit pays comme l'Allemagne ait presque réussi à battre tant d'autres pays ?

Mais l'Allemagne fut battue et il y eut ce qu'on a appelé en Angleterre V. E. Day, c'est-à-dire le jour de la victoire en

Europe, car la guerre n'était toujours pas finie, il y avait encore le Japon. Les Japonais étaient comme les Allemands, ils étaient cruels envers leurs prisonniers; et, d'une certaine façon, ils étaient plus difficiles à battre parce qu'ils s'en fichaient de se faire tuer. Ils avaient des pilotes-suicide qui lançaient leurs avions contre des bateaux pour les couler même s'ils se faisaient tuer en même temps. Puis les Américains envoyèrent la bombe atomique, et les Japonais capitulèrent. Le fait que les Alliés aient inventé la bombe atomique parut à Timothy la preuve absolue que les gens les plus gentils étaient aussi les plus malins et qu'ils finissaient toujours par gagner. C'était dommage pourtant qu'ils n'aient pas inventé la bombe atomique plus tôt, parce qu'ils auraient pu l'envoyer sur Berlin et sur quelques autres villes allemandes et, alors, l'Allemagne se serait rendue bien plus vite.

Entre le jour de la victoire contre l'Allemagne et le jour de la victoire contre le Japon, il y eut ce qu'on appela les élections du Parlement, et peu de temps après, un certain Mr. Attlee, dont Timothy n'avait jamais entendu parler auparavant, devint Premier ministre à la place de Winston Churchill. Timothy ne comprenait pas ça parce que tout le monde aimait bien Churchill et qu'il avait gagné la guerre. Son père dit que c'était de la politique et qu'il était trop jeune pour comprendre. Mais Timothy était choqué par ce qui lui semblait de l'ingratitude et de la traîtrise. De plus, c'était stupide de se débarrasser de Churchill avant la défaite des Japonais. Mr. Attlee n'avait pas la tête de quelqu'un qui peut gagner une guerre. En fait, il ressemblait assez au père de Timothy.

Mais les Japs capitulèrent enfin et, ce soir-là, on alluma un grand feu de joie dans la rue, sur le site bombardé. Tous les gens sortirent de chez eux, se regroupèrent autour du feu et se mirent à rire, à discuter et à boire à la bouteille de la bière et de la citronnade. Comme tous les enfants, Timothy avait un ruban rouge, blanc et bleu en forme de V épinglé à son manteau. Cette nuit-là, il y eut des feux de joie un peu partout dans Londres sur les sites bombardés. Ils illuminaient le ciel d'une clarté rouge comme si c'était le Blitz. Puis un homme fit un feu d'artifice avec les quelques fusées qui lui restaient d'avant-guerre.

Il y avait tant d'adultes autour de lui que Timothy avait du mal à bien voir le feu d'artifice, alors il s'éloigna de la foule et alla se percher sur le premier terre-plein qu'il trouva. La dernière fusée éclata avec une lumière si vive qu'elle éclaira tout le site bombardé comme en plein jour et il se rendit compte qu'il était debout sur le toit couvert d'herbe de l'ancien abri de Jill. La lumière du feu d'artifice s'éteignit et il se retrouva dans le noir. Les gens en dessous de lui se détachaient en silhouettes sombres contre la lumière rouge du feu. Il se sentit tout bizarre, grave et en même temps perplexe, comprenant, à ce moment précis, qu'il aurait fallu dire ou penser quelque chose mais il ne savait pas quoi exactement. Il dégringola du toit de l'abri et, trébuchant au milieu des gravats et des tuyaux tordus, regagna le cercle autour du feu.

« Oh, te voilà! dit sa mère. Où as-tu été te fourrer avec ton beau pantalon? » Elle le frotta énergiquement.

Il plongea les yeux dans les braises rougeoyantes.

« Maman...

– Tu as la figure toute sale aussi. Quoi? »

Elle sortit un mouchoir de son sac, cracha dessus et lui frotta la joue. Il consentit à être traité comme un enfant parce qu'il avait une question à poser.

« Maman, est-ce que la guerre est vraiment finie?

– Oui, Dieu merci.

– Comment ça va être maintenant?

– Comment ça va être? Seigneur, tu poses de ces questions! J'imagine que les choses vont peu à peu revenir à la normale. » Elle ferma d'un coup sec son sac à main.

« Qu'est-ce que c'est la normale?

– Eh bien, tous les soldats vont rentrer et reprendre le travail. Il n'y aura plus de couvre-feu... et on trouvera davantage de choses à manger dans les magasins, et il n'y aura plus de rationnement.

– Est-ce qu'il y aura des bananes?

– Oui, il y aura des bananes, des oranges, des ananas, et tout le reste.

– Quand est-ce que tu m'achèteras une banane? »

Sa mère rit de bon cœur.

« Oh, je n'en sais rien. Tout ça va prendre un certain temps. »

3

« Tout prend tellement plus de temps que je l'avais imaginé », disait la mère très souvent en se souvenant des questions posées par Timothy le soir de la victoire contre les Japonais. Il fallut attendre deux ans avant que Timothy ne goûte une banane, et encore sa mère avait dû faire la queue pendant une heure pour en acheter. Les rationnements continuaient toujours, et, d'une certaine façon, ils allaient en s'aggravant.

En fait, la vie changea étonnamment peu après la guerre. Les lampadaires s'allumèrent un soir et Timothy et ses deux amis qui habitaient la même rue, Jonesy et Blinker, flânèrent si longtemps dans les rues, jouant avec leurs ombres dans cette étrange lumière bleutée, que sa mère envoya son père à leur recherche; mais la nouveauté ne dura qu'un temps. Les soldats furent peu à peu démobilisés, et de temps à autre l'une des maisons du quartier se couvrait de pancartes où l'on avait peint à la main ces mots : *Bienvenue à la maison, papa.* Mais son papa à lui n'avait jamais quitté la maison et l'oncle Jack, pour lequel il aurait été ravi de peindre ces mots de bienvenue sur une pancarte, ne reviendrait pas de la guerre. Il avait pensé mettre une pancarte pour le retour de Kath mais il eut peur que Jonesy et Blinker ne se moquent de lui, parce qu'elle n'était que secrétaire.

Mais quand Kath débarqua, elle portait un uniforme spécial, un uniforme kaki, très chic, fait d'un tissu lisse, comme celui de Rod, avec un écusson rouge, blanc et bleu sur la manche. Tous furent étonnés de voir qu'elle était deux fois moins grosse que quand elle était partie. Elle avait changé de coiffure et ne portait plus de lunettes, sauf pour lire, et elle mettait du rouge à lèvres et du vernis à ongles. Et elle fumait aussi des cigarettes. Quand Timothy remonta la rue à ses côtés, il aperçut les ombres des voisins qui se déplaçaient derrière les rideaux de dentelle comme des poissons dans un aquarium, attirés aux fenêtres pour voir sa superbe sœur. Jonesy et Blinker dirent qu'elle était drôlement chouette et Timothy regretta finalement de n'avoir pas mis une pancarte de bienvenue.

Mais Kath n'était en fait qu'en permission, et elle ne cacha pas qu'elle n'avait aucune intention de revenir à Londres définitivement. Elle travaillait à Francfort maintenant. Les parents voulaient qu'elle revienne à la maison, mais elle leur dit qu'elle était bien mieux là où elle était ; elle était bien payée, bien traitée, et elle découvrait le monde. Ils étaient tous assis autour de la table de la salle à manger après le thé. La mère marmonna quelque chose sur l'égoïsme de certaines personnes, et Kath parut contrariée.

« C'est stupide de dire ça, maman. À quoi ça servirait que je reste à la maison ? On finit toujours par se taper sur les nerfs.

– Tu racontes n'importe quoi, dit la mère, en pinçant les lèvres.

– Pas du tout, t'es pas d'accord, papa ? »

Le père, gêné, changea de position sur sa chaise et sortit de sa poche un paquet de Lucky Strike que Kath lui avait donné.

« Je ne sais pas, Kath. Tout ce que je sais, c'est que, ta mère et moi, on aimerait t'avoir plus près de chez nous. »

Kath prit une cigarette et l'alluma et alluma aussi celle de son père avec un adorable petit briquet en or.

« Écoutez, en cas d'urgence je peux toujours sauter dans un avion militaire et être à la maison en quelques heures.

– C'est pas ça le problème, dit la mère.

– Quel est le problème, alors ? Si c'est une question d'argent, je serais ravie de...

– On n'a pas besoin de ton argent, ma fille, dit le père d'un ton un peu agacé. De toute façon, on ne saurait pas comment le dépenser. »

La mère de Timothy se mit à empiler les assiettes devant elle.

« Eh bien, il faut que je me fasse à l'idée, je suppose, que je serai toujours toute seule pour m'occuper de cette maison.

– Oh, maman! Écoute, j'ai une idée. (Kath écrasa sa cigarette dans une soucoupe; le mégot, badigeonné de rouge à lèvres, était si long qu'il se plia en accordéon sous ses doigts, et Timothy vit son père scandalisé regarder d'un mauvais œil ce gaspillage.) J'ai une idée : et si je te payais une bonne pour venir faire ton ménage?

– Une bonne! Qu'est-ce que je ferais d'une bonne? Je peux très bien me débrouiller toute seule dans cette maison, merci bien. »

Kath partit d'un grand rire :

« Maman, tu es insupportable! »

Timothy et son père rirent eux aussi. La mère eut un petit sourire timide et triste. Ne sachant pas très bien comment elle devait prendre la chose, elle se leva et porta la pile d'assiettes à la cuisine.

Kath avait ramené avec elle une quantité de cadeaux. C'était comme si une marraine-fée avait débarqué à la maison. Pour Timothy, il y avait des bonbons américains, des *candies* comme elle disait, aux noms étranges et totalement incongrus comme *Baby Ruth* et *Oh Henry*! Il y avait des cigarettes américaines en gros paquets de deux cents pour le père, et, pour la mère, des bas d'une nouvelle espèce appelés des bas nylon. Elle avait apporté en plus de luxueux cadeaux pour chacun : une montre pour Timothy, un appareil photo pour le père et des boucles d'oreille, avec de vraies perles, pour la mère.

« Kath, tu ne devrais pas faire de telles folies, dit la mère en tournant les boucles d'oreille dans sa main. Je n'oserai jamais les porter. Elles ont dû coûter une somme folle.

– J'ai mis de côté ma ration de cigarettes, expliqua Kath. On peut acheter n'importe quoi en Allemagne avec des cigarettes. Ou avec de la nourriture.

– Tu veux dire que tu as eu ces choses au marché noir, Kath? » demanda le père avec une pointe de reproche dans la voix.

Kath haussa les épaules.

« Tout le monde le fait. Écoutez, pas plus tard que l'autre jour, le chauffeur de l'aumônier est entré dans le bureau avec dans les mains une boîte de jambon qu'il manipulait comme une balle de tennis. Je lui ai demandé ce qu'il comptait en faire, et vous savez ce qu'il a dit? " L'aumônier m'a dit d'aller chercher des fleurs pour l'autel. "

- L'aumônier catholique? dit la mère.

- Oui.

- Seigneur! J'imagine que c'est une pratique normale, alors. »

Timothy aurait aimé savoir combien de cigarettes avait coûté sa montre, mais il pensa que c'était peut-être malpoli de demander. C'était une montre suisse à trotteuse qui était étanche, antichoc et antimagnétique. Il imagina la scène : un Allemand donnant la montre en échange d'une cartouche de cigarettes et qui se mettait à fumer les cigarettes l'une après l'autre, et qui, à la fin, quand il n'en restait plus que quelques-unes, regrettait d'avoir échangé sa montre parce qu'une montre, ça dure, mais pas les cigarettes.

« Ils sont comment, les Allemands? » demanda-t-il à Kath, le dernier jour qu'elle était à la maison. Ils étaient assis dans la chambre du fond, qu'il avait laissée à Kath pendant sa permission. Elle était en train de se passer du vernis sur les ongles, opération qu'il aimait observer.

« Eh bien, on n'est pas censés fraterniser – je veux dire, fréquenter les Allemands. En fait, au début, on nous a mis derrière des fils de fer barbelés, on ne pouvait pas sortir sans laissez-passer. C'est donc difficile à dire. Mais ils ont l'air comme tout le monde. Sauf qu'on rencontre beaucoup d'infirmes et des blessés de toutes sortes.

- J'imagine qu'ils nous détestent d'avoir gagné la guerre?

- Ils nous en veulent surtout pour les bombardements; bien sûr, personne n'aime voir son pays occupé. Mais ils sont bien mieux sous la tutelle des Américains que s'ils se trouvaient en zone russe et, ça, ils le savent.

- De toute façon, ils les ont bien cherchés, tu ne crois pas? Les bombardements, je veux dire.

- J'imagine que oui... Mais le Blitz n'était pas grand-chose à côté du bombardement de Francfort. Je n'ai jamais vu de tels ravages. Des quartiers entiers complètement rasés.

- Tu sais que notre *Woolworth* a été détruit par une bombe volante? » lui demanda Timothy qui sentait secrètement que Kath était en train de sous-estimer les blessures que la guerre avait infligées à son propre pays.

« Oui, ç'a dû être terrible! Tous ces gens tués et tous ces enfants. Eh bien, Dieu merci, c'est terminé maintenant.

– J'imagine que tu as hâte de retourner à Francfort, dit-il.

– Oh, en fait, il est possible que je sois mutée dans un endroit plus agréable. Sait-on jamais. Voilà! »

Kath avait fini de se vernir les ongles. Elle revissa sur la bouteille le bouchon muni d'un petit pinceau, se leva et agita ses mains en l'air pour faire sécher le vernis. Elle alla à la fenêtre et regarda dehors.

« Seigneur! » murmura-t-elle.

Timothy la rejoignit à la fenêtre pour voir ce qui avait provoqué cette exclamation. Mais en regardant dehors, il ne vit que l'enfilade familière des petits jardins étroits à l'arrière des maisons avec leurs remises à charbon et leurs fils à linge, un tram stationné dans la rue au fond et la vaste étendue des toits noyés dans la fumée qui s'estompait dans le lointain. Il tombait une petite bruine et la fumée montait lentement des cheminées. Il retourna s'asseoir à sa place sur le lit et feuilleta les pages d'une revue américaine que Kath avait rapportée avec elle. C'était une revue épaisse, lourde et brillante et, à l'intérieur, il y avait une quantité d'images où l'on voyait des crêpes dégoulinantes de sirop, des grands verres de boisson pleins de fruits et de morceaux de glace, d'énormes voitures aérodynamiques qui s'étalaient sur deux pages entières et paraissaient ainsi se plier au milieu. La revue s'appelait *Life.*

« Est-ce que je peux la garder, Kath, ou est-ce que tu veux la remporter avec toi? demanda-t-il timidement.

– Hein? murmura-t-elle, l'esprit ailleurs. Oh, oui, garde-la, Timothy, je peux en avoir autant que j'en veux en Allemagne. »

Elle était toujours près de la fenêtre, agitant les mains de haut en bas comme un gros oiseau qui s'efforce de prendre son envol.

Quand il eut dix ans, Timothy entra au collège Saint-Michel. Les professeurs s'appelaient des frères, c'est-à-dire qu'ils étaient un peu comme des prêtres sauf qu'ils ne disaient pas la messe. Ils portaient une soutane noire avec un grand col blanc. Il y avait aussi quelques autres professeurs qui n'étaient pas des frères et étaient habillés en civil, comme le professeur d'art. L'art était la matière préférée de Timothy. Le vendredi après-midi, il y avait deux heures de cours d'art, une bien agréable façon de terminer la semaine. Là où il réussissait le mieux, c'était en art et en maths. À la fin du trimestre, il y avait des examens et Timothy était en général troisième ou quatrième de sa classe, bien qu'il fût l'un des plus jeunes. Au début, ses parents payèrent ses études à Saint-Michel mais, quand il eut onze ans, il passa un examen spécial et, ensuite, ce fut gratuit.

Il y avait deux choses qu'il n'aimait pas dans son école. La première, c'était la bastonnade, que l'on pratiquait beaucoup, pas simplement quand on avait été méchant mais aussi quand on avait mal appris ses leçons; la deuxième, c'étaient les matchs. Timothy adorait le sport et surtout le football auquel tout le monde jouait à la récréation. Comme il était leste et peu corpulent, il se débrouillait plutôt bien dans les parties de foot sur la cour de récréation où il s'agissait d'éviter non seulement les joueurs de l'équipe adverse mais aussi ceux qui s'amusaient à d'autres jeux et qui partageaient le même terrain. Mais le vrai sport de l'école c'était le rugby, un sport qu'il détestait. Il n'aimait pas les coups et les bousculades qu'on subissait toujours au rugby et il n'avait pas le courage d'attraper les autres joueurs par les jambes quand ils couraient. Il prit l'habitude de se démener à la périphérie du jeu, en faisant semblant de s'y intéresser alors qu'en fait, il ne touchait jamais le ballon ni un autre joueur. Quelquefois il faisait exprès de tomber et de se salir les genoux pour faire croire qu'il avait plaqué quelqu'un au sol. C'était la même chose avec le cricket en été. Il aimait jouer dans la cour de récréation où, avec cette vieille balle de tennis qui avait perdu toute sa peluche, il pouvait donner de l'effet à une balle rasante. Mais le cricket avec une vraie balle, une balle dure et meurtrière, c'était une autre affaire. Le seul autre jeu qui se pratiquait à l'école était la course, et ce n'était pas non plus un jeu où il excellait. D'habitude, il était éliminé lors des épreuves préliminaires avant la grande fête du sport si bien que, ce jour-là, il assistait aux courses, assis aux côtés de ses parents et voyait à la fin les vainqueurs monter sur l'estrade pour recevoir leur coupe.

« C'est dommage qu'on ne donne pas une coupe à ceux qui apprennent bien leurs leçons, disait sa mère. Tu recevrais alors quelque chose, Timothy. »

Mais Timothy rêvait de succès sportifs, et le fait d'être le premier en art ou en maths ne lui donnait qu'une satisfaction éphémère. Le sport était ce qui l'intéressait le plus dans la vie. Quelquefois, son père l'emmenait voir le Charlton Athletic à la saison du foot et le Surrey à la saison du cricket. Il suivait les résultats de ces équipes dans le *Daily Express* avec une ferveur passionnée et se représentait leurs triomphes en imagination, s'amusant dans la rue à taper dans un ballon et à l'envoyer contre la clôture du jardin de devant, ou encore à donner, pendant de longues heures solitaires dans le jardin de derrière, des coups de batte dans une balle en caoutchouc suspendue par une ficelle au fil à linge. Mais ses hauts faits ne dépassaient pas la rue ou la cour de récréation. Ils ne figuraient pas sur le livre d'or, ils n'étaient gravés sur aucun trophée, n'apportaient aucun prestige à son école et ne lui conféraient aucune gloire. Il s'était résigné à mener une vie humble et obscure.

Kath revint pour Noël en 1947. Timothy et ses parents se rendirent à la gare Victoria pour l'accueillir. Le train était en retard et, tandis que ses parents étaient installés au buffet à prendre un thé, lui faisait les cent pas dans la gare pour se réchauffer, visitant les distributeurs automatiques, totalement vides et abandonnés, qui se trouvaient près des entrées menant aux quais. On pouvait encore déchiffrer les noms un peu effacés des gâteries qu'elles offraient pour un penny : tablettes de chocolat, caramels, noisettes et raisins secs. La fente pour la monnaie était condamnée. Derrière les vitres encrassées, il n'y avait plus que des casiers métalliques vides, mais il tira sur les tiroirs rien que pour voir, espérant, sans trop y croire, que l'un d'eux allait s'ouvrir et offrir une de ces bonnes confiseries d'avant-guerre.

Le train de Kath entra enfin en gare, tiré par une locomotive de la série « Bataille d'Angleterre », et Kath descendit comme un oiseau exotique dans la grisaille hivernale de ce quai que la boue et la saleté avaient rendu glissant. Elle ne portait pas son uniforme kaki mais un tailleur écossais vert avec une cape et un chapeau de fourrure. La jupe de son tailleur était très longue et lui descendait presque jusqu'aux chevilles.

« Alors, comme ça, tu as adopté le style New Look. » Ce fut la première chose que lui dit la mère.

« Oui, tu aimes ? » Kath fit une petite pirouette sur le quai.

Elle avait avec elle tout un tas de valises, de toutes formes et de toutes espèces, des rondes et des carrées, sans parler des habituelles valises rectangulaires. Elle loua un taxi pour les transporter à la maison et elle causa pendant tout le trajet. Timothy trouva qu'elle avait un ton bien plus affecté qu'auparavant, et, quand il répondit à ses questions, elle imita son accent et dit :

« Tu es un vrai petit Cockney, pas vrai, Timothy ? »

Kath leur avait rapporté encore une fois plein de cadeaux. Certains ne devaient être ouverts que le matin de Noël, mais elle déballa tout de suite des bouteilles, des boîtes de conserve, des cigarettes et des bonbons. Parmi les bonbons, il y avait des bonbons anglais introuvables dans les magasins même avec des tickets parce qu'ils étaient réservés à l'exportation : les caramels Olde English ou Mackintosh et les biscuits Original Pontefract, luxueusement présentés dans de grosses boîtes en fer peintes et des papiers d'emballage de couleurs gaies. Les bonbons avaient fait la moitié du tour du globe, via l'Amérique et l'Allemagne, avant d'arriver entre ses mains. Il les consomma avec vénération comme un chrétien persécuté recevant le saint sacrement.

« Je ne sais pas ce que serait notre Noël sans toi, Kath, dit le père. On ne trouve rien dans les magasins.

– Les rationnements sont terribles – pires qu'au temps de la guerre, dit la mère. Et même le pain maintenant, tu te rends compte.

– Je ne comprends pas, dit Kath. Vous ne semblez guère mieux lotis que les Allemands.

– C'est ce que je dis, dit la mère. À quoi ça a servi de gagner la guerre si on doit se serrer la ceinture à chaque repas.

– C'est la faute de ce gouvernement, dit le père. C'est pas demain que je revoterai pour cette équipe. »

Le père était toujours en train de râler après le gouvernement. Comme d'ailleurs le *Daily Express*. Timothy reprit à son compte les petites phrases sarcastiques de son père, et les caricatures de Strachey, Shinwell et de Cripps dans le journal se mirent à faire partie de sa mythologie personnelle, comme Hitler, Goebbels et Goering pendant la guerre, des croquemitaines moins méchants, somme toute, mais qui se prêtaient également au sarcasme et à l'injure. Autre fait encore plus troublant : Timothy était conscient que les sympathies de guerre avaient changé. Apparemment, les Russes et Staline (l'oncle

Joe, comme les gens l'appelaient) n'étaient plus nos amis. Ils étaient communistes, ce qui voulait dire que personne n'avait le droit de posséder quelque chose en Russie, et ils voulaient prendre d'autres pays pour que personne non plus dans ces pays ne possède quoi que ce soit. Quelquefois, on avait l'impression qu'ils étaient aussi méchants que les nazis. Ils étaient athées et persécutaient l'Église. Tous les dimanches, à la fin de la messe, on disait des prières pour la conversion de la Russie.

En dépit de tous les cadeaux que Kath avait rapportés, Noël ne fut pas très joyeux. Le jour de Noël, il y eut une coupure de courant qui gâcha le dîner. Kath se plaignait constamment du froid, mais ils n'avaient pas beaucoup de charbon et les parents ne cessaient de se chamailler pour savoir s'il fallait oui ou non attiser le feu. Kath ne resta pas longtemps car elle voulait être de retour en Allemagne pour un bal costumé où elle allait se déguiser en statue de la Liberté, le soir de la Saint-Sylvestre. Elle habitait désormais à Heidelberg où elle se plaisait beaucoup mieux qu'à Francfort. Elle disait que c'était une petite ville pittoresque au bord d'une rivière, entre des montagnes, avec un château en ruines et plein de vieux bâtiments, et qui n'avait pratiquement subi aucun dommage pendant la guerre. Elle vivait dans un ancien hôtel transformé en foyer et elle avait plein de gentilles copines.

« Et pas de copains, Kath? demanda le père.

– Eh bien, je n'ai pas de mal à trouver un cavalier pour sortir en soirée ou aller ailleurs. Il n'y a pas tant de filles que ça, vous savez – à part les Allemandes, bien sûr. Je n'ai pas de peine à avoir des copains. L'endroit est idéal pour une fille un peu grosse, c'est toujours ce que je dis. Ça fait bien rire les filles au bureau quand je dis ça.

– Je ne dirais pas que tu es grosse maintenant, dit la mère.

– On ne peut tout de même pas dire que je suis mince, non? » Kath lissa les plis de sa jupe.

« Du moment que tu n'as pas l'intention d'épouser un Yankee », dit le père.

Kath éclata de rire.

« Tous les beaux garçons sont déjà mariés, dit-elle. Quant aux autres, le mariage ne les intéresse pas.

– Qu'est-ce qui les intéresse? » demanda Timothy.

Kath rit de nouveau mais ne répondit pas, et sa mère dit qu'il était temps qu'il aille au lit.

Ce fut plutôt triste de voir partir Kath à Victoria. Elle avait un rhume et elle ne cessait de se moucher et de se lamenter parce qu'elle ne pouvait pas trouver de mouchoirs en papier à Londres.

« Je trouve ça dégoûtant de voir les gens se moucher avec leurs mouchoirs en coton. Ils ne font que propager des microbes autour d'eux.

– Je suis désolée si je te dégoûte », dit la mère, d'un ton blessé. Elle aussi avait un rhume.

« Oh, je ne dis pas ça pour toi, maman.

– Et je les fais toujours bouillir pour tuer les microbes, poursuivit la mère, l'air agité.

– Kath, pourquoi ne reviendrais-tu pas en été quand il fait un peu plus chaud? dit le père.

– Oh, je n'en sais rien, papa. Une de mes amies à Heidelberg... On pensait aller faire un petit tour en Italie cet été.

– En Italie?

– J'ai toujours eu envie de voir Rome et Florence et tous ces endroits.

– Oh, dans ce cas... il faut faire ça tant qu'on est jeune, j'imagine. » Il taquinait un trou dans son gant.

« On avait l'intention de prendre un peu de vacances cette année, dit la mère à Kath.

– Oh, très bien... Où?

– Worthing. On y allait régulièrement avant la guerre. Mrs. Watkins, tu te souviens?

– Bien sûr que je me souviens, dit Kath.

– Elle est toujours là-bas.

– Pourquoi n'allez-vous pas dans un autre endroit?

– Oh, je n'aimerais pas aller dans un endroit que je ne connais pas. »

Un coup de sifflet strident retentit et les portières se mirent à claquer.

« Tu ferais bien de monter, Kath, dit le père.

– Je vous tiendrai au courant pour cet été », dit-elle comme elle les embrassait pour leur dire au revoir.

Timothy courut le long du train jusqu'à ce qu'il n'arrivât plus à le suivre. Il revint tout doucement en suivant le quai et rejoignit ses parents qui attendaient en pleurs, laissant échapper des panaches de buée dans l'air glacial. Il neigeait et quelques flocons tombaient du toit de la gare à travers les trous que la guerre avait faits. Il leva les yeux vers le toit pour voir par où la neige passait, mais, dans cette lumière grise et sale, il était impossible de distinguer les vitres manquantes de celles qui étaient toujours là. Sur le gris de cette surface de verre, les flocons de neige eux-mêmes paraissaient d'un gris encore plus sombre tandis qu'ils descendaient doucement vers lui. C'était très drôle d'être abrité sous un toit et de recevoir de la neige.

Kath ne revint pas pendant l'été. Elle alla en Italie avec son amie, et la famille reçut toute une série de cartes postales, du lac de Côme, de Florence et de Rome, et plus tard une lettre avec une photo de Kath et de son amie faisant semblant de retenir la tour penchée de Pise. Elle disait qu'elle ne rentrerait pas à la maison pour Noël parce qu'il faisait trop froid en Angleterre en hiver, mais qu'elle attendrait le printemps. Mais au printemps, elle fut invitée à se joindre à un groupe pour une croisière en Méditerranée, une occasion qu'elle ne pouvait pas rater ; mais le voyage engloutit tous ses congés et toutes ses finances, si bien que la visite en Angleterre allait devoir attendre une autre année.

Kath leur envoyait de longues lettres dactylographiées où elle décrivait ses vacances et ses sorties du week-end. Timothy les trouvait parfaitement ennuyeuses – ce n'était qu'une succession de lieux et de plats étrangers – mais il n'était pas insensible au fait d'avoir une sœur qui menait une vie si aventureuse et si exotique. Son attitude était en partie dictée par ses parents. Les lettres et les cartes postales de Kath, qu'ils gardaient dans la salle à manger, derrière la pendule de la cheminée, et qu'ils ressortaient quand un visiteur demandait des nouvelles, étaient source d'un orgueil secret et la preuve évidente qu'ils entretenaient des liens avec un monde plus prestigieux que le leur. Pourtant, il savait aussi combien Kath manquait à ses parents, et sa mère en particulier se plaignait parfois amèrement de sa longue absence.

Ils décidèrent de retourner à Worthing l'été de 1949. Timothy était content. C'était une chose qui lui paraissait naturelle et inévitable, ça faisait partie de son rythme de vie, un rythme de vie si simple et si bien réglé qu'il lui était difficile, en revoyant l'année écoulée, de distinguer une semaine de l'autre, sauf par les changements saisonniers de sports. À l'école, c'était toujours à peu près la même routine et il organisait l'emploi du temps de ses week-ends de manière presque aussi rigide. Le vendredi soir, il s'arrangeait pour finir pratiquement tous ses devoirs et prenait un bain. Le samedi était entièrement consacré au plaisir. Le matin, sa mère lui apportait le petit déjeuner au lit, et il restait dans son lit à lire des illustrés, jusque vers onze heures. Dans l'après-midi, il allait, avec Jonesy et Blinker, voir jouer le Charlton Athletic ou son équipe de réserve lorsque la première équipe était en déplacement, et il ne connaissait pas de plus grand bonheur que de voir gagner le Charlton. Il n'avait pas pu, bien évidemment, assister à leur plus grande victoire, dans le match qui les opposait à Burnley, en finale de la coupe en 1947. Il avait écouté le commentaire à la radio, dans un suspense affreux, tandis qu'on jouait les prolongations sur un score nul. Puis Duffy, le petit ailier gauche au crâne pelé, marqua un but fantastique au moment où l'on s'y attendait le moins, rattrapant à la volée et tirant du pied droit par-dessus le marché. Duffy traversa tout le terrain en courant pour aller se jeter, dit le commentateur, dans les bras de Sam Bartram, le goal du Charlton. Le Charlton n'atteignit plus jamais de tels sommets après cela, mais c'était toujours une équipe intéressante à regarder, irrégulière et imprévisible peut-être, mais capable d'éclairs de génie qui donnaient chaud au cœur. Il leur était arrivé plus d'une fois à lui et à ses amis de quitter le stade Valley quelques minutes avant la fin d'un match, complètement déçus par les piètres performances de leur équipe, et d'entendre soudain, alors qu'ils marchaient dans les rues paisibles bordées de voitures, une formidable explosion de cris qui emplissait l'air derrière eux et signifiait que le Charlton avait rentré un but à la dernière minute et marqué un point.

En rentrant chez lui dans le tram tout brinquebalant, il discutait des moments critiques du match avec Jonesy et Blinker dans l'atmosphère enfumée de l'étage. Habituellement, au lieu de changer de tram à New Cross, ils descendaient au centre-ville de Deptford et faisaient à pied le reste du trajet en empruntant les rues de derrière jusque chez eux, tout en tapant dans une vieille balle de tennis – car assister à un bon match vous donnait des picotements dans les jambes, une envie irrésistible de taper dans une balle et de dribbler. Ils jouaient dans la rue jusqu'à ce qu'il fasse noir, et alors, le corps tout vibrant après cet exercice dans l'air froid et humide, il rentrait pour le thé où l'attendaient habituellement le samedi des haricots sur du pain grillé avec une fine tranche de bacon. Après le thé, il notait les résultats de football à la radio et aidait son père à vérifier les numéros sur lesquels il avait parié. Le soir, il retrouvait encore Jonesy et Blinker - ils allaient à tour de rôle les uns chez les autres - pour jouer aux cartes ou au Monopoly.

Le dimanche était avant tout consacré à la religion. Ils allaient d'habitude à la messe de dix heures, le dimanche matin, mais, lorsqu'ils communiaient, ils allaient alors à celle de huit heures et demie, à cause du jeûne. Parfois, l'après-midi, ils allaient à la bénédiction du saint sacrement. Le dimanche soir, après un thé plus élaboré, il lui restait généralement un peu de travail scolaire à finir, et après avoir terminé, il écoutait à la radio l'émission de variétés, *Variety Bandbox*, en compagnie de ses parents. C'était une vie tranquille, bien ordonnée.

Il fut donc ravi de retourner à Worthing pour les vacances. Ce fut un changement par rapport à la maison mais dans un cadre familier. Ils eurent les mêmes chambres chez Mrs. Watkins et la même table dans la salle à manger, tout près de la fenêtre. Cette fenêtre donnait sur l'arrêt de bus et le boulingrin. Rien n'avait changé.

Mais, bizarrement, une fois les tout premiers jours passés, les choses devinrent moins agréables que l'année précédente. Il avait quatorze ans, il était donc trop grand pour jouer dans le sable à marée basse, pour jouer tout seul, en tout cas; et il était trop timide pour se faire des amis parmi les autres enfants sur la plage. Il était trop grand pour patauger dans l'eau et il ne savait pas nager. Il n'y avait, apparemment, rien d'autre à faire que de traînasser sur la jetée pour jouer au flipper. Dans un coin de la jetée, il y avait des machines dans lesquelles on regardait pour voir des images de femmes nues. Il passait devant ces machines tous les jours, mourant d'envie d'y jeter un coup d'œil, mais craignant le regard des autres ou redoutant de voir passer ses parents. Un après-midi qu'il n'y avait pas grand monde et que ses parents assistaient à un concert donné au kiosque à musique, il se glissa furtivement jusqu'à une des machines, mit un penny et colla son visage contre la lucarne. La machine fit un petit ronronnement et toute une série de photographies sépia, un peu passées, défilèrent sous ses yeux, montrant de jeunes femmes qui batifolaient sur toutes sortes de balançoires. Certes, elles étaient nues, mais les parties qu'on voulait voir avaient été masquées. Leur style de coiffure lui fit penser à ces photos dans l'album de famille où l'on voyait la mère et ses amies à l'époque où elles étaient jeunes. Il quitta la jetée avec un sentiment de culpabilité et de frustration et alla s'asseoir sur la plage. Quelquefois, quand les mères enlevaient les maillots de bain mouillés de leurs petites filles, on pouvait apercevoir la petite fente entre leurs jambes. Mais les grandes filles restaient bien enveloppées dans leur serviette en se changeant et vous regardaient droit dans les yeux quand elles vous surprenaient en train de les épier.

La deuxième semaine de vacances se passa mieux. Ses parents se lièrent d'amitié avec Mr. et Mrs. Clements qui résidaient dans la même pension. Mr. Clements était un gros monsieur qui avait des poils sur les épaules et même sur la poitrine. Il se proposa d'apprendre à Timothy à nager dans les thermes, et Timothy s'ennuyait tellement qu'il accepta. Il n'apprécia pas trop les leçons, mais, à la fin de la semaine, il attrapa brusquement le coup et réussit à faire toute la largeur de la piscine. L'année prochaine, pensa-t-il, alors que le train quittait la gare de Worthing, l'année prochaine, les vacances seront plus amusantes parce que je sais nager.

Mais les vacances suivantes furent tout aussi décevantes. L'été avait d'ailleurs été désastreux sur toute la ligne. Il était prévu que Kath revienne enfin à la maison mais sa permission fut annulée à la dernière minute parce que la guerre de Corée avait éclaté. L'équipe anglaise de football avait été, contre toute attente, lamentablement éliminée de la Coupe du monde et par l'Amérique s'il vous plaît, un à zéro. En outre, il aurait dû passer son *O-level*, à la fin de la première, en juin, mais le gouvernement avait fait passer un règlement stupide qui n'autorisait à se présenter à l'examen que ceux qui avaient eu quinze ans avant le 1er janvier de l'année, et lui, il avait eu quinze ans le 10 janvier. Timothy avait désormais une raison personnelle d'en vouloir au gouvernement et il s'intéressa vivement aux élections de février. Le parti travailliste l'emporta encore, mais avec une si faible majorité, que tout le monde dit que de nouvelles élections auraient lieu d'ici peu. Timothy se réjouit de voir cette désaffection qui frappait le parti travailliste, mais ça n'aidait en rien sa situation personnelle. À Pâques, il passa l'examen blanc du *O-level* avec le reste de sa classe, et ses professeurs estimèrent qu'il aurait réussi avec mention dans plusieurs matières. Avec de tels résultats, il aurait pu quitter l'école et rentrer en apprentissage comme dessinateur industriel. Si du moins, c'était ce qu'il avait envie de faire. Il y avait quelques raisons d'en douter.

Le jour de ses quatorze ans, son oncle Ted lui avait demandé en quelles matières il réussissait le mieux et il avait dit en art et en maths, et l'oncle Ted avait dit que, dans ce cas, il avait tout intérêt à être dessinateur industriel. L'idée avait curieusement fait son chemin. Timothy aimait dessiner et faire des plans et ça lui plaisait d'avoir une idée précise sur son avenir, d'avoir quelque chose à dire aux gens quand ils demandaient, chose extrêmement fréquente, ce qu'il allait faire après avoir quitté l'école. *Je vais être dessinateur industriel.* C'était une expression très impressionnante, quelque chose qui sortait un peu de l'ordinaire, de très professionnel, de très spécialisé et cependant très sage, pas trop ambitieux, un objectif qu'il était raisonnablement assuré d'atteindre. Son père trouvait que c'était une bonne idée. Sa mère n'en était pas si sûre. Elle avait toujours voulu que Timothy devienne professeur.

Après que Timothy eut passé l'examen blanc du *O-level*, le directeur, le frère Augustin, demanda à le voir avec ses parents. Il dit qu'il était inutile de garder Timothy dans la même classe une autre année. Il suggéra que Timothy entre dans le cycle supérieur et passe son *O-level* à la fin de la première année, puis le *A-level* l'année d'après, quand il aurait dix-sept ans.

« On n'avait pas prévu de le laisser à l'école deux années supplémentaires, dit son père. Il a l'intention de devenir dessinateur industriel et il ferait aussi bien de commencer son apprentissage le plus vite possible.

– Dessinateur industriel? Le frère Augustin ouvrit de grands yeux. Je pense que Timothy pourrait viser plus haut que ça. Je tiens à avoir à Saint-Michel un cycle supérieur de bon niveau – pour préparer les garçons à rentrer à l'université. Et Timothy était l'un des élèves auxquels je pensais. Qu'est-ce que tu en dis, Timothy?

– Sincèrement, je ne sais pas », dit Timothy. Il ignorait tout de l'université, à part la fameuse course d'avirons entre Oxford et Cambridge.

« Est-ce que... euh... ça coûte cher? demanda son père.

– Ça ne devrait pas vous coûter grand-chose, Mr. Young, peut-être rien. Les études universitaires sont gratuites maintenant et les bourses pour la pension tout à fait substantielles. Le plus difficile c'est d'y entrer.

– Je pense que c'est une bonne idée », dit sa mère. Mais son père voulait savoir sur quoi tout ça déboucherait.

« On trouvait que le dessin industriel était une bonne idée, puisque ses meilleurs résultats sont en art et en maths. Ça combine les deux, en quelque sorte. C'est ce qu'a dit son oncle Ted.

– Oui, mais... Que dites-vous de l'architecture?

– L'architecture? »

À la fin, ils se mirent d'accord pour que Timothy entre en cycle supérieur au mois de septembre, passe son *O-level* l'été suivant et qu'il décide dans le courant de l'année de ce qu'il voulait faire. Dans le bus, en rentrant à la maison, le mot *architecture* résonna dans sa tête, mystérieux, séduisant, intimidant. Être architecte était certes une perspective très alléchante mais pleine de difficultés et d'incertitudes. Sa mère était tout euphorique à l'idée de voir Timothy aller à l'université, mais son père ne partageait pas cet enthousiasme. Il apprit qu'on pouvait devenir architecte en faisant un apprentissage et que beaucoup de gens pensaient que c'était la meilleure façon – on avait une expérience pratique dès le départ. Timothy aurait trouvé plus facile de prendre une décision quant à son avenir si on l'avait autorisé à présenter son *O-level*. En l'état actuel des choses, il vivait dans une sorte de limbes académiques, n'ayant ni réussi ni échoué.

Il y avait d'autres frustrations, moins faciles à définir et à discuter qui assombrissaient l'humeur de Timothy quand ils retournèrent à Worthing l'été de 1950, et qui le rendaient, comme disait sa mère, mal luné. Il souffrait de solitude et s'ennuyait – la compagnie de ses parents l'ennuyait, Worthing l'ennuyait, la promenade, la jetée, le boulingrin et les salades à la mortadelle de Mrs. Watkins l'ennuyaient profondément. Bien qu'il sût nager correctement maintenant, ce n'était pas très drôle de nager tout seul. Il allait généralement se baigner dès qu'ils s'étaient installés sur la plage le matin, pour se débarrasser au plus vite de cette corvée. Après la baignade, il n'y avait pas grand-chose d'autre à faire que de s'asseoir sur la plage, lire et observer les filles à la dérobée, derrière ses lunettes de soleil. Il y avait une fille, une brune aux cheveux frisés qui avait un maillot de bain bleu pâle et qu'il trouvait assez jolie. Il la regardait marcher sur les galets quand elle allait prendre un bain avec son père, avançant sur la pointe des pieds tout en tirant sur le bas de son maillot et ensuite, quand elle revenait, il la voyait remettre en place les bretelles de son maillot et enlever son bonnet de caoutchouc pour secouer ses cheveux. Mais elle ne faisait jamais attention à lui.

Dans la soirée, il mettait son nouveau pantalon de gabardine marron et le pull-over jaune que sa mère avait tricoté pour lui à sa demande. Et comme il se tenait devant le miroir de l'armoire de sa chambre et se mettait de la brillantine pour aplatir ses cheveux desséchés par le sel, il admirait l'élégance de ses habits, les premiers qu'il eût lui-même choisis. Mais le fait de les mettre créait en lui un sentiment d'attente qu'il n'arrivait pas ensuite à satisfaire. Après le repas du soir, il n'avait rien d'autre à faire que d'aller flâner avec ses parents sur la promenade alors que le soleil se couchait au-delà de Littlehampton et qu'une brise fraîche soufflait de la mer, ou peut-être encore d'aller au cinéma. Il préférait aller au cinéma tout seul et rentrer ensuite par le front de mer dans le noir, en rêvassant sur certaines scènes du film qu'il venait de voir, ou sur la fille au maillot de bain bleu, ou, de manière confuse, sur les deux à la fois. Un soir, il y eut un coup de vent : de grosses vagues vinrent se fracasser contre le mur du remblai et envoyèrent des embruns sur toute la promenade. Il fit des kilomètres ce soir-là, trempé jusqu'aux os, avec cette petite phrase qui lui bourdonnait dans la tête : *défiant les éléments*.

Le lendemain matin, la mer était calme sous le ciel brumeux, et la plage était jonchée de morceaux de bois. Il y avait même des branches d'arbres que la mer avait dénudées, blanchies et polies. Elles avaient de belles formes bizarres et il s'amusa à en dessiner quelques-unes. Il était seul : ses parents étaient partis faire des courses et ils devaient le rejoindre plus tard. La fille au maillot de bain bleu et sa famille vinrent s'installer sur la plage près de lui, et il se rendit compte qu'elle glissait vers lui des petits regards curieux. De près, elle n'était pas aussi jolie qu'elle avait semblé l'être jusque-là et, quand elle se sécha après le bain, il remarqua, avec un petit mouvement de dégoût, qu'elle avait du poil sous les bras. La récente apparition de poils sur son propre corps l'avait troublé, en particulier ceux qui lui avaient soudain poussé au bas du ventre et qui flottaient dans l'eau de la baignoire comme des algues. Il savait que les hommes avaient habituellement des poils à cet endroit, mais il trouvait que les siens avaient fait une croissance anormalement précoce et abondante. Les poils sous ses bras ne le tracassaient pas autant, mais il trouvait ça laid chez une fille.

Le soleil dissipa la brume et devint vite brûlant. Il nagea longtemps, s'éloignant du rivage comme il ne l'avait jamais fait auparavant, puis se jeta à plat ventre sur sa serviette, lovant sa tête au creux de ses bras. Petit à petit, la chaleur du soleil sécha sa peau et une langueur délicieuse pénétra ses membres. Il s'assoupit. Au bout d'un moment, il entendit la voix de ses parents et le bruit des chaises longues qu'on traînait sur les galets.

« Viens donner un coup de main à ta mère, fiston », cria son père. Il n'avait pas envie de bouger, pas envie de troubler cette torpeur délicieuse et garda les yeux fermés.

« Ne le dérange pas, Geoff, je crois qu'il dort.

– En pleine matinée ?

– Il a été prendre un bain. J'imagine qu'il s'est fatigué.

– Hum... Pas d'énergie, ce garçon. »

Timothy resta immobile, faisant semblant de dormir. Le bavardage dérisoire de ses parents, comme ils s'installaient sur leurs chaises longues, lui parvenait comme une pièce à la radio.

« Eh bien, on n'est pas trop mal ici.

– Très bien. Pourquoi tu n'enlèves pas ta veste ? »

Pause.

« Tu as eu un journal, alors ?

– Le dernier. Le dernier *Express.* »

Pause.

« Comment tu as trouvé les harengs fumés ce matin ?

– Je crois finalement que je vais enlever ma veste.

– Personnellement, je les ai trouvés un peu secs.

– Quoi ?

– Les harengs.
– Oh, oui, ils étaient peut-être un peu secs.
– Je n'ai pas voulu dire quoi que ce soit. »
Pause.
« Il y a quelque chose dans le journal ?
– MacArthur dit qu'il a confiance.
– MacArthur ?
– En Corée.
– Oh, bien sûr.
– Ils parlent de rappeler les réservistes.
– Pheu ! On se croirait à nouveau en guerre.
– Ils vont encore bientôt nous rationner l'essence, ça ne m'étonnerait pas. »
Pause.
« Ce serait bien d'avoir une petite voiture, Geoff.
– Il y a des listes d'attente de douze mois pour la plupart des modèles.
– Je ne voulais pas dire une neuve.
– Neuve ou pas neuve, ça ne change pas grand-chose. On ne peut pas se permettre d'en entretenir une, de toute façon.
– Kath disait qu'elle pensait apprendre à conduire.
– Quand a-t-elle dit ça ?
– Dans sa dernière lettre. Tu l'as lue. »
Pause.
« Dommage qu'elle n'ait pas pu venir cet été. »
Pause.
« Elle ne serait pas venue de toute façon.
– Quoi ?
– Elle ne reviendra plus en vacances. Elle trouvera toujours des excuses.
– Mais elle avait tout réservé. C'est cette histoire de Corée qui l'en a empêchée. Tu as lu sa lettre.
– S'il n'y avait pas eu ça, il y aurait eu autre chose.
– Je ne comprends pas ce que tu veux dire, Dorothy. Qu'est-ce que tu veux dire ?
– La dernière fois qu'elle est revenue à la maison, dis-moi, c'était quand ?
– Je sais, mais...
– 1947. Ça fait trois ans.
– Deux ans et demi.

– D'accord, deux ans et demi. Mais ça fait la troisième année consécutive qu'elle ne revient pas à la maison.

– Où veux-tu en venir?

– Je ne sais pas. Mais il y a quelque chose de bizarre qui se passe là-bas.

– Que veux-tu dire par quelque chose de bizarre?»

Timothy avait maintenant l'esprit bien en éveil même s'il gardait les yeux fermés et ne bougeait pas. Sa mère baissa la voix et il dut tendre l'oreille pour entendre sa réponse.

«Une liaison, un homme, quelque chose qu'elle ne veut pas qu'on sache.

– Quoi? Notre Kath?

– Ce n'est plus notre Kath, Geoff, tu ferais mieux de te mettre ça dans la tête. Elle n'a passé que trois semaines en tout et pour tout à la maison, ces trois dernières années.

– Oui, je sais, mais ça ne veut pas dire que... Elle reste une bonne petite catholique.

– Vraiment?

– Que veux-tu dire par ce *vraiment*?

– Qu'est-ce qu'on en sait? Tu te souviens du fameux Rod?

– Oh, c'était juste... elle pensait qu'il était seul. Elle ne savait même pas qu'il était marié quand elle l'a rencontré la première fois.

– C'est ce qu'elle a dit.

– En tout cas, ce n'est pas parce qu'elle n'a pas pu revenir à la maison récemment que tu as le droit de... C'est plutôt à cause de *toi* qu'elle n'est pas revenue.

– Moi!

– Oui, toi, Dorothy. Tu étais toujours sur son dos quand elle était à la maison. Tu ne peux pas dire le contraire.

– Eh bien, ça c'est très gentil!

– Ce que je veux dire c'est que tu tires tout de suite des conclusions parce qu'elle n'est pas revenue à la maison depuis quelque temps.

– Je ne crois pas être la seule.

– Que veux-tu dire?

– Quand une fille part, reste loin de chez elle pendant trois ans...

– Deux ans et demi.

– Ne se marie pas et ne donne aucun signe qu'elle va le faire.

– Elle est encore jeune.
– Les voisins pensent que c'est bizarre.
– Les voisins feraient mieux de s'occuper de leurs putains d'affaires.
– C'est pas la peine d'être grossier.
– Où veux-tu en venir, de toute façon?
– Tu te souviens de la fille Wilkes, au bout de la rue, Veronica?
– Eh bien, qu'est-ce qu'elle a?
– Elle a brusquement disparu et n'est jamais revenue chez elle. On a dit qu'elle avait trouvé un travail dans le Nord. Et puis, quelqu'un l'a vue à Manchester, en train de pousser un landau. Et elle n'avait pas d'alliance.
– Est-ce que tu suggères que...
– Je ne suggère rien du tout, je t'explique seulement pourquoi les gens causent.
– Tu es folle, Dorothy, c'est tout.
– Eh bien, on verra. N'en parlons plus. Je vais réveiller Timothy, son dos est en train de devenir tout rouge. Timothy! »

Il sentit la main de sa mère sur son épaule. Il fit toute une pantomime savante pour simuler le réveil, bâilla, cligna des yeux en regardant la mer étincelante de soleil.

« J'ai de la crème Nivea dans mon sac. Je t'en mets un peu sur le dos?
– Non, je vais m'acheter une glace. »

Ce n'était pas une glace qu'il voulait, il voulait surtout être seul.

Timothy se demandait parfois s'il n'avait pas dormi sur la plage, ce matin-là, et s'il n'avait pas entendu en rêve cette conversation entre ses parents. Ça lui semblait presque incroyable que sa grande sœur Kath, la grosse Kath aux pieds lourds qui avait été éduquée chez les sœurs, soit impliquée dans le plus spectaculaire des péchés, même si elle fumait et mettait du vernis à ongles. Mais si cela était vrai (et il était presque sûr que la conversation avait bien eu lieu, de toute façon), alors le péché devenait domestiqué, il quittait de façon troublante et excitante le domaine de la fiction, ou de la théologie morale, pour pénétrer dans la vie réelle, sa propre vie. Car si c'était possible pour Kath de faire ça, si sa mère pouvait admettre réellement cette possibilité, alors il lui était possible à lui aussi de le faire peut-être un jour. Et il ne l'avait jamais envisagé comme une réelle possibilité auparavant – c'est-à-dire, sans être marié, un état trop lointain pour qu'il puisse l'imaginer clairement. On pouvait y songer, on pouvait le vouloir, mais c'était un péché tellement énorme qu'en fait on ne le faisait jamais. On racontait en secret que deux garçons de terminale l'avaient fait, avec deux filles qu'ils avaient rencontrées dans un camp de vacances, tous ensemble sous la même tente, et ça l'excitait rien que d'y penser, mais il ne croyait pas à cette histoire. C'était pure vantardise de leur part. Ils avaient tout inventé. Et pourtant, si Kath l'avait fait... peut-être que beaucoup de gens le faisaient. C'était tout de même un péché, bien sûr, un péché mortel. Si on mourait subitement avec un tel péché sur la conscience, on allait en enfer. C'était un risque terrible. Mais si beaucoup de gens le faisaient... Il y avait une sorte de sécurité dans les grands nombres.

Il se souvenait à quel point il s'était senti coupable après ce qu'il avait fait avec Jill quand il avait cinq ans, et qu'il avait eu si honte qu'il ne s'en était pas accusé à confesse; il s'était demandé, pendant des années, si toutes ses confessions n'avaient pas été annulées parce qu'il avait dissimulé la vérité cette fois-là et si toutes ses communions n'avaient pas été sacrilèges. Jusqu'au jour où il avait découvert un livre, un livre pour grandes personnes qu'il avait pris au hasard dans les rayons de la bibliothèque municipale, et s'était mis à lire. Et voilà que toute cette histoire se retrouvait là soudain comme si l'écrivain avait décrit Jill et lui – les deux enfants restés seuls à la maison, je vais te montrer le mien si tu me montres le tien, et le garçon qui regarde mais qui ne veut pas montrer le sien, tout était là comme ça s'était passé. Et bien que ce ne fût qu'une histoire, ça prouvait que d'autres enfants avaient fait la même chose. Et on n'en parlait pas comme de quelque chose d'épouvantable ou de surprenant, mais de tout à fait banal. Son soulagement avait été immense. Il n'était pas seul. Il appartenait à une communauté, la communauté de ceux qui s'intéressaient aux corps des gens du sexe opposé. Ça lui avait été facile, alors, d'évoquer cette histoire avec Jill, dans une confession générale qu'il avait faite pendant une retraite à l'école, et le prêtre n'avait fait aucun commentaire.

Jusqu'à maintenant, la limite de son ambition sexuelle

avait été de voir une vraie jeune fille toute nue, comme il avait vu Jill; pour voir la partie qui était, d'une façon ou d'une autre, toujours cachée sur les tableaux ou les photographies, comme celles qu'on voyait dans *Razzle*, la revue qu'on se passait de main en main à l'école et sur laquelle il jetait parfois un coup d'œil faussement méprisant. Mais, maintenant, cette histoire avec Kath lui ouvrait de nouvelles perspectives et son esprit s'enhardit au point d'imaginer - avec beaucoup d'hésitations et d'incertitudes - l'acte lui-même, jusqu'au moment où tout s'effondrait, faute d'informations. Il savait qu'on mettait sa chose dans celle de la fille. Mais qu'arrivait-il alors, pendant combien de temps le faisait-on, qu'est-ce qu'on éprouvait, est-ce que ça faisait mal à la fille, comment est-ce que ça donnait un bébé et comment le bébé sortait-il? Il n'en savait rien, il n'en savait rien. C'était un peu de sa faute. Il y a un an, son père était sorti dans le jardin tandis qu'il était en train de lire (il s'en souvenait très précisément : il était assis sur la chaise longue rouge et il y avait un avion très haut dans le ciel qui faisait une traînée de fumée) et il s'était mis à causer avec lui de ce sujet qui n'avait encore jamais été évoqué entre eux. Mais il avait été surpris par cette conversation soudaine et gêné de voir sa mère qui, par la fenêtre de la cuisine, jetait sur eux des regards inquiets. Il avait donné l'impression qu'il savait déjà tout ce qu'il avait besoin de savoir et son père, visiblement soulagé, avait laissé tomber le sujet.

Pendant tout le reste des vacances à Worthing, il resta de plus en plus à l'écart de ses parents pour réfléchir. Son coin favori pour réfléchir était l'extrémité ouest de la promenade, en direction de Littlehampton, là où les cafés et les hôtels faisaient place à de banales maisons de banlieue et où la route s'enfonçait vers les terres en direction des collines. Peu de vacanciers s'aventuraient aussi loin et il y avait un abri municipal, le dernier sur le front de mer, où il pouvait habituellement rester assis sans être dérangé.

Il suivit le front de mer jusqu'à son abri favori le dernier soir des vacances après le dîner, laissant sa mère qui faisait les valises et son père qui lisait le journal du soir dans le salon de Mrs. Watkins. Le soleil était couché mais projetait encore par réflexion une teinte rosée sur les nuages qui se réfléchissaient à leur tour dans la mer. La mer montait et les vagues brassaient les galets sur la plage. Un poème qu'il avait étudié pour l'épreuve d'anglais du *O-level* lui vint à l'esprit. Il avait répondu à une question sur ce poème à l'examen blanc.

Écoute! Entends le raclement sonore
Des galets que les vagues ramènent et rejettent
À leur retour, loin sur la grève,
Qui gonfle et cesse et gonfle encore,
En un lent bruissement cadencé, et apporte
L'éternelle petite note de tristesse.

Il avait écrit :

Le poète, en entendant le bruit des vagues sur le rivage, se sent triste. Il y a dans ces vers une bonne onomatopée. On croit entendre le bruit des vagues sur la plage. À noter, l'allitération donnée par les sons g *et* k, *des sons durs, dans le vers « Qui gonfle et cesse et gonfle encore ».*

Mais maintenant qu'il se répétait en lui-même le vers et qu'il écoutait les vagues sur la plage au-dessous de lui, il pensait que le meilleur mot du vers était *cesse*. C'était comme le sifflement de la vague quand elle se brise et se répand sur la plage : *cesse*. Et il y avait un rythme dans toute la strophe qui ressemblait vraiment au rythme des vagues, un rythme régulier mais pas monotone, parce que chaque vague arrivait juste un peu plus tôt ou un peu plus tard qu'on s'y attendait. Il regrettait de n'avoir pas pensé à ça le moment voulu car il aurait pu le mettre dans sa réponse à l'examen. C'était un très beau poème, « La Plage de Douvres ». De Matthew Arnold. Un illustre inconnu. Il y avait un mot bizarre à la fin du poème – *crépusculante.*

Et nous sommes ici comme sur une plaine crépusculante...

Il n'avait pas pu trouver le mot *crépusculante* dans le dictionnaire chez lui mais il devinait ce qu'il voulait dire. Il crépusculait maintenant : les nuages avaient perdu leur teinte rosée, ils étaient gris maintenant et la mer était d'un gris plus foncé. De l'autre côté, vers l'est, tout était sombre à part les lumières des deux jetées de Brighton qui clignotaient au loin – et, tandis qu'il regardait, les lumières de la jetée de Worthing s'allumèrent brusquement et éteignirent, par leur éclat, la dernière lueur naturelle du soir.

Et nous sommes ici comme sur une plaine crépusculante...

Tatata, tatata...

lutte et fuit,
Où des armées ignorantes s'entrechoquent la nuit.

C'était du temps où il n'y avait pas de radar. C'était le radar qui avait gagné la bataille d'Angleterre. Le haut commandement de l'armée de l'air avait vu venir les avions allemands sur leurs écrans de radars et envoyé nos escadrons pour les intercepter. Les Fritz ont dû avoir une drôle de surprise en voyant les Spitfires et les Hurricanes sortir du soleil et foncer droit sur eux, dans une pétarade de mitrailleuses : *ra-ta-ta-ta-ta-ta-ta-ta-ta...*

Seul dans l'abri, sous couvert de la nuit et loin des regards indiscrets, Timothy s'abandonna à un rêve héroïque de son enfance. L'abri obscur devint le cockpit d'un Spitfire. Recroquevillé sur son siège, il poussa vers l'avant le manche à balai et lorgna à travers la toile d'araignée du viseur un bombardier Heinkel. Il appuya sur le bouton du manche à balai, et huit traînées de balles traçantes convergèrent sur l'avion ennemi qui explosa et prit feu, chavira, se désintégra et tomba en flammèches tourbillonnantes dans la mer. Se renvoyant en arrière sur son siège, il redressa le Spitfire et fit un brusque virage sur l'aile, fouillant le ciel pour dénicher sa prochaine cible. Il avait le dos tourné à l'Angleterre et son visage, tendu en une expression de défi intense, faisait face à l'Europe.

II

La sortie

1

Un matin, vers la fin du mois de juillet 1951, Timothy Young s'éveilla tôt après une nuit de sommeil agité. À demi conscient, il essaya de se souvenir de son rêve. On l'avait enfermé dans un couvent dirigé par quelques nonnes folles qui croyaient que la guerre durait toujours et qu'il était un élève qu'on leur avait confié. Quand il essaya de s'échapper, elles le pourchassèrent à travers les couloirs sombres et sonores du couvent, et une gigantesque nonne surgit de l'obscurité et le plaqua au sol comme un arrière de rugby. Le visage lui était hélas familier et, juste avant de se réveiller, il comprit que c'était le visage de Hitler, avec la moustache rasée, et que toutes les nonnes étaient des nazis déguisés. C'était un rêve ridicule mais qui lui laissait un sentiment oppressant d'angoisse et d'appréhension dont il fut bientôt capable de retrouver la cause : il partait pour l'Allemagne ce matin-là.

Il entendit la brève sonnerie du réveil-matin qui lui parvenait étouffée de la chambre de ses parents. Peu après, il entendit sa mère descendre doucement l'escalier en pantoufles. Il faisait à peine jour et il ne pouvait guère être plus de six heures. Son train ne partait de Victoria qu'à onze heures, ses bagages étaient faits et il était prêt à partir; mais ses parents avaient une peur maladive, peur qu'ils lui avaient communiquée, de manquer le train. Ils tenaient toujours à être en avance. Quand ils partaient pour Worthing, ils étaient quelquefois tellement en avance qu'ils attrapaient le train précédant celui qu'ils devaient prendre.

Worthing. C'était drôle, il savait bien qu'il s'y était ennuyé à mourir les deux étés passés, mais maintenant, à cet instant précis, il n'arrivait pas, en dépit de tous ses efforts, à retrouver ce sentiment d'ennui. Dans son imagination, Worthing apparaissait comme le lieu de vacances le plus charmant du monde : lumineux, propre, familier, sûr. On y était en deux heures de train, et on retrouvait la mer scintillante au bout de la rue, la jetée si séduisante avec ses décorations tapageuses, les pelouses et les parterres du bord de mer soigneusement entretenus. Qu'est-ce qui le poussait à partir pour Heidelberg qui se trouvait à une journée et une nuit de voyage? Il n'avait bien sûr que lui à blâmer.

Il se souvenait très précisément du jour où l'invitation était arrivée comme un coup de tonnerre dans un ciel bleu. Il avait lu la lettre de Kath si souvent depuis, en espérant trouver entre les phrases vagues et banales des précisions sur ce qui l'attendait, qu'il la savait maintenant par cœur.

> *C'est bien dommage, mais je ne pourrai finalement pas revenir à la maison cette année, étant donné que j'ai utilisé tous mes congés pour aller au ski à Noël et en voyage à Séville à Pâques. Je pensais m'arranger pour obtenir une semaine de congés supplémentaires cet été, mais mon patron ne veut pas en entendre parler et je ne peux pas lui en vouloir. Bref, j'ai une proposition à vous faire : pourquoi Timothy ne viendrait-il pas ici en vacances cet été? Si vous pouviez payer son voyage, je pourrais prendre en charge tous ses autres frais. J'aimerais lui faire ce plaisir – il mérite quelque chose après avoir travaillé si dur à l'école et je crois qu'il s'amuserait bien ici. Heidelberg est une vieille ville charmante où il y a plein de choses à voir et à faire. Je suis sûre qu'il pourrait se distraire tout seul dans la journée et je serais libre le soir et pendant les week-ends. Réfléchissez-y sérieusement. Bien sûr, vous pourriez tous venir si vous pensez que ça pourrait vous faire plaisir, mais très franchement, l'hébergement pourrait faire problème vu la rareté et la cherté des logements. Mais trouver quelque chose rien que pour Timothy ne devrait pas poser de problèmes et j'espère lui obtenir une carte PX pour qu'il puisse utiliser les cantines américaines et tout le reste.*

« Il est trop jeune pour aller si loin tout seul », dit sa mère une fois que la lettre eut fait le tour de la table du petit déjeuner. Timothy était de son avis mais ne dit rien.

« Qu'est-ce que t'en penses, fiston ? dit son père.

– Et si on y allait tous ? dit Timothy.

– Ton père n'apprécierait pas. La nourriture étrangère ne lui convient pas.

– Que veux-tu dire, Dorothy ?

– Rappelle-toi comment tu étais quand on a été passer la journée à Boulogne avant la guerre.

– C'était la traversée. Rien à voir avec la nourriture.

– Raison de plus. Tu n'as pas le pied marin.

– Bon, de toute façon, Kath semble penser que ce serait difficile de nous loger tous.

– Ça saute aux yeux qu'elle ne souhaite pas nous voir là-bas, toi et moi », dit la mère.

Le père parut malheureux. Il se tourna vers Timothy.

« Qu'est-ce que t'en penses, fiston ? Ça te dit d'y aller tout seul ?

– Et les frais de voyage ? dit-il.

– Je crois qu'on peut s'en tirer. Et tu as un peu d'argent sur ton livret d'épargne, non ?

– C'est de l'argent que je mets de côté, dit-il.

– Il a bien le droit de mettre de l'argent de côté, dit sa mère. Quelle idée !

– Eh bien, il le met de côté pour quoi, alors ?

– Pas pour aller en vacances sur le Continent, en tout cas. Si Timothy veut y aller, on paiera son voyage. Et puis d'abord, j'ai un peu d'argent à moi. »

C'était une phrase que sa mère prononçait de temps en temps comme si elle proférait une menace. Personne ne savait combien d'argent elle avait et où elle le gardait. Et on ne lui en avait jamais vu dépenser un sou.

« Il va falloir que j'y réfléchisse, dit Timothy.

– Bon, mais n'attends pas trop pour te décider, dit sa mère. Il faudra que j'avertisse Mrs. Watkins si tu ne viens pas avec nous cette année.

– D'accord », dit-il. Il avait déjà décidé qu'il n'irait pas mais il cherchait seulement une excuse élégante.

Mais ce jour-là, à l'école, il fut insidieusement amené à changer d'avis. Les élèves du cycle supérieur étaient en étude non surveillée. Les dix garçons étaient vautrés sur les tables ou juchés sur les radiateurs. Le travail avançait lentement et sans méthode, interrompu de temps à autre par des questions, des discussions et des simulacres de bagarres qui éclataient sporadiquement.

« Quel est le participe passé de *carpo* ?

– *Carpsum.*

– *Carptum.*

– Espèce de con, Morrison ! »

Les deux adversaires se livraient alors pendant quelques minutes à un petit combat, agrippés l'un à l'autre comme deux jeunes taureaux, faisant le tour de la classe en titubant, se heurtant aux pupitres et renversant les chaises.

Timothy, assis au fond de la classe, se plaignit pour la forme :

« Vous avez fini, tous les deux ? »

Il était en train de réviser ses textes d'anglais pour le *O-level.* Il ne lui restait plus que quelques mois avant ses examens mais ses camarades de classe qui n'avaient pas d'examen officiel à passer cet été étaient peu enclins à travailler. L'éclatant soleil printanier, qui entrait à flots par les fenêtres de la classe et faisait scintiller les innombrables particules de poussière en suspension dans l'air, les rendait agités et belliqueux. Au bout de quelque temps, ils abandonnèrent toute velléité de travail individuel et se regroupèrent à la fenêtre pour bavarder. Ils discutaient de leurs projets de vacances pour l'été. L'un allait dans un camp Butlin, deux autres allaient en auberges de jeunesse et plusieurs essayaient de dissimuler le fait qu'ils n'allaient nulle part. Gerry Bovington, la coqueluche du cycle supérieur, un sportif à la tête bouclée qu'une quantité de garçons des petites classes regardaient de loin avec vénération, et qui était fils unique de parents riches, annonça qu'il allait en France.

« En France ?

– À Dinard. C'est en Bretagne. Mon père et ma mère avaient l'habitude d'y aller avant la guerre.

– Alors comme ça, tu devras prendre le bateau ?

– Bien sûr qu'il va être obligé de prendre le bateau, petit con. Tu ne sais peut-être pas que l'Angleterre est entourée d'eau ?

– Con toi-même. L'Angleterre touche à l'Écosse et au pays de Galles au cas où tu ne le saurais pas. »

Une nouvelle bagarre éclata alors, ce qui permit aux garçons de dissimuler leur jalousie envers Gerry Bovington et leur ignorance quant à ce qu'il convenait d'appeler « un pays étranger ». Quand ils eurent fini, Bovington dit : « On emmène la voiture avec nous ». Il sortit de son papier un caramel qu'il jeta dans sa bouche.

Il y eut un grand silence, puis quelqu'un dit :

« Je me demande bien ce que ce vieux Young va faire cet été.

– Bosser pour son *A-level*, j'imagine. »

Timothy fit semblant d'ignorer leurs sarcasmes jusqu'au moment où Bovington fit une boulette avec le papier de son caramel, la laissa tomber sur son pied et l'envoya tout droit sur le pupitre de Timothy en lui faisant faire un bel arc de cercle.

« Trois points », dit quelqu'un machinalement.

Timothy prit la boulette de papier entre le pouce et l'index d'un petit air dégoûté et suffisant et la fit tomber par terre.

« En fait, dit-il, je vais à Heidelberg cet été. »

La déclaration eut un effet immédiat très flatteur.

« Heidel... quoi ?

– Où est-ce que ça se trouve ?

– En Allemagne.

– Tu vas avec qui ?

– Personne.

– Tu vas tout seul ?

– Exactement.

– Pourquoi est-ce que tu vas en Allemagne ?

– Pour voir ma sœur.

– Qu'est-ce qu'elle fait ta sœur en Allemagne ?

– Elle travaille pour l'armée américaine.

– Espèce de menteur !

– Non, c'est vrai, c'est comme ça qu'il a tous ces bonbons américains. »

Penché sur ses livres et faisant semblant d'être absorbé par son travail, Timothy sentit leurs regards se poser sur lui avec une curiosité et un respect inhabituels. Mais, déjà, il commençait à comprendre le prix qu'il allait devoir payer pour s'être ainsi affirmé en face des autres et il le regrettait amèrement. Le seul espoir qui lui restait était que sa mère trouvât quelque sérieuse objection à la proposition de Kath pendant la journée.

Mais, à sa grande surprise et à sa grande consternation, quand il annonça ce soir-là qu'il pensait aller à Heidelberg, elle parut ravie.

« Parfait. Je me suis dit que ça te ferait le plus grand bien de changer d'air après avoir tant travaillé à l'école. Tu as une petite mine ces temps-ci. »

Pour Timothy, ce fut là un point de non-rctour. Il avait accepté l'invitation de Kath en toute liberté et ses amis et voisins considéraient qu'il avait bien de la chance d'avoir reçu une telle invitation. Parmi les gens qu'il connaissait, partir en vacances sur le continent était une entreprise rare et audacieuse, difficile à réaliser même pour ceux qui pouvaient se le permettre, à cause des restrictions monétaires. Timothy était persuadé, quant à lui, que ce n'étaient là que de faux prétextes – que, tout comme lui, bien d'autres gens reculaient devant les dangers et les problèmes que présentaient les voyages à l'étranger : les frontières, les passeports, les billets, les horaires, les langues étrangères, la nourriture étrangère, la monnaie étrangère, les douanes étrangères. Mais il fallait sauvegarder les apparences. Il était hors de question de reculer et il lui était même difficile d'avouer ses appréhensions sans perdre sérieusement la face.

La porte de sa chambre s'ouvrit toute grande. Sa mère entra à reculons dans la pièce en traînant les pieds, avec une tasse de thé dans une main et du linge propre dans l'autre.

« Oh, comme ça, tu es réveillé ? dit-elle. Je t'ai apporté une tasse de thé.

– Merci. »

Il s'assit dans son lit pour boire à petites gorgées le thé brûlant et délicieux. Le bord de la tasse réveilla un petit point sensible au coin de sa bouche, sans doute un bouton qui lui poussait. Sa mère écarta les rideaux et regarda dehors comme d'habitude avec un petit air désabusé.

« On dirait qu'il va faire beau, dit-elle, presque à contrecœur. Voilà ta chemise propre pour ce matin, je l'ai repassée hier soir. Et je t'ai lavé quelques chaussettes et quelques slips supplémentaires. Je vais les mettre dans ton sac. »

Son sac reposait par terre. Ils le regardèrent tous les deux avec une certaine gêne. Ses parents allaient avoir besoin des valises de la famille pour partir eux-mêmes en vacances à Worthing – et cela pas plus tard que le week-end prochain ; il avait donc été décidé qu'on achèterait une valise neuve pour Timothy. Mais sa mère s'était alors souvenue qu'il y avait dans le grenier un grand sac de la Royal Air Force que l'oncle Jack avait laissé chez eux à un certain moment pendant la guerre. Il était tout moisi et recouvert d'une bonne couche de poussière quand son père le descendit mais, une fois bien brossé, il paraissait encore utilisable. C'était un sac en grosse toile bleue qui fermait avec une longue fermeture éclair. Timothy pensa qu'il serait plus léger qu'une valise ordinaire et opta pour cette solution. Il était assez grand, c'est sûr, pour ses besoins personnels mais, au fur et à mesure qu'on le remplissait, il semblait perdre peu à peu sa forme originelle. Les deux poignées avaient du mal à se toucher par-dessus ses flancs rebondis et, quand on le soulevait, les deux extrémités retombaient toutes flasques vers le sol. Pendant la nuit, il avait reposé sur le plancher tel le cadavre tuméfié d'un baleineau échoué sur le sable.

« Ils avaient de belles valises la semaine dernière chez *Marks & Spencer*, dit sa mère en soupirant. J'imagine qu'elles sont toutes parties maintenant.

– Ça ira comme ça.

– Eh bien, tu n'auras qu'à prendre un porteur si tu n'y arrives pas.

– Combien est-ce que je devrais lui donner?

– Oh, je dirais environ un shilling et six pence. Deux shillings. Je n'en sais rien sur le Continent. »

Moi non plus, pensa Timothy tristement. Je ne sais pas comment les choses se passent sur le Continent.

Sa mère, accroupie par terre, s'affairait fébrilement, glissant les chaussettes et les slips dans les espaces libres, se demandant à haute voix s'il avait assez de lainages ou pas assez.

« Il pourrait faire chaud là-bas, dit-elle. Et il est possible aussi qu'il fasse frais le soir.

– Je ferais mieux de me lever », dit-il. Il n'avait pourtant pas encore envie de se lever mais il était agacé de voir sa mère qui s'affairait autour de son sac. Enfin, elle tira la fermeture éclair, se redressa avec raideur et serra sa robe de chambre contre sa poitrine étroite. Puis, la main posée sur la poignée de la porte, elle s'immobilisa un moment et le regarda d'un air inquiet.

« J'espère que tu n'auras pas de problème.

– Pourquoi en aurais-je? demanda-t-il d'un air faussement assuré.

– C'est un long voyage à faire tout seul, à ton âge. Peut-être qu'on aurait dû te prendre une couchette.

– C'était trop cher, non?

– Exorbitant! »

En son for intérieur, Timothy n'était pas mécontent qu'on ne lui ait pas pris de couchette. C'eut été un autre rituel inhabituel auquel il était très heureux d'échapper. Et de plus, ça n'aurait fait qu'accroître les risques – qui le hantaient déjà – de dormir pendant l'arrêt à Mannheim où il devait changer de train pour Heidelberg, et de se voir emporté jusqu'aux confins de l'Europe méridionale sans pouvoir communiquer, à court d'argent, désespérément perdu, propulsé à cent kilomètres à l'heure de plus en plus loin de la maison, de la famille, des amis.

Sa mère s'attardait encore à la porte.

« Kath ne va pas te reconnaître. »

C'était un problème qu'il n'avait pas envisagé.

« Je devrais peut-être mettre ma casquette d'uniforme? suggéra-t-il, inquiet.

– Oh, elle ne va pas avoir de problème à te repérer. Je voulais simplement dire que tu as beaucoup grandi depuis qu'elle t'a vu la dernière fois... Est-ce que tu veux que je te fasse suivre tes résultats?

– J'imagine que je serai de retour avant. Je ne pars que pour trois semaines. De toute façon, mieux vaut ne pas les envoyer au cas où ils seraient mauvais.

– Oh, ils ne le seront pas... Pourquoi Kath n'est-elle pas revenue à la maison, à ton avis, depuis 47? »

La question le prit au dépourvu.

« J'en sais rien, moi. La seule chose qu'elle a en tête, apparemment, c'est de voyager en Europe. Elle trouve sans doute que c'est une perte de temps de passer ses vacances à la maison.

– Mais ce n'est pas normal, tu ne trouves pas, Timothy? Tu ne serais pas comme ça si tu devais vivre loin de chez nous, n'est-ce pas? Tu reviendrais à la maison voir ton père et ta mère de temps en temps, non?

– Eh bien, oui, j'imagine. Bien sûr que oui. »

Il était gêné et préféra ne pas voir l'appel triste que les yeux gris pâle de sa mère lui adressaient. Il y avait quelque chose qui n'allait pas avec la glande lacrymale de son œil gauche si bien que le coin était toujours un peu humide. Ce visage ridé, pas lavé, surmonté du turban qui enveloppait ses bigoudis, lui rappelait le visage angoissé qui se penchait sur son lit pendant les nuits du Blitz, le suppliant de se réveiller et d'aller bien vite à l'abri.

« Je me fais du souci à propos de Kath, Timothy.

– Du souci, pour quelles raisons?

– Je ne pense pas qu'elle soit heureuse. Il y a quelque chose qui ne va pas dans sa vie, là-bas.

– Qu'est-ce qui te fait croire ça?

– Si elle était heureuse, elle voudrait de temps en temps revenir à la maison pour nous le montrer. C'est tout naturel. Quand tu as bien travaillé à l'école, que tu as été le premier ou je ne sais quoi encore, tu aimes rentrer à la maison pour nous le dire, pas vrai?

– Eh bien, oui, j'imagine.

– Eh bien alors... » Elle ferma la porte et vint s'asseoir au pied de son lit.

« Timothy, je voudrais que tu essaies de savoir ce qui ne va pas avec Kath. Pourquoi elle ne vient jamais nous voir.

– Tu veux dire, lui demander?

– Je ne sais pas. Peut-être. Elle ne te le dirait sans doute pas. Mais ouvre grands tes yeux. Tu es un garçon intelligent. Tu remarques tout. »

Ils entendirent son père sortir de la chambre voisine et aller aux toilettes.

« Voilà ton père. Il faut que j'aille préparer son petit déjeuner, je suis très en retard. Pourquoi tu ne prendrais pas le tien au lit?

– D'accord, merci, maman.

– Que veux-tu, du bacon et des tomates? Je vais te faire frire un peu de pain pour aller avec, dit-elle, en se relevant du lit. Je me demande bien ce que tu seras en train de manger demain à cette heure-ci. »

Tout en prenant son petit déjeuner, Timothy songeait à la conversation qu'il avait surprise sur la plage de Worthing, l'année précédente. S'il n'avait pas entendu cela, il n'aurait jamais deviné où sa mère voulait en venir. Mais il comprenait trop bien maintenant pourquoi elle l'avait encouragé à aller à Heidelberg, et cette découverte le rendait mal à l'aise. Il avait déjà assez de problèmes comme ça sans avoir à espionner sa sœur qui allait être sa compagne et sa protectrice pendant les quelques semaines à venir et dont il dépendrait totalement.

Il prit son petit déjeuner lentement, repoussant le moment où il aurait à se lever et à se préparer pour le voyage. Le soleil pénétrait doucement dans la pièce, progressant lentement sur le tapis usé – ce qui avait pour effet de faire presque disparaître la tache qu'il avait faite il y a deux ans en renversant une bouteille d'encre – , remontant le long des murs où il avait accroché ses meilleures peintures et ses meilleurs dessins ainsi qu'une photo de l'équipe du Charlton qui avait remporté la coupe en 1947, son certificat de première communion et un diplôme que lui avait décerné le *Daily Express* pour avoir participé à un concours de dessins d'enfants. Ses yeux s'attardèrent sur ces objets et sur les autres éléments familiers de la pièce, la petite table sur laquelle il faisait ses devoirs, la planche à dessin et le chevalet qu'on lui avait donnés à Noël dernier, le crucifix sur le mur, le modèle réduit d'un Spitfire en balsa sur la commode, la bibliothèque remplie de livres qui, pour la plupart, n'étaient plus de son âge mais qu'il ne se décidait pas à jeter – *Just Williams*, les *Biggles*, la collection complète du *Jeune amateur de football* de 1946 à 1950, et les albums annuels des illustrés, *Beano*, *Radio Fun* et *Champion*. Il y avait quelques Penguins acquis plus récemment, *L'Odyssée* d'Homère, *Le Sens de l'art* de Herbert Read, *La Poésie contemporaine*, et *Candide* de Voltaire (dont il avait lu certaines pages plusieurs fois).

L'absence de sa sœur avait fait que cette chambre était devenue la sienne pour de bon, et la petite chambre étroite où, enfant, il avait dormi, servait maintenant de débarras. Il aimait sa chambre, il s'y était bien habitué; et, bien que, de temps en temps, il y ajoutât quelques meubles supplémentaires, il n'enlevait jamais rien. Il aimait le sens de la continuité que lui procuraient ses biens, chaque objet faisant le lien entre une année et la suivante selon une ligne ininterrompue qui remontait jusqu'à ses tout premiers souvenirs. Même son lapin à l'oreille cassée lorgnait discrètement de dessus la penderie. Son père allait repeindre la chambre pendant son absence mais Timothy avait décrété qu'il fallait utiliser le même badigeon bleu pâle sur les murs et que chaque gravure devrait être remise à sa place d'origine. Il savait à quel point il serait content de retrouver cette chambre familière. Il avait déjà hâte d'être de retour. Il voulait que rien ne change en son absence.

Quand Timothy descendit, son père avait fini son petit déjeuner et roulait sa première cigarette. Il était huit heures moins le quart et il allait bientôt partir au travail. C'était la mère qui devait accompagner Timothy à la gare Victoria.

« Alors, fiston, tout est prêt ?

– À peu près, papa. »

Son père passa le bout de sa langue le long du papier à cigarette, fit tourner la petite machine en caoutchouc et en métal, et en éjecta une cigarette encore tout humide de salive.

« À ta place, je prendrais une bonne marge de sécurité pour aller à Victoria. Tu sais comment il est, le 36.

– Je pensais partir vers dix heures.

– Avant, si j'étais toi. Mieux vaut être en avance qu'en retard. »

Sa cigarette était grossièrement roulée et quelques bouts de tabac pendaient au bout. Quand il présenta l'allumette, le papier s'embrasa un instant et des particules de cendre incandescentes tombèrent sur ses genoux. Il les repoussa d'un geste vif de la main.

« Tu pourrais peut-être nous ramener quelques paquets de clopes si tu as de la place.

– Bien sûr, papa.

– Bien sûr, papa, répéta son père en le singeant. Il parle déjà comme un petit Amerloque, Dorothy. J'parie qu'il aura un gros accent américain quand il rentrera à la maison.

– Je ne sais pas, dit sa mère. Ça ne s'est pas produit avec Kath. J'ai trouvé qu'elle parlait plutôt bien quand elle est revenue à la maison la dernière fois.

– En faisant un peu de chiqué, si tu veux mon avis, dit le père. Je pense qu'elle le fait exprès pour impressionner les Yankees. » Il fit un clin d'œil à Timothy et changea de sujet. « J'ai reçu une lettre de Stubbins et Gillow, ce matin, fiston.

– Les architectes ?

– Ils sont toujours d'accord pour te prendre, si tu veux commencer en septembre. Cinq livres par semaine pour débuter, plus des tickets pour manger le midi. Pas mal pour un gars de seize ans. Bien sûr, une fois que tu seras qualifié, ça montera à... pas mal.

– Je pense que Timothy devrait rester à l'école et essayer d'entrer à l'université, dit sa mère.

– Laisse le gamin décider tout seul, Dorothy. C'est pas comme s'il abandonnait les études, de toute façon. Il passera des examens tout le temps, prendra des cours du soir, etc., etc. Qu'est-ce que je dois leur dire, fiston?

– J'sais pas, papa, je n'ai pas encore décidé. Je veux d'abord connaître mes résultats.

– Oui, c'est ça, attends d'avoir tes résultats, dit sa mère. Rien ne presse. Stubbins et Gillow peuvent attendre.

– D'accord, on laisse ça jusqu'à ce que tu reviennes », dit son père. Il prit son journal et monta à l'étage.

« Ne reste pas là toute la matinée, cria sa mère du bas des marches. Il est déjà huit heures.

– D'accord, d'accord », grommela-t-il du palier.

Ils entendirent la porte des toilettes se refermer.

« N'oublie pas de remercier ton père quand tu lui diras au revoir, dit sa mère. Ça coûte cher, tu sais. »

Quand son père redescendit, il était habillé pour aller au travail. Sa mère lui tendit ses sandwichs qu'il mit dans sa serviette.

« Merci, chérie. Eh bien, Tim, fais un bon voyage et envoie-nous une petite carte pour dire que tu es bien arrivé.

– D'accord, papa. Et merci pour le voyage et tout le reste.

– C'est rien, fiston. Embrasse Kath pour nous. Dis-lui de revenir nous voir bientôt.

– D'accord.

– Au revoir, alors, fiston. »

Ils se serrèrent la main avec solennité. Ce fut une sensation bizarre. Timothy n'avait pas le souvenir d'avoir serré la main de son père auparavant. La dernière fois qu'ils avaient été séparés pour un certain laps de temps, c'était pendant la guerre, alors qu'il était encore assez jeune pour embrasser son père en le quittant. Avec cette poignée de main il eut l'impression de briser une amarre qui le maintenait depuis longtemps à un point d'ancrage sûr. Mais il fut soulagé quand son père quitta la maison. La tension d'avoir à garder devant lui ce masque de confiance imperturbable par rapport aux aléas du voyage ne faisait qu'augmenter, et, moins il y avait de spectateurs, mieux ça allait. Maintenant, il n'avait plus que sa mère à affronter.

« Je vais faire quelques sandwichs pour le train, dit-elle.

– Fais-en pas mal, tu veux, maman ? Je pourrai comme ça en garder pour le goûter.

– Ils ne seront plus très bons alors, dit-elle d'un ton sceptique. Tu devrais pouvoir trouver quelque chose de chaud sur le bateau. Ou sur le train, de l'autre côté. »

L'idée d'avoir à se commander un repas sur un train étranger était si absurde qu'il s'abstint de tout commentaire.

Timothy fut prêt bien avant sa mère. Il s'était lavé et habillé, avait bouclé son sac et vérifié ses papiers. Il n'y avait rien d'autre à faire, mais il était trop tôt pour partir. Il traîna fébrilement dans la maison et essaya en vain de lire le journal. L'histoire de Burgess et Maclean faisait la une du journal : Où sont donc B & M ? Mais l'article n'apportait rien de nouveau et il n'arrivait pas à se concentrer sur les mots de toute façon. Il parcourut les résultats de cricket et jeta le journal. Il sortit dans le jardin de derrière.

C'était une belle journée. Le soleil brillait sur les toits d'ardoise grise des maisons de l'autre côté de la clôture du jardin et projetait sur la remise à charbon les ombres pommelées des rosiers. Une balle en caoutchouc était encore suspendue au fil à linge par une ficelle sale noircie par le temps, bien que cela fît un an ou deux qu'il n'avait pas joué avec. Il rentra à la maison et sortit sa batte de cricket du placard sous l'escalier. L'extrémité était toute fendillée et usée par des années de jeu dans les rues, le caoutchouc qui couvrait le manche se désagrégeait et était collant. Il ressortit dans le jardin et se mit à pratiquer ses coups favoris : coup à droite, coup à gauche, déviation vers l'arrière et blocage de la balle, batte immobile. De temps en temps, il exécutait aussi un coup vers le haut et, chaque fois, la ficelle allait s'accrocher dans les rosiers et provoquait une pluie de pétales qui tourbillonnaient avant de se poser.

Avec son sac entre eux deux qu'ils tenaient chacun par une poignée, ils se dirigèrent vers l'arrêt de bus en prenant toute la largeur du trottoir. À mi-hauteur dans la rue, les pavés avaient un aspect plus neuf, à l'endroit où était tombée la bombe. On avait rebâti les maisons exactement dans le même style. Seul l'aspect trop neuf des murs en briques et des tuiles sur les toits laissait deviner qu'il y avait eu là un trou béant pendant près de dix ans. Une jeune femme, la tête enveloppée dans un foulard, ouvrit la fenêtre de la maison de Jill (la maison qui avait remplacé celle de Jill) pour secouer un balai, et le visage d'une petite fille qui les regardait apparut à la fenêtre d'à côté : des gens nouveaux qu'ils ne connaissaient pas.

Ils attendirent presque quinze minutes le 36. La conversation était décousue, et c'était surtout sa mère qui causait.

« Est-ce que j'ai bien mis ta chemise verte? demanda-t-elle. As-tu pensé à mettre ta brosse à dents? Il va faire chaud. J'aurais dû te donner davantage de pommes, ça désaltère. J'aurais bien fait d'acheter quelque chose pour que tu l'emportes à Kath, mais qu'est-ce qu'on peut lui donner, elle a tout et de meilleure qualité. Ah, ces bus! Tu n'as pas trop chaud avec ce pantalon? Tu aurais dû le mettre dans ton sac et prendre ton bon pantalon, il est plus léger. Tiens-toi droit, Timothy. »

Il répondait très brièvement à ces remarques ou, plus souvent, ne se donnait pas la peine de répondre. Il était là, les mains dans les poches, contemplant le décor familier, la petite rangée de boutiques en face de l'arrêt de bus où il avait acheté ses illustrés et dépensé ses tickets de bonbons pendant tant d'années, la quincaillerie qui sentait le phénol et la paraffine, la boutique de l'horloger qu'il avait toujours connue fermée et déserte, avec sa grosse pendule à l'extérieur définitivement arrêtée à deux heures vingt, l'heure où la bombe était tombée tout près dans la rue. Les maisons qui prolongeaient cette rangée de boutiques étaient de petites maisons mitoyennes avec une porte d'entrée donnant directement accès à la pièce de devant et un petit espace d'à peine un mètre entre les fenêtres et le trottoir. Leur maison à eux, qui n'était pas tellement plus grande, était une maison moderne, jumelée à une autre maison avec une façade de crépi moucheté et quelques boiseries décoratives que son père, tout comme les voisins, avait soin de repeindre régulièrement en deux tons, vert et crème. Ces petites maisons alignées, dont il regardait les toits de la fenêtre de sa chambre, étaient surtout faites de briques et de pierres grises incrustées de suie et barbouillées de traînées de pluie qui leur faisaient comme des larmes. Elles avaient un air fatigué, harassé, à l'image de ces grosses femmes coiffées d'un foulard que l'on voyait entrer ou sortir avec leur bébé et leur cabas.

Tout le trajet jusqu'à Victoria fut ainsi. De la fenêtre du bus, les rues familières prirent une intensité visuelle et une résonance associative étranges. Il avait l'impression de les voir pour la première fois telles qu'elles étaient en réalité, de répondre avec tous ses sens au charme très spécial de ce sud-est londonien, à ces surfaces de briques et de pierres salies et usées, à la ligne basse et irrégulière des bâtiments, aux odeurs de brasseries et de gaz, de légumes et de tanneries. Il remarqua comme tout était vieux et en mauvais état : il suffisait de lever les yeux juste au-dessus des façades modernes des magasins pour voir qu'elles avaient été appliquées sur des bâtiments délabrés aux fenêtres craquelées et encrassées, aux toits voûtés et aux pots de cheminée écaillés. Les couleurs dominantes étaient le noir, le marron et un crème sale. Les couleurs de la Guinness. C'étaient les couleurs qu'il fallait utiliser si on voulait essayer de peindre tout ça... et il fut pris soudain d'une irrésistible envie de peindre.

Il se sentait étrangement ému; son départ pour l'étranger semblait plus stupide que jamais – car, partir, est-ce que ça ne sert pas d'abord à regarder son pays avec un regard neuf quand on revient? Mais le bus roulait inexorablement vers Victoria. Maintenant, il longeait le terrain de cricket de Kennington. Du haut du bus, il pouvait voir par-dessus le mur mais la partie n'avait pas encore commencé. Le personnel enlevait les capuchons des guichets de cricket et le panneau affichait le score de la veille : Surrey deux cent quarante-sept points, tous les batteurs éliminés, et Northants vingt et un points pour un batteur éliminé. Le bus laissa le terrain de cricket derrière, s'engouffra sous le pont de chemin de fer à Vauxhall et tourna en direction du pont de Vauxhall. Un bateau de plaisance passa juste au-dessous d'eux, transportant des passagers du Festival de Grande-Bretagne sur la rive sud jusqu'aux Jardins du Festival à Battersea. Vauxhall n'était pas l'endroit le plus impressionnant pour traverser la Tamise – les bâtiments ici, à l'exception de la Tate Gallery, étaient sans cachet. Mais le fleuve scintillait joliment sous le soleil, et, en aval, on apercevait le pont de Lambeth et les maisons du Parlement, et, au-delà, l'immense étendue de Londres avec le dôme de Saint-Paul qui chatoyait dans la brume. Londres. On disait que ce n'était plus la plus grande ville du monde, que Tokyo avait davantage d'habitants. Mais elle restait malgré tout la plus grande, et il pensait souvent qu'il avait bien de la chance d'y être né. C'était un pur hasard. Il aurait pu naître dans l'une de ces villes ou l'un de ces villages qu'on apercevait du train en allant à Worthing, ces petites bourgades obscures qui semblaient n'avoir aucune raison d'être. Ou encore, il aurait pu ne pas naître en Angleterre du tout. Il aurait pu être un petit Français, ou encore un petit Allemand... Qu'est-ce que ça aurait pu donner? De naître dans ce pays primitif quand on savait que, dans les autres pays, tout le monde vous détestait et vous méprisait, à cause de Hitler, à cause des camps de concentration, à cause de la guerre déclenchée et perdue par votre pays.

En fait, quand il pensait aux Allemands, à ceux qui vivaient en Allemagne aujourd'hui, il n'éprouvait aucune haine, seulement une sorte de gêne. Il était fort vraisemblable que c'était plutôt eux qui vous détestaient. Et, au plus profond de lui-même, c'était pour cela qu'il appréhendait les semaines à venir. Un petit Anglais perdu n'allait sûrement pas être le bienvenu dans l'Allemagne occupée, pensait-il. On allait se dire qu'il était venu pour pavoiser. Ce n'était pas l'endroit que choisirait une personne normale pour passer ses vacances, pas ce pays baignant dans le sang, la culpabilité et les souvenirs hideux, ce pays que ceux de votre camp avaient combattu il y avait six ans à peine. Il se consolait en se disant qu'il n'allait pas en Allemagne pour voir les Allemands, mais pour voir Kath et ses amis américains. C'était rassurant de penser aux Américains. Il se rappelait les convois de tanks et de camions américains qui avaient traversé Blyfield en un bruit sourd, les mois précédant le Jour J, et le sentiment de soulagement qu'il avait éprouvé rien qu'en voyant ces soldats, avec leurs visages hâlés et détendus, l'élégance fonctionnelle et la sophistication de leurs uniformes et de leur matériel, leur style plein de panache, aussi irrésistible qu'un film en technicolor, à une échelle un peu plus grande que la vie.

« Tu ne dis rien, Timothy. Il y a quelque chose qui t'inquiète?

– Non, pourquoi je m'inquièterais?

– Tu n'as pas besoin de médicament, dis-moi?

– Non », dit-il, d'un ton agacé. C'était la façon qu'avait sa mère de s'inquiéter du bon fonctionnement de son transit intestinal.

« Je vais t'acheter des cachets contre la constipation, à Victoria. Il y a une pharmacie, là-bas.

– Je n'en ai pas besoin, maman. Allez, viens, on descend au prochain arrêt. »

Ils avaient laissé le sac dans le renfoncement sous l'escalier. Le receveur leur donna un coup de main pour le descendre.

« C'est quoi qu'vous avez là-dedans, un cadavre ? » dit-il en blaguant.

Timothy lui adressa du trottoir un petit sourire. Sa mère marmonna entre ses dents :

« Quel toupet ! »

Il était déjà manifeste, bien que le voyage fût à peine commencé, que le sac avait été une erreur. Il s'avéra trop large pour tenir dans le porte-bagages de son compartiment, et trop ventru pour passer sous son siège. Finalement, ils le laissèrent dans le couloir et les autres passagers se débrouillèrent comme ils purent pour l'enjamber. Timothy posa son imperméable et ses sandwichs sur un siège dans un coin et rejoignit sa mère sur le quai où un groupe de collégiennes, en blazer marron bordé d'un liseré doré, bourdonnaient et s'agitaient comme un essaim d'abeilles. Cinq ou six d'entre elles se détachèrent du groupe et passèrent devant lui à toute vitesse, en piaillant et en hurlant stupidement. Elles avaient un macaron épinglé au revers de leur blazer. Un vrai troupeau d'oies qui cacardent, pensa-t-il. Il éprouva une sorte de fierté hautaine à affronter seul les périls d'un voyage sur le continent, sans professeur et sans groupe organisé, et en même temps, il envia la protection dont ces filles jouissaient. Sa mère se demanda où elles allaient.

« C'est marqué Innsbruck sur leurs valises. En Autriche.

– Tu te rends compte ! Elles en ont du chemin à faire.

– J'espère qu'elles ne seront pas avec moi dans le train de Mannheim, grommela-t-il. Avec le tapage qu'elles font.

– Eh bien, elles sont excitées, je suppose. Et toi, tu es excité ? »

Timothy haussa les épaules.

« J'sais pas. Excité, c'est pas vraiment le mot.

– Je suis sûre que moi, à ton âge, j'aurais été excitée. Mais tu n'es pas du genre à montrer tes sentiments. »

Dieu merci, pensa-t-il, en regardant d'un air misérable l'horloge qui affichait onze heures moins dix. Le train était déjà plein et quelques voyageurs étaient debout dans les couloirs.

« Tu as eu de la chance de trouver une place, dit sa mère.

– Je ferais mieux d'y aller au cas où quelqu'un me la prendrait. »

Elle l'embrassa et il regagna sa place. À travers la vitre, il vit les lèvres de sa mère qui articulaient les dernières consignes et les ultimes questions, et lui répondit en secouant ou en hochant la tête. Fatigué par ce mime absurde, il se leva et ouvrit la petite fenêtre d'aération.

« Tu devrais partir, maman, c'est pas la peine d'attendre.

– Oh non, je veux te voir partir.

– Est-ce que les portillons sont déjà fermés ? »

Elle regarda vers le bout du quai en plissant les yeux.

« Il me faudrait mes lunettes... Il y a un marchand ambulant là-bas. Tu ne veux pas que je t'achète un petit supplément pour manger ?

– Non, ne t'en fais pas.

– Il y a des petites tartes aux fruits de chez *Lyons*. Je les ai vues quand on est passés. »

Timothy hésita. Il avait un faible pour ces petites tartes aux fruits.

« D'accord », dit-il, et immédiatement, il le regretta. C'était exactement le genre d'affolement de dernière minute, déconcertant et totalement inutile, qu'il avait à tout prix essayé d'éviter, avec succès jusque-là.

Il ouvrit la fenêtre au maximum. En se dressant sur la pointe des pieds et en tournant la tête de côté, il put juste apercevoir sa mère qui se précipitait le long du quai vers le marchand ambulant. Lorsqu'elle y arriva, fouillant dans son sac, un coup de sifflet retentit et les portières se mirent à claquer sur toute la longueur du train. Sa mère quitta le marchand et revint en trottinant, puis s'arrêta et revint sur ses pas. Timothy poussa un grognement sourd : elle avait dû oublier sa monnaie. Maintenant, elle courait le long du quai, tenant à bout de bras la tarte dans sa boîte en carton, tel un coureur de relais son bâton. Il rentra la tête et passa son bras par la fenêtre. Alors qu'elle n'était plus qu'à quelques mètres, le train se mit en mouvement. Pendant quelques secondes, l'écart entre eux demeura stable, puis il commença à se creuser. Sa mère chancela et s'immobilisa, à bout de souffle, portant sa main libre à son côté. Il agita la main et sourit, essayant de lui faire comprendre que ça n'avait pas d'importance. Mais ce fut la dernière image qu'il eut de sa mère : debout sur le quai, à bout de souffle, la mine déconfite, et tenant encore à bout de bras, tel un cadeau qui a été refusé, la petite tarte aux fruits de chez *Lyons.*

2

Au début, tout se passa bien. Il déclina l'offre d'un porteur à Douvres, et, bien que son sac cognât affreusement contre son genou et tirât sur son bras, il réussit à couvrir toute la longueur du quai jusqu'au bateau, ne s'arrêtant que deux fois pour changer de main. Il traîna son fardeau à bord, monta trois escaliers et finit par déboucher sur un pont découvert en haut, à l'avant du bateau, avec plein de transats marqués « gratuits ». Il s'effondra en sueur dans l'un de ces transats et juste à ce moment-là le bateau vibra et se mit à bouger.

Le bateau fit demi-tour au milieu du port, ce qui lui permit d'avoir une jolie vue sur Douvres où les toits d'ardoises grises qui s'étalaient sous les remparts du château luisaient d'un éclat mat au soleil. Des vacanciers, qui avaient été jusqu'au bout de la digue du port où se dressait un petit phare, les saluèrent de la main à leur passage. Il sentit alors, pour la première fois de sa vie, le roulement lent et régulier d'un gros navire en mer. C'était une sensation étrange, déroutante, de sentir toute cette structure massive du pont, qui, au repos dans le port, avait paru aussi stable que la terre ferme, se balancer mystérieusement en silence, sous les pieds. C'était le mouvement même du risque et de l'aventure.

Pendant un moment, le bateau avança parallèlement à la côte. Une chanson de son enfance lui revint à l'esprit.

Les oiseaux bleus du bonheur voleront d'aise
À Douvres, au-dessus des blanches falaises,
Demain, avec patience, attendons.

Il avait projeté, il s'en souvenait, d'aller voir les « oiseaux bleus » quand la guerre serait finie. Eh bien, il lui en avait fallu du temps pour arriver jusqu'ici et il n'y avait même pas d'oiseaux bleus, seulement des mouettes rapaces qui piquaient et planaient autour du bateau en poussant des cris perçants. Les falaises étaient d'un blanc plutôt sale aussi, mais elles se dressaient face à la mer bleue avec une sorte de sérénité tranquille qui correspondait bien à la chanson.

Le bateau changea de cap et la côte disparut lentement de sa vue. Il regardait par-dessus la proue tandis que le bateau s'enfonçait et se soulevait doucement, se frayant un passage à travers les vagues. Un petit vent vif monta de la mer, renvoya par-dessus son épaule sa cravate qui se mit à flotter près de son oreille. Le vent et aussi la lumière éclatante qui ricochait sur les vagues l'amenèrent à fermer à demi les yeux et firent naître un sourire sur ses lèvres. Il s'amusait bien.

« Votre billet, monsieur ? »

Il se retourna et vit un employé en uniforme près de lui. Il tendit son billet et l'homme fronça les sourcils.

« C'est le pont des premières classes, ici, dit-il, d'un ton glacial. Je vous prie de regagner l'arrière du bateau qui est réservé aux passagers de seconde classe. »

Mortifié, confondu de honte sous le regard des autres passagers qui l'entouraient, Timothy prit son sac, franchit en titubant et aussi vite qu'il put la partie latérale du bateau et arriva enfin à un petit portillon qui menait au pont des secondes classes. Il était encombré de gens et de bagages. La plupart des passagers étaient assis, debout ou couchés sur le pont et ils mangeaient des sandwichs et buvaient du thé ; ou, s'ils avaient la chance d'être en possession d'un des rares transats, ils étaient allongés dans des attitudes de complet abandon, les yeux fermés, la bouche pendante, la tête tournée vers le soleil qui brillait tristement derrière l'écran de fumée du bateau. Cinq religieuses étaient assises côte à côte sur un banc, retenant des deux mains leurs voiles qui s'envolaient et souriant d'un petit sourire timide. C'était un brouhaha de conversations, de rires, de cris d'enfants, de braillements de bébés. Par moments, un coup de vent rabattait sur le pont la fumée des cheminées. Timothy ne voyait pas où se mettre avec son sac, sauf aux pieds des religieuses autour desquelles les autres passagers avaient laissé un vide respectueux.

L'après-midi passa lentement. Il mangea le reste de ses sandwichs puis sortit le dernier numéro de la revue *Cycling* qu'il avait mis de côté pour le voyage. Son premier abonnement à cette revue datait d'il y a deux ans quand il avait été pris d'une soudaine passion pour le cyclisme. Il avait tant et si bien harcelé ses parents qu'ils lui avaient acheté un vélo de course, vélo qu'il avait alors progressivement équipé de tous les accessoires d'usage – bidons, ailettes, moyeux en alliage alésé, dérailleur à quatre vitesses, etc. –, et qu'il prenait pour aller à l'école, essayant de gagner toujours quelques secondes sur son meilleur temps en se servant d'expédients dangereux comme par exemple de suivre les bus. Avec Jonesy et Blinker, il avait quelquefois assisté aux courses cyclistes de Herne Hill et s'était réjoui des victoires de Reg Harris, le seul athlète britannique apparemment à pouvoir l'emporter sans problème contre les concurrents étrangers. Son enthousiasme pour le cyclisme s'était peu à peu refroidi – mais sans qu'il en vînt pour autant à annuler son abonnement à *Cycling.* La vue du magazine posé sur le paillasson chaque mercredi allumait encore en lui une petite lueur d'intérêt et la monotonie même de ses articles, leur contenu prévisible, les photos floues et les pages couvertes de petites annonces publicitaires, apaisaient son cerveau de collégien fatigué. Mais, cet après-midi, le charme semblait définitivement brisé. Il comprit que *Cycling* l'ennuyait à mourir et qu'il ne serait pas trop chagriné s'il n'en revoyait jamais plus un seul exemplaire.

Il ne lui resta alors rien d'autre à faire que d'observer les autres passagers. La troupe de collégiennes ne passait pas inaperçue; les filles sautillaient d'impatience, renvoyaient leurs cheveux en arrière d'un geste de la main et retenaient leurs jupes qui volaient au vent, se penchaient par-dessus le bastingage et accablaient leurs professeurs de questions. Il y avait dans le groupe une fille qu'il trouvait plutôt jolie, une fille à la longue queue de cheval noire, au visage ovale et au teint pâle, mais elle resta assise une bonne partie du temps à côté d'un de ses professeurs et ne participa pas à l'effervescence générale. Puis quelqu'un l'appela pour venir sur le côté du bateau, elle se leva et se faufila à travers la foule avec grâce. Il se leva lui aussi et fut tout excité et surpris de voir la terre! Il se rendit en jouant des coudes jusqu'au bastingage et regarda fixement la longue bande de terre basse qui séparait le ciel et la mer. Était-ce la Belgique déjà, ou la France? C'était l'Europe en tout cas, la première vision qu'il en avait et qui lui paraissait indéniablement étrangère même à cette distance, avec sa ligne basse et ses tons ocrés, très différente des blanches falaises d'Angleterre au sommet verdoyant.

Il resta là toute la fin du voyage, les deux coudes appuyés au bastingage et le menton au creux des mains, perdu dans ses pensées, contemplant le rivage étranger et essayant de trouver dans ces contours indistincts une sorte de clé, de guide qui pourrait l'aider à se comporter une fois à terre. Comme ils entraient dans le port d'Ostende, il vit très clairement sur la jetée les gens baignés dans la lumière jaune d'un soleil rasant, leurs ombres immenses projetées vers le bateau, et qui souriaient et agitaient les mains. Ils avaient l'air très accueillants; mais les Belges, après tout, avaient été nos alliés pendant la guerre, se dit-il, en voyant, par-dessus les têtes, les rues et les places à l'allure étrangère, les gais parasols rayés sur les trottoirs devant les cafés, les réclames de Martini et de cigarettes Belga. Il ne pouvait rien vous arriver en Belgique.

L'eau tourbillonna et le bateau trépida tandis que les hélices le forçaient à s'immobiliser. Ils étaient sur le point d'accoster. Il eut un moment de panique quand il se rendit compte qu'il avait complètement oublié son sac. Se glissant à travers la foule, il le retrouva intact là où il l'avait laissé. Il y avait peu de risque, à bien y réfléchir, que quelqu'un essayât de le voler. Les escaliers étaient complètement encombrés de gens qui attendaient de quitter le bateau.

Des cris étouffés montaient des entrailles du bateau, et la foule en haut des marches se mit à se balancer et à tanguer tandis qu'un groupe de porteurs belges, vêtus de gros bleus de travail, se frayaient un chemin. « Porteur! Porteur! » hurlaient-ils, en allongeant la voyelle finale qui hésitait entre le français et l'anglais. Une voix forte, assurée, appela :

« Oui, ces deux-là, s'il vous plaît! »

Curieux de voir la transaction, Timothy tourna la tête, mais un porteur trapu, au menton hérissé de poils, s'interposa.

« Porteur? demanda-t-il.

– Euh... »

Timothy hésita. L'homme attrapa son sac, le chargea sur

son épaule en poussant une espèce de juron, et lui fourra son badge sous le nez.

« *Dirty floor*, dit-il apparemment, et il disparut dans la foule.

– Hé ! » protesta mollement Timothy. Impuissant, il vit son sac s'éloigner au-dessus de la tête des autres passagers et disparaître soudain quand un brusque mouvement de foule le propulsa au pied des escaliers. Tandis qu'il se traînait dans la queue pour sortir du bateau, il se demandait misérablement où et comment il allait récupérer son sac, si jamais il le récupérait. Car ce sac avait beau être encombrant et peu pratique, sa présence était réconfortante. Les étiquettes dessus attestaient qu'il venait d'un endroit précis et qu'il allait vers une destination précise – tant qu'il s'accrochait à ce sac, il avait le sentiment que, tôt ou tard, il finirait bien lui-même par arriver, tel un colis, soit à Heidelberg, soit chez lui. *Dirty floor* avait dû vouloir dire *thirty-four*, 34, car c'était le numéro marqué sur le badge de l'homme – mais où était-il censé le retrouver ?

Le porteur n'était pas au contrôle des passeports. Il n'était pas dans la petite cabane des douanes où on faisait défiler les passagers rapidement – c'était apparemment une simple formalité. Timothy poursuivit son chemin et se retrouva dans la gare. L'endroit était immense, plein de monde, et ressemblait davantage à une rue où les locomotives se seraient malencontreusement égarées, une rue bordée de nombreuses boutiques et de cafés avec des tables dehors, et il flottait dans l'air de fortes odeurs étrangères. Impossible de retrouver qui que ce soit ici. Peut-être que le porteur avait lu les étiquettes sur son sac et qu'il l'attendait sur le quai. Mais quel quai ? Il aperçut un grand panneau indicateur et, en fouillant dans la liste des trains établie pour vingt-quatre heures, finit par repérer son train qui allait partir du quai numéro sept. Content de son exploit, il se précipita vers le quai numéro sept. Le train se remplissait mais pas le moindre signe de son porteur.

Il se rendit compte brusquement qu'il avait la vessie pleine et s'en voulut de ne pas avoir été aux toilettes sur le bateau. S'il y allait maintenant, il risquait encore plus de rater son porteur, mais il ne pensait pas pouvoir se retenir pendant les vingt-cinq minutes qui lui restaient avant le départ de son train. Il chercha désespérément autour de lui un *Gents,* se rappela qu'ici ça ne devait pas s'appeler ainsi, et repéra une pancarte au-dessus d'un escalier en pierre avec le mot *Hommes* inscrit dessus. Il dévala les marches, se trouva face à face avec une dame en manteau blanc assise à une table, et remonta à toute vitesse l'escalier. Il examina à nouveau la pancarte. Elle portait bien l'inscription, *Hommes.* Il alla de l'autre côté où il y avait un autre escalier marqué *Dames.* Les Belges avaient-ils donc l'habitude perverse d'inverser les toilettes des hommes et des femmes? Il jeta un coup d'œil prudent vers le bas des marches et aperçut la même dame en manteau blanc. Il renonça devant ce mystère et abandonna tout espoir de se soulager, car le temps pressait. Son train allait bientôt partir, sans lui, ou sans son sac, ou encore sans les deux.

C'était ce genre de cauchemar qu'il avait toujours redouté dès l'instant où son voyage avait été décidé. Il sortit sa casquette d'uniforme et la mit sur sa tête – comme si c'était un signal de détresse qu'il lançait. Il avait besoin que quelqu'un vienne à son aide, quelqu'un qui parle anglais puisque son français, déjà si balbutiant en temps normal, s'était complètement volatilisé dans la crise. Il arrêta un homme qui portait l'uniforme d'un employé de chez *Cook.*

« Excusez-moi, mais vous n'auriez pas aperçu quelque part un porteur, le numéro trente-quatre? Avec un sac bleu? »

L'homme le toisa d'un air hautain.

« Êtes-vous un touriste de notre compagnie, monsieur?

– Non, mais je suis anglais », dit-il en suppliant.

Au même moment, il entendit résonner juste derrière lui le cri de *Dirty Floor! Dirty Floor!* aux sonorités si incroyablement douces. Le porteur leva les bras au ciel et lâcha toute une cascade de mots français. Timothy n'eut aucune peine à comprendre ce que ça voulait dire.

« Pardon, dit-il, je ne sais pas.

– Bruxelles? demanda l'homme.

– Mannheim. » Le porteur regarda Timothy en ayant l'air de se demander s'il irait bien jusque-là.

« Wagon-lit?

– Non. Non. »

Le porteur hocha la tête et se mit en route, en marmonnant à voix basse, Timothy le suivant humblement derrière. Il remit à l'homme son plus petit billet belge, l'équivalent de dix shillings environ, et attendit en espérant la monnaie. L'homme empocha froidement le billet et s'en alla à grands pas. Il n'y avait pas de place libre et il dut rester dans le couloir. Mais, au moins, il était dans le train, et il y aurait probablement beaucoup de gens à descendre à Bruxelles.

Le train fit trois arrêts à Bruxelles mais personne ne descendit. Au contraire, des centaines de gens montèrent. Le couloir se remplit. Son sac disparut sous la montagne de bagages des autres voyageurs, et il lui était même impossible d'y avoir accès. L'air était imprégné d'une fumée âcre de cigarettes, d'odeurs de fromage, d'ail et de sueur, et bourdonnait d'un mélange d'accents étrangers : français, allemand et quelque chose entre les deux qui, pensa-t-il, devait être du flamand. La perspective d'un voyage de nuit paraissait de plus en plus sombre. En roulant vers Bruxelles, il y avait eu au moins quelque chose à voir : les longs rubans de champs plats où les gens travaillaient encore dans la lumière déclinante, se redressant pour saluer au passage du train, et les petites fermes proprettes aux murs blancs et aux toits rouges ; mais quand ils ressortirent des tunnels de Bruxelles, il faisait complètement noir. De temps en temps, les lumières d'une ville passaient en un éclair, et à Liège les fourneaux des usines embrasèrent le ciel d'une impressionnante lueur rouge, ce qui lui rappela les docks en flammes pendant le Blitz. Mais la plupart du temps, il ne voyait que son petit visage pâle qui se réfléchissait dans les fenêtres.

Sur le rebord de la fenêtre, il y avait une petite inscription en trois langues :

Ne pas se pencher au-dehors
Nicht hinauslehnen
Do not lean out of the window

Pas une seule voix anglaise ne résonnait dans le couloir sauf quand les collégiennes au blazer marron et doré (elles le suivaient à la trace) sortaient de leurs compartiments réservés et se faufilaient le long du couloir pour aller aux toilettes. Elles venaient habituellement deux par deux, soulevant très haut leurs jambes, enveloppées de chaussettes marron, par-dessus les bagages tels des poneys, rejetant nerveusement en arrière leur crinière et gloussant stupidement. Elles semblaient passer des heures dans les toilettes.

La fille à la queue de cheval noire se rendit toute seule aux toilettes. Elle avait dans ses mains une petite trousse de toilette en tissu écossais. Lorsqu'elle passa, le train fit une embardée en changeant d'aiguillage, et elle fut projetée contre lui.

« Oh! Désolée! » s'exclama-t-elle. Mais elle semblait plus contrariée que désolée.

« Ce n'est rien », dit-il, et il regretta aussitôt de n'avoir pas dit quelque chose de plus galant, comme « Tout va bien? » Il aurait pu même la retenir d'une main leste. Peut-être allait-elle lui dire quelque chose en revenant.

Utilisant la vitre comme miroir, il ramena en arrière sa longue mèche de devant; elle lui retomba sur le front presque immédiatement. Il rajusta sa cravate d'uniforme mais il n'y avait pas grand-chose à faire pour en améliorer l'allure : le tissu était froissé et faisait des plis juste sous le nœud. Le col de sa chemise était sale et les coins se retroussaient. Il remonta ses lunettes et les cala bien sur l'arête du nez – elles avaient toujours été un peu trop grandes – et explora du bout des doigts le bouton de fièvre au coin de sa bouche. Même dans l'image pâle que lui renvoyait la fenêtre, il voyait le duvet sombre au-dessus de sa lèvre supérieure où une petite moustache commençait à pousser. Il entendit la porte des toilettes s'ouvrir et se refermer, et il se redressa tout droit contre la cloison du couloir.

La fille passa devant lui sans un regard.

Timothy se rendit aux toilettes. Il y avait dans l'air une vague odeur de savon ou de parfum, et un long cheveu noir traînait dans le lavabo. Il urina et se lava les mains. Le réceptacle prévu pour recevoir les serviettes en papier souillées débordait déjà mais il y avait plus bas, contre la cloison, une poubelle en émail blanc. Il releva le couvercle avec son pied et, comme il jetait sa serviette, il aperçut au fond quelque chose qui ressemblait à un pansement plein de sang. C'était une chose étrange, troublante. Il se demanda s'il n'y avait pas quelqu'un de malade ou de blessé dans le train. Ou un criminel en fuite qui avait essayé d'arrêter le sang de ses blessures et qui serrait les dents en attendant d'être en sécurité? Il avait le sentiment que tout pouvait arriver dans ce train.

Il s'assit sur le siège des toilettes pour soulager ses jambes courbaturées et il se demanda combien de temps il allait pouvoir rester là sans que quelqu'un vienne frapper à la porte. Quelqu'un frappa à la porte.

C'était le contrôleur. Timothy abandonna les toilettes à deux nouvelles collégiennes et présenta son billet au contrôleur. Il eut soudain très soif. Il lui restait une pomme dans son sac mais, pour lors, son sac était irrémédiablement écrasé sous deux grosses valises et une femme encore plus grosse. Il consulta sa montre. Six heures encore de route et il se sentait déjà épuisé. Il s'appuya contre la paroi du couloir et ferma les yeux, laissant sa tête se balancer au rythme du train. Il pensa à la fille à la queue de cheval noire et au doux contact de son corps contre le sien quand le mouvement du train l'avait projetée contre lui. Il répéta l'incident une bonne centaine de fois dans son esprit, en variant et en améliorant ses réactions à chaque fois, et petit à petit il s'inventa tout un scénario à partir de cette rencontre, s'imaginant que la fille avait, comme par hasard, un compartiment rien que pour elle, qu'elle l'invitait à le partager et qu'ils causaient et causaient toute la nuit jusqu'à ce qu'elle s'endorme, la tête contre son épaule, et puis le train tombait en panne à Mannheim et le groupe de filles allait à Heidelberg au lieu d'Innsbruck et...

Un brusque ralentissement du train lui fit perdre l'équilibre. Et, quand le train s'arrêta, ils n'avaient pas l'air de se trouver dans une gare car on ne voyait aucune lumière à travers les vitres. Une porte s'ouvrit alors et deux hommes en uniforme montèrent dans le wagon et crièrent quelque chose avec de gros accents gutturaux. Les voyageurs debout dans le couloir se mirent à fouiller dans leurs poches et leurs sacs à la recherche de leur passeport. Ils devaient être à la frontière allemande.

Comme il observait les deux hommes, en tenue de soldats, qui avançaient lentement vers lui dans la lumière terne du couloir, feuilletant les papiers qu'on leur présentait avec une minutie et une méfiance que Timothy trouva exagérées, les fantômes des vieux films à demi oubliés sur l'Europe occupée par les nazis, la Gestapo et les S.S., les prisonniers de guerre évadés et la résistance, lui étreignirent le cœur. Il n'y avait aucun bruit dans le couloir sinon les questions et les réponses brusques qu'on échangeait. Il lui sembla que les voyageurs étaient intimidés et inquiets, comme si chacun s'attendait à tout moment à être expulsé du train à cause de quelque irrégularité dans ses papiers. Il eut un pincement d'inquiétude en pensant à la piètre ressemblance de sa photo sur son passeport et examina encore une fois son visa pour lequel il avait fait deux heures de queue épuisantes à l'extérieur de l'ambassade allemande à Kensington : l'empreinte noire et baveuse de mots imprononçables et laids, comme *Grenzübergangsstelle* et *einschließlich*, marquée au tampon avec l'effigie d'un aigle famélique qui semblait déployer ses ailes d'un air menaçant et lancer un cri de haine et de rage. Un emblème sinistre mais qui convenait bien à l'Allemagne, pensa-t-il. C'était à son tour maintenant.

Le cœur battant la chamade, il tendit son passeport. L'homme regarda la photo, tourna les pages jusqu'au visa et tamponna la page d'en face. Timothy ressentit un immense soulagement. L'autre homme en uniforme s'adressa alors à lui en allemand. Timothy le regarda avec de grands yeux ébahis. Y avait-il finalement quelque chose qui n'allait pas dans son passeport? L'autre homme le montra à son collègue.

« *Englisch* ? dit ce dernier.

– Oui, dit Timothy. *Ja* », ajouta-t-il spontanément. C'était une bêtise, car il s'ensuivit une autre question, longue et incompréhensible, en allemand. Toute sa connaissance de la langue se limitait à quelques mots trouvés dans les magazines et les films de guerre – *Achtung*, *Schweinhund*, *Dummkopf*, *kaput* – et dont aucun ne semblait lui être d'une grande utilité pour le moment.

« Je suis désolé, dit-il. Je ne parle pas allemand. »

Un homme qui se tenait à ses côtés se pencha vers lui et dit :

« Ils feulent safoir si fous afez des chosses de contrebande.

– Pas de contrebande », dit Timothy.

Après encore quelques questions supplémentaires que l'homme interpréta, les deux agents poursuivirent leur inspection. Une demi-heure plus tard, le train entrait dans une immense gare sinistre.

« Aachen... Aachen... Aachen! » hurlèrent les haut-parleurs. Les dures syllabes catarrheuses choquaient l'oreille et l'esprit. Bizarrement, les enseignes portaient le nom de Bad Aachen, et c'était bien approprié, semblait-il. *Bad*, méchant. Aix-la-Chapelle-la-méchante. Allemagne-la-méchante.

Tout espoir d'avoir une place assise s'envola définitivement. De nouvelles vagues de voyageurs assiégèrent le train et se ruèrent à bord en se poussant et en se bousculant, bloquant les quelques voyageurs qui voulaient descendre. Puis, quand les wagons et les couloirs furent totalement bondés et les quais déserts, le train resta sur place pendant encore une demi-heure.

Ils partirent enfin. Les lumières d'Aix-la-Chapelle disparurent au loin. Le brouhaha des conversations dans le couloir se calma peu à peu tandis que les voyageurs commençaient à s'organiser pour la nuit, se mettant accroupis sur les valises ou par terre, la tête posée sur leurs genoux. Bientôt, Timothy et un jeune homme qui se trouvait plus loin dans le couloir et qui lisait en tenant son livre bien haut pour capter la maigre lumière des lampes du couloir, furent les seuls voyageurs à être debout et éveillés. Une sorte d'instinct empêchait Timothy de se laisser glisser par terre. Il sentait que, tant qu'il restait debout, il ne donnait pas prise au cauchemar de ce voyage, il le maintenait à distance pour le moment, tels une épreuve ou un sortilège menaçants qui allaient cesser bientôt et le renvoyer à ce monde diurne, ordonné, auquel il appartenait, le monde de sa langue maternelle où les voyages n'étaient pas un long combat pour la survie. Ses compagnons de route avaient à l'évidence des espérances plus limitées. Il avait l'impression qu'en Europe la vie avait toujours été ainsi, un interminablc voyage nocturne en train à travers des frontières, avec des haut-parleurs qui braillaient fort sur des quais sinistres, des hommes en uniformes qui vous réveillaient pour inspecter vos papiers, et chacun n'ayant d'autre but immédiat que de se trouver une petite place pour faire un petit somme. Il se demanda si le jeune homme qui lisait était anglais lui aussi.

Puis, peu à peu, la fatigue eut raison de sa résistance. Il se laissa glisser par terre et roula son imperméable pour s'en faire un coussin. Sa tête vint se poser contre le sac de toile de quelqu'un. Puis, abandonnant définitivement toute réserve, il desserra ses lacets, libérant ses pieds gonflés et étendit ses jambes. Il ferma les yeux et sommeilla.

Le train prit de la vitesse. Le martèlement des roues tambourinait à ses oreilles, variant constamment en rythme et en intensité tandis que le train ferraillait en passant sur les aiguillages, ou faisait un bruit sourd en traversant les ponts. Il se laissa balancer et bercer par ce mouvement. Il avait vaguement conscience que des gens passaient par-dessus lui, mais il ne se donna pas la peine de bouger. C'étaient les collégiennes qui se rendaient encore aux toilettes. Elles passèrent au-dessus de lui en une procession sans fin et lui, il regardait sous leurs jupes et voyait leur petite culotte bleu foncé et leur mouchoir glissé dans l'élastique. La fille à la queue de cheval noire ne portait pas de culotte. Bloquée en chemin, elle resta à califourchon sur lui, et il aperçut entre ses cuisses la douce fissure de chair rose perle et une délicieuse chaleur monta en lui et se répandit.

Il se réveilla, tout mouillé et tout collant entre les jambes, mais il ne se donna pas la peine d'aller aux toilettes pour se nettoyer. Dans l'état où il se trouvait, cette petite gêne supplémentaire était dérisoire. Au bout de quelque temps, sa peau sécha et il sombra dans un profond sommeil.

Il se réveilla à nouveau en ayant très mal au dos. Son bras était replié sous lui et, en se redressant, il le sentit parcouru de fourmillements désagréables. Il se releva, le corps tout raide, et fut déséquilibré par le balancement du couloir. Il bâilla, se frotta les yeux et regarda sa montre : quatre heures et quart. Tout allait bien – il n'avait pas dépassé Mannheim.

Le couloir était désert maintenant, il n'y avait plus que son sac qui paraissait avoir été piétiné par un troupeau de buffles, et deux places se trouvaient libres dans le compartiment le plus proche. Il tira la porte à glissière et alla s'asseoir. Le siège était plus dur et plus étroit que dans les trains anglais, mais il goûta avec délice le délassement que cela procura à ses membres endoloris. Dans le coin en face de lui, se trouvait le jeune homme qu'il avait remarqué plus tôt, et il était toujours en train de lire.

« Salut, lui lança-t-il par-dessus son livre. J'ai failli vous réveiller quand les places se sont libérées mais vous aviez l'air de dormir si paisiblement.

– Quand était-ce? demanda Timothy.

– La plupart des gens sont descendus à Mayence. Fatigué ? »

Timothy fit oui de la tête. Le jeune homme, qui semblait être américain à en juger par son accent, retourna à sa lecture. Timothy aperçut le mot *Europe* sur la couverture du livre.

De l'autre côté de la fenêtre, l'Europe commençait à prendre forme avec les premières lueurs de l'aube. Les masses indistinctes des maisons et des arbres défilaient rapidement. À l'horizon, il aperçut les lumières d'une ville ou d'une usine lointaine. Il tourna la tête pour regarder de l'autre côté, au-delà du couloir, et son regard rencontra les yeux de la fille à la queue de cheval noire. Est-ce qu'elle lui avait fait un sourire, ou bien avait-il tout imaginé? Elle baissa les yeux immédiatement et dépassa son compartiment. Elle paraissait pâle et fatiguée, et son uniforme était froissé mais elle avait été assise toute la nuit, elle, au moins. Il était quelque peu déçu qu'elle ne fût pas passée plus tôt, au moment où l'image stoïque et pathétique de son corps prostré dans le sommeil aurait pu faire sur elle grosse impression. Mais peut-être qu'elle était passée avant, et c'était peut-être pour ça qu'elle lui avait souri. Il préféra le croire.

Il se sentait un peu étourdi par la fatigue et la faim mais il ne s'était jamais senti aussi heureux depuis qu'il avait quitté la maison. Dans un peu plus d'une heure, l'épreuve serait terminée : il allait se retrouver en sécurité sous la tutelle compétente de sa sœur. Pendant cette heure il lui restait à affronter la partie la plus problématique de son voyage – le changement de train à Mannheim – mais, bizarrement, il l'envisageait avec un calme inhabituel. Après avoir survécu à cette nuit extraordinaire, il se sentait plein de confiance en lui.

Quand il descendit à Mannheim, la seule personne qui se trouvait apparemment sur le quai était un vieil homme en pantalon de toile grise muni d'un balai et d'un seau.

« Heidelberg ? » demanda Timothy.

Le vieil homme fit un signe de tête par-dessus son épaule et dit quelque chose d'incompréhensible.

« Je vais te montrer le chemin, dit une voix derrière lui. Je vais moi-même à Heidelberg. » C'était le jeune Américain.

« Oh, merci beaucoup, dit Timothy, en reprenant son sac.

– Ça me paraît bien lourd, laisse-moi t'aider », dit le jeune homme en attrapant une poignée. Il avait pour tout bagage un petit sac de toile qu'il portait avec décontraction par-dessus son épaule.

Timothy allongea le pas, le cœur léger : sa chance avait complètement basculé.

« C'est bigrement gentil de votre part, dit-il. Je ne comprenais pas ce vieil homme.

– Tu ne parles pas allemand ?

– Non, on vient juste de mettre l'allemand au programme dans notre école. » C'était la réponse qu'il avait préparée à l'avance, pensant qu'on allait souvent lui poser cette question pendant les semaines à venir. En plus, c'était vrai ; mais il était vrai aussi que, jusqu'à ces derniers temps, l'idée d'apprendre l'allemand lui serait apparue absurde et, d'une certaine façon, antipatriotique.

« Tu es en *Junior High* ? Ou est-ce qu'on appelle le premier cycle autrement chez toi ? »

Le train qu'ils venaient de quitter s'en allait, glissant le long du quai à côté d'eux et prenant de la vitesse. Timothy scruta les fenêtres, cherchant à apercevoir la fille à la queue de cheval noire.

« Je suis dans une *grammar school,* dit-il. Je suis en terminale.

– Ce qui te fait quel âge alors... dix-sept ans ?

– Seize. »

Un rideau se souleva dans le train comme si quelqu'un cherchait à voir dehors. Timothy redressa les épaules.

« Seize ans. C'est bien jeune pour faire seul tout ce voyage.

– Oh, ce n'est rien, vraiment », dit Timothy d'un ton nonchalant, tandis qu'ils descendaient les marches du passage souterrain.

3

Le jeune homme se dénommait Don Kowalski, un nom qui ne correspondait, pas plus que son allure extérieure, à l'image que Timothy se faisait d'un Américain typique. Il était grand et mince et avait un teint cireux. Il avait un long nez et un menton fendu. Ses cheveux noirs frisottés étaient coupés court mais pas en brosse. Ils épousaient les contours de sa tête comme une calotte. Les Américains que Timothy avait vus à Londres se reconnaissaient immédiatement à leur costume croisé aux tons pastels et à leur cravate très voyante. Don portait une veste de tweed, un pantalon de coton d'une propreté douteuse et une chemise blanche ouverte au col.

« Alors, qu'est-ce qui t'amène dans cette bonne vieille ville de Heidelberg, Timothy? » demanda-t-il comme ils s'installaient dans l'un des compartiments de ce petit train de campagne qui avait l'air d'une antiquité.

Timothy le lui dit.

« Tu devrais passer de bonnes vacances, dit-il. Heidelberg est une vieille ville très intéressante.

– Vous connaissez bien la ville?

– Assez bien. Il y a plus d'un an que j'y suis.

– Peut-être que vous connaissez ma sœur, alors. »

Don fit non de la tête.

« Je ne crois pas. Le mois dernier, j'étais encore G.I. J'imagine que ta sœur fréquente des milieux plus huppés.

– Le service militaire?

– Quelque chose comme ça, sauf que chez nous, il y a une sélection. Je crois savoir que c'est obligatoire pour tout le monde en Angleterre. Ce qui est plus juste.

– On peut, cependant, obtenir un sursis si on continue ses études.

– Tu as l'intention d'aller à l'université?

– C'est possible. Mais il est possible aussi que je fasse un apprentissage. J'attends de voir les résultats de mon *O-level.*

– Mais l'enseignement supérieur est gratuit en Angleterre, non?

– Quand on peut y entrer.

– Et ce n'est pas facile – j'en sais quelque chose... J'essaie moi-même d'entrer à l'École supérieure d'administration de Londres. En fait, j'ai été en Angleterre juste pour un entretien. Ça a l'air de te surprendre. »

Timothy était certes très surpris : Don avait l'air bien trop vieux pour être étudiant mais il semblait impoli de le dire.

« Je me demandais simplement pourquoi vous vouliez étudier en Angleterre plutôt qu'en Amérique.

– J'aime l'Angleterre. J'ai passé deux ou trois permissions à Londres. Je ne veux pas retourner chez moi tout de suite. Et l'École supérieure d'administration de Londres est une bonne école, surtout au niveau de la recherche.

– Ce ne sera pas gratuit pour vous cependant, n'est-ce pas?

– Non, mais nous avons cette chose merveilleuse qu'on appelle le *G.I. Bill.* C'est la seule bonne chose qu'on puisse dire de la conscription. »

Tandis que Don lui expliquait que le *G.I. Bill* permettait aux anciens soldats de faire des études gratuites, et en quoi consistait la recherche, le train quittait la gare de Mannheim. Il faisait jour maintenant mais il y avait une légère brume et Timothy était étonné de voir combien les ravages de la guerre s'étalaient encore partout. De chaque côté de la voie ferrée, il y avait une quantité de terrains vagues pleins de décombres et des bâtiments à moitié détruits. Avec cette lumière grise de l'aube et ces traînées de brume qui flottaient comme de la fumée, on eût dit que la bataille qui avait dévasté la ville ne datait que d'hier.

« On s'est beaucoup battu ici pendant la guerre?

– Ce sont surtout les bombes qui ont fait ça. En fait, Mannheim a été la première cible que les Britanniques ont entrepris de bombarder pendant leur offensive aérienne de 1940 et 1941. Et je suppose qu'ils sont revenus à la charge, ou bien c'est nous.

– C'est pire qu'à Londres.

– C'est rien. Il faut voir Francfort. Ou Hambourg... Mais Heidelberg n'a pas été touché. C'est pour cette raison, j'imagine, qu'on y a mis notre quartier général. Pour qu'on n'ait pas sous les yeux les horribles souvenirs de ce qu'on a fait. »

Timothy le regarda d'un air curieux. Ça paraissait une chose bizarre à dire – allons, personne ne pouvait se sentir coupable d'avoir bombardé l'Allemagne! Mais c'était sûrement différent pour un Américain, pensa-t-il. Ils n'avaient pas connu le Blitz, ils ne pouvaient pas savoir ce que c'était.

« J'imagine qu'il n'y avait pas d'usines ou de choses importantes à bombarder à Heidelberg? suggéra-t-il.

– Sans doute pas, et à Dresde non plus, ce qui n'a pas empêché qu'on la bombarde. On prétend que c'est le Prince Étudiant qui a sauvé Heidelberg.

– Le prince étudiant?

– Oui, tu ne connais pas? Une sorte d'opérette. Des chansons à boire et tout le bataclan. Du vrai mélo, mais ça a toujours fait sensation aux États-Unis. Beaucoup d'Américains ont envoyé leurs enfants à l'université d'Heidelberg à cause de cette opérette. On dit que, si on avait donné l'ordre de bombarder Heidelberg, les pilotes de l'armée de l'air se seraient mutinés. »

Timothy se mit à rire. Il n'avait jamais entendu qui que ce soit parler de la guerre en ces termes auparavant.

Le train traversait maintenant une campagne plate et nue. Une épaisse couche de brume recouvrait les champs.

« Est-ce qu'il y a des montagnes derrière la brume? demanda-t-il. Ma sœur a dit qu'il y avait des montagnes.

– Des petites montagnes, en effet. Couvertes d'arbres. Elles commencent à apparaître juste à Heidelberg, là où le Neckar débouche dans la plaine du Rhin. C'est à Mannheim qu'il se jette dans le Rhin. » Il lui montra, avec ses longues mains osseuses, comment les deux rivières se rejoignaient. « La vallée du Neckar est très pittoresque... Ta sœur va venir te chercher, je suppose?

– J'espère bien », dit Timothy. Il sortit sa casquette d'uniforme et la mit sur sa tête. « C'est pour qu'elle me reconnaisse, expliqua-t-il.

– Tu ne l'as pas vue depuis quand?

– Depuis trois ans et demi.

– Ça fait beaucoup.

– Elle n'a pas envie apparemment de revenir à la maison », dit Timothy. Il avait à peine fait cette remarque qu'elle lui sembla indiscrète, mais Don ne parut pas surpris.

« Heidelberg est plein de gens qui ne veulent pas rentrer chez eux », dit-il.

Le train commença à ralentir.

« Eh bien, nous y voilà.

– Heidelberg? Déjà? » Timothy bondit de son siège et se pencha à la fenêtre. L'air était doux et humide sur son visage. Fouillant des yeux la brume, il crut apercevoir les formes vagues des montagnes.

« Le soleil en se réchauffant va bientôt chasser le brouillard, dit Don derrière lui. Et alors, tu verras tout. »

Timothy, ingrat, ne put s'empêcher de désirer que Don disparaisse et le laisse seul pour les retrouvailles avec Kath. La présence d'un adulte protecteur diminuait, trouvait-il, l'héroïsme de son périple. Il avait réussi, après tout, à faire ce voyage sans l'aide de personne, sauf pour la dernière demi-heure. Il voulait que Kath le voie ainsi : seul, fatigué, débraillé mais la tête haute. Il ne lui fut pas possible cependant de refuser l'aide de Don, et, comme ils avançaient le long du quai, avec le gros sac qui se balançait entre eux, il aperçut Kath.

« La voilà! » cria-t-il, et il agita la main.

Elle ne réagit pas tout de suite; puis, le reconnaissant, elle courut vers lui, le visage illuminé d'un grand sourire, ses énormes seins ballottant sous son pull blanc. Pendant les quelques premières minutes, Timothy fut totalement obnubilé par ces seins et oublia le reste. Ils avaient peut-être été comme ça autrefois mais il n'avait pas l'âge alors de les distinguer dans l'embonpoint général de sa silhouette. Maintenant, ils l'hypnotisaient. Ils étaient gros, très gros. Presque trop gros, mais pas tout à fait. Il fut écrasé contre eux quand Kath l'embrassa et il sentit la boucle dure de son soutien-gorge frotter contre son buste osseux.

« Timothy! C'est fantastique de te voir! Comme tu as forci!

– Toi aussi, dit-il sans réfléchir.

– Timothy! Et dire que j'ai fait un régime! Comment s'est passé ton voyage?

– Très bien.

– Je ne t'ai pas reconnu, d'abord. Je cherchais un petit garçon pas plus haut que ça (elle tendit la main à environ quatre-vingt-dix centimètres du sol) et tout seul. Mais je vois que tu as eu de la compagnie. » Elle jeta un regard à Don.

« Seulement à partir de Mannheim », dit Timothy.

Don s'avança et tendit la main.

« Don Kowalski, dit-il. Vous devez être la sœur de Timothy.

– C'était très gentil de votre part de veiller sur lui.

– C'était un plaisir. Je regrette qu'on n'ait pas fait connaissance plus tôt pendant le voyage. »

Kath se retourna à nouveau vers Timothy.

« Tu es fatigué, mon chou? Tu dois l'être, et tu dois avoir faim aussi. On va te donner un petit déjeuner dès qu'on aura déposé ton sac quelque part.

– Puis-je vous aider? dit Don.

– C'est très gentil, mais je crois qu'on va prendre un porteur, dit Kath d'un ton ferme.

– Je vais vous quitter alors, dit Don qui s'attardait encore.

– Merci mille fois », dit Kath. Elle se mettait à faire du chiqué, comme disait son père.

« Bon, eh bien, passe de bonnes vacances, Timothy, dit Don en prenant son sac de paquetage. Peut-être que je te reverrai un de ces jours en ville. Ce n'est pas si grand que ça. Et vous aussi, euh...

– Kate Young.

– J'ai été ravi de vous rencontrer, Kate. Et toi aussi, Timothy. »

Ils le regardèrent partir d'un pas élastique, balançant son paquetage par-dessus son épaule.

« Qui est-ce? demanda Kath à voix basse.

– J'sais pas. Il a dit qu'il venait de quitter l'armée.

– J'ai deviné que c'était un G.I. Il semblait malgré tout bien gentil.

– Il a été bigrement gentil. Pourquoi tu ne l'as pas laissé nous aider à porter mon sac? Il est affreusement lourd.

– Il faut être très prudent avec ces G.I. Deux minutes de plus et il aurait essayé de me draguer. » Elle lui adressa un petit sourire et tira son gilet sur sa poitrine. « Tu leur en donnes long comme ça et ils te prendront tout, c'est toujours ce que je dis.

Bon, voilà ce que je suggère : on laisse ton sac à la consigne et on va jeter un coup d'œil à la chambre que j'ai dénichée pour toi, et ensuite, on ira prendre un petit déjeuner. Il faut que j'aille travailler ce matin, mais peut-être que tu vas vouloir simplement te reposer et avoir une petite journée tranquille, hein?

– Je crois que je pourrais dormir toute une semaine, avoua-t-il.

– Pauvre chéri, tu as l'air bien fatigué. À quelle heure on t'a réveillé?

– On m'a réveillé? » répéta-t-il, perplexe.

Kath le dévisagea.

« Tu avais bien une couchette, quand même?

– Non.

– Tu veux dire que tu es resté assis toute la nuit?

– Non, je suis resté debout la plupart du temps. Puis, je me suis couché par terre. Je n'ai pas pu trouver une place assise. » Il sourit en voyant la drôle de tête qu'elle faisait.

« Seigneur! Kath poussa un petit cri. Tu dois être éreinté! À quelle heure as-tu quitté Londres?

– À onze heures, hier matin. »

Kath gémit.

« Et ils t'ont expédié comme ça, sans te réserver une place... Bien sûr, j'aurais dû m'en douter. Papa et maman ne savent pas ce que c'est. Bon, ce qui est fait est fait, inutile de se lamenter. Tu es là, et tu n'as pas l'air trop mal en point, tout compte fait. Essayons de trouver un porteur. *Träger!* »

Un homme en pantalon de toile grise, qui poussait un chariot le long du quai, hocha la tête et obliqua vers eux. Kath regarda le sac de Timothy et tapa dessus avec la pointe de ses escarpins blancs d'un air curieux.

« Où as-tu été dégoter ça?

– C'était celui de l'oncle Jack autrefois.

– L'oncle Jack?

– Le papa de Jill... tu te souviens bien. Il l'avait laissé chez nous dans le grenier.

– Oh, pauvre Mr. Martin. Quelle idée saugrenue.

– Pourquoi?

– Eh bien, avoue quand même que c'est un peu morbide. »

Le porteur arriva et chargea le sac sur son chariot. Elle lui donna des ordres en allemand et ils se mirent en route.

« Tu parles allemand, comme ça, dit-il, plein de respect.

– Un tout petit peu. Tu verras que la plupart des Allemands de la région parlent anglais à cause de la présence des Américains. On est leur pain quotidien, tu comprends. Et leur beurre aussi, comme je dis toujours.

– Tu te considères américaine alors, Kath?

– Non, pourquoi?

– Tu as dit à l'instant *on*.

– C'est une simple façon de parler. Après tout, je travaille pour eux.

– Et tu as dit à Don que tu t'appelais Kate.

– Tout le monde m'appelle comme ça ici. Ça a commencé par *Kiss me Kate*. Tu as vu cette comédie musicale? Je crois qu'elle est passée à Londres.

– Non, je ne l'ai pas vue. Comment dois-je t'appeler, Kath ou Kate?

– Comme tu veux. Je me considère toujours comme Kath quand je suis à la maison et Kate quand je suis ici.

– Deux personnes différentes? »

Elle le regarda, un peu perplexe.

« Oui, je suppose qu'on pourrait dire ça. »

Le porteur les emmena jusqu'au comptoir de la consigne.

« Je vais laisser ton sac ici, expliqua Kath, et ensuite on traversera à pied pour aller à la pension. Je ne veux pas prendre le sac avec nous tant qu'on n'a pas vu la chambre. Je crains que ce ne soit pas le grand luxe.

– N'importe quoi du moment qu'il y ait un lit, dit-il.

– Pauvre chéri. » Elle le serra dans ses bras d'un geste compatissant. « Mais ça fait tellement plaisir de te voir. Et, bien sûr, je compte sur toi pour me donner toutes les nouvelles de la maison. Comment vont papa et maman?

– Bien. Ils te font de grosses bises, bien sûr.

– Bon, tu me diras tout quand tu te seras reposé. »

Elle donna un pourboire au porteur et sortit de la gare avec Timothy. Ils traversèrent un portique et débouchèrent sur une large avenue délimitée à gauche par une place et à droite par des jardins. Des trams bleus, sans étages, couplés parfois par deux, sillonnaient les rues en carillonnant. Une énorme montagne boisée, étonnamment proche, surgit dans la brume par-delà les toits. Timothy s'arrêta pour admirer le spectacle.

– Bon sang! dit-il.

– Attends un peu que le soleil se montre et tu verras alors toutes les couleurs. Les montagnes vertes et le ciel bleu et les toits multicolores. C'est un spectacle dont je ne me lasse jamais. On est sur Rohrbacherstrasse, dit-elle, comme ils traversaient les lignes de tramways. Voilà Bismarckplatz, là où tous les bus se retrouvent.

– Je sais qui est Bismarck, dit-il. On en a parlé en histoire cette année.

– Ta pension se trouve juste au bout de cette rue. J'espère que ça va être correct. Le logement est aussi difficile à trouver à Heidelberg qu'une pépite d'or. C'est une station touristique, tu sais, mais presque tous les hôtels sont réquisitionnés par les Américains pour loger leur personnel – c'est comme ça que je suis logée moi aussi – alors tu devines le mal qu'on a à trouver quelque chose en pleine saison. Les réquisitions sont le principal grief que les Allemands ont contre nous. »

Timothy la laissa poursuivre son bavardage, trop fatigué pour participer à la conversation.

« C'est grâce au piston qu'on m'a finalement proposé cet endroit. Le prix est contrôlé mais il faudra que je donne un pourboire à la dame.

– Avec des cigarettes?

– Hélas, non. Ces temps sont révolus. Les Allemands sont en train de se remettre à flot... c'est incroyable, il faut les voir travailler. Nous y voilà. »

Ils s'arrêtèrent devant une maison haute aux volets fermés et Kath appuya sur la sonnette. Au bout d'un moment, ils entendirent qu'on tirait des verrous et une grosse femme d'âge mûr, vêtue d'une blouse à fleurs, les fit entrer dans un vestibule tout sombre. Kath le présenta, dans un mélange d'anglais et d'allemand, à Frau Himmler. Celle-ci avait beau sourire et hocher la tête avec une certaine gentillesse, Timothy se dit pourtant que ce nom ne présageait rien de bon. Ses appréhensions se confirmèrent au fur et à mesure qu'ils grimpèrent derrière elle quatre escaliers, chacun plus sombre et plus vétuste que le précédent. Le lino remplaça la moquette et le bois brut se substitua au lino. Sur le palier, Frau Himmler s'arrêta devant une porte, tourna la clef et ouvrit. Ils entrèrent.

C'était une chambre mansardée. Elle était propre, mais

c'était le seul mérite qu'on pouvait lui reconnaître. Le plancher était presque aussi en pente que le plafond et le lourd mobilier donnait l'impression qu'il allait glisser et se retrouver à l'autre bout de la pièce. Il y avait un lit en fer recouvert d'un énorme édredon ventru et une petite fenêtre par laquelle il aperçut la cheminée d'une maison voisine. Kath inspecta la chambre, vérifia les ressorts du lit et ouvrit la commode.

« Qu'est-ce que tu en penses? murmura-t-elle. Un peu lugubre, tu ne trouves pas? »

Il haussa les épaules.

« C'est correct. »

Finalement, Kath décida qu'il passerait la journée à se reposer dans sa chambre à elle et qu'ils retourneraient tous les deux dans la soirée chez Frau Himmler si entre-temps elle n'avait rien trouvé de plus convenable. Ce projet plut à Timothy qui n'avait pas une envie folle de se retrouver entre les mains de Frau Himmler.

Ils prirent un petit déjeuner dans un restaurant tout près de la gare, un bâtiment bas, perdu dans les arbres, appelé *Stadtgarten*. C'était une cafétéria mais elle ne ressemblait en rien à un *Lyons* ou un *A.B.C.* Suivant les suggestions de Kath, il entassa sur son plateau du jus d'orange, des cornflakes, des œufs au bacon, du pain grillé et des espèces de gâteaux qui ressemblaient à de grosses crêpes.

« Tu vas bien prendre deux œufs, non? lui demanda Kath.

– Je peux?

– Bien sûr. Comment tu les veux, sur le plat, pochés ou brouillés?

– Sur le plat, s'il vous plaît.

– Le soleil vers le haut? » demanda le cuisinier à Timothy en cassant les œufs dans une poêle. Timothy regarda Kath pour qu'elle lui explique.

« Tu veux tes œufs *le soleil vers le haut* – c'est-à-dire avec le jaune apparent – ou retournés et cassés dans la poêle?

– Le soleil vers le haut », dit-il, amusé par l'expression un peu puérile mais si gaie.

Une seule chose le déçut dans son repas. Quand il demanda du thé, on lui donna une tasse d'eau chaude avec un petit ticket en carton qui pendouillait au bout d'une ficelle.

« Qu'est-ce que c'est que ça? demanda-t-il en soulevant la ficelle et en découvrant un petit sac dégoulinant à l'extrémité.

– C'est un sachet de thé, dit Kath en pouffant de rire.
– Est-ce qu'on peut prendre tout le sucre qu'on veut? demanda-t-il, en enlevant le papier autour des morceaux de sucre qu'il avait pris dans le sucrier sur la table.
– Bien sûr. Il n'y a pas de rationnement.
– Pas du tout?
– Pas pour le personnel américain.
– Bon sang! dit-il, et il prit un autre morceau.
– Je vois que tu vas apprécier la nourriture en tout cas, Timothy. »

La conversation se poursuivit sur ce même ton, désinvolte et banal. Il y avait entre eux une sorte de timidité, Timothy le sentit, et ils se testaient l'un l'autre. Ce n'était pas seulement qu'ils ne s'étaient pas vus depuis plus de trois ans. Mais pendant ces trois ans sa différence d'âge avec elle s'était réduite. Seize ans était plus proche de vingt-sept ans que treize de vingt-quatre. Pendant toute son enfance, Kath s'était pratiquement confondue avec les adultes qui gravitaient autour de lui, elle était plus une tante qu'une sœur. Ce type de relation n'était plus possible entre eux mais il ne savait pas très bien par quoi ça allait être remplacé.

Vers la fin du repas, alors que Timothy, déjà moins affamé, mangeait encore par gourmandise et que Kath fumait sa deuxième cigarette, une femme qui passait près de leur table s'arrêta et la salua.

« Kate, chérie! Salut!
– Dolores! Ça fait une éternité que je ne t'ai pas vue. Tu as un tailleur superbe! »

Dolores eut un petit sourire satisfait et lissa sa jupe autour de ses hanches.

« Garde ça pour toi, mais je l'ai trouvé au Prisunic.
– Pas possible! Oh, Dolores, je te présente mon frère Timothy. »

Dolores, qui n'avait cessé de lui glisser des œillades pardessous ses cils touffus, le dévisagea.

« Eh bien, c'est formidable! Salut, Timothy, je suis absolument ravie de te rencontrer. » Elle tendit une main molle, aux ongles soigneusement faits, ornée d'une bague avec une grosse pierre et d'un bracelet en or. « C'est donc le petit frère qui t'envoie toutes ces lettres adorables, Kate?

– Oui, il vient d'arriver d'Angleterre pour passer des vacances avec moi. Tu ne veux pas t'asseoir un moment?

– Merci, chérie, mais mes vacances à moi débutent juste maintenant. Bon, rien qu'une seconde. Je prends le train de huit heures trente pour Francfort et je m'envole ensuite pour Rome.

– Fantastique! Pour combien de temps?

– Cinq semaines complètes, ma chère. Je garde mes congés depuis longtemps pour ça. » Elle promena son sourire radieux de l'un à l'autre en un vaste demi-cercle comme si elle les éclairait avec une lampe électrique. « Je vais faire du tourisme pendant deux semaines – me taper toutes ces vieilles églises et ces vieux musées, et puis, trois semaines à Capri rien qu'à paresser sur la plage.

– Ça paraît fabuleux.

– Ça devrait l'être, si du moins je trouve de la compagnie, tu vois ce que je veux dire? » Elle adressa un petit coup d'œil plein de sous-entendus à Timothy. « Comment s'est passé ton voyage, Timothy?

– Oh, n'en parle pas », s'empressa de dire Kath, et elle raconta toute l'histoire. Dolores rejeta la tête en arrière et garda ses grands yeux étonnés posés sur lui, pendant tout le récit. « Seigneur, s'cxclama-t-elle par moments. C'est épouvantable... toutes ces heures... c'est incroyable qu'il puisse encore tenir sur ses jambes... »

Puis Kath poursuivit son récit avec la description de la chambre de Frau Himmler.

« Le pauvre petit, ça a l'air affreux. Tu ne pourrais pas lui trouver quelque chose de mieux, chérie?

– J'ai cherché partout ces trois dernières semaines. C'est la seule possibilité qui me reste. Tu sais comment c'est à Heidelberg en pleine saison, à moins de payer une fortune.

– C'est très dommage... Ma chambre va être inoccupée pendant les cinq semaines qui viennent, Kate, si ça peut te rendre service.

– Tu veux dire...?

– Bien sûr, il peut l'utiliser s'il veut.

– Tu as entendu ça, Timothy? dit Kath, tout excitée.

– C'est bigrement gentil de votre part », marmonna-t-il, complètement pris au dépourvu. Il était en train de se dire que cette femme était décidément bien ennuyeuse lorsqu'elle fit cette offre extraordinairement généreuse.

« Eh bien, pourquoi pas, bon sang? Je veux dire si ça ne le gêne pas de vivre dans un foyer de femmes.

– Un foyer de femmes? répéta Timothy à voix basse.

– C'est exact. Dolores se tourna vers Kath. Il faudra que tu trouves un moyen pour le faire entrer discrètement le soir. Le matin, ça ne posera pas de problème, il pourra très bien rester dans la chambre jusqu'à ce que toutes les filles soient parties au travail.

– Je sais, dit Kath. Je pourrais rentrer avec lui le soir et faire comme si c'était mon petit ami qui me reconduisait. Il a l'air assez grand pour ça, non?

– Pour sûr, dit Dolores, en l'examinant d'un air dubitatif.

– Merci beaucoup, mais j'aime mieux pas », dit Timothy avec fermeté.

Les deux femmes essayèrent un moment de l'amadouer mais il resta inébranlable.

« Bon, prends la clé quand même, Kate, dit Dolores, en se levant. Au cas où il changerait d'avis. Passe de bonnes vacances, Timothy. »

Il la remercia encore une fois et ils la regardèrent traverser allègrement la salle du restaurant et adresser de la main un salut à un autre ami en exhibant ses bracelets.

« J'espère que tu ne m'en voudras pas de te le dire, Timothy, dit Kath à voix basse, mais tu ne sais donc pas que tu dois te lever quand une dame quitte la table?

– Désolé, murmura-t-il. J'ai oublié.

– Malgré tout, ces petites choses sont importantes. Et je tiens à ce que tu fasses bonne impression devant tous mes amis.

– J'ai dit que j'avais oublié.

– Tu es fâché maintenant.

– Non, juste fatigué.

– Bien sûr, pauvre chéri. Il faut que tu dormes un peu et moi que j'aille au travail. »

Quand ils quittèrent le restaurant, la brume s'était presque dissipée et il faisait très chaud bien qu'il fût à peine huit heures. Il se sentait amorphe et poisseux et il avait bien du mal à suivre l'allure rapide de Kath et sa conversation animée.

« Dolores est adorable, tu ne trouves pas? Personnellement, je trouve qu'elle s'habille de façon un peu trop extravagante, cependant, tu ne trouves pas? Comme la plupart des

Américaines d'ailleurs. Tu seras beaucoup mieux dans sa chambre, tu sais. Bon, tu verras ce que tu en penses quand tu auras dormi. »

Il lui rappela que son sac était toujours à la gare avec son pyjama dedans. Elle jeta un coup d'œil à sa montre.

« Je ne pense pas qu'on ait le temps d'aller le chercher maintenant, sinon je vais être en retard au travail. Je peux te prêter un pyjama, si tu veux. Elle gloussa. Il sera un peu grand pour toi.

– Ça ira comme ça, je peux dormir avec mes sous-vêtements.

– Je vais demander à Rudolf d'aller chercher ton sac à la gare dans le courant de la journée. C'est notre concierge à *Fichte Haus*. Un garçon charmant, il parle anglais couramment. »

Rudolf était au standard dans un petit bureau près de la porte quand ils entrèrent dans le foyer de Kath. Il sourit à travers la vitre et leur fit signe d'attendre. C'était un beau garçon aux traits réguliers dont les cheveux blonds étaient rejetés en arrière et lui dégageaient le front. Lorsqu'il sortit du bureau, Timothy vit qu'il avait le bras gauche coupé en dessous du coude et que la manche de sa veste était soigneusement épinglée sur sa poitrine.

« Je vous présente mon frère Timothy, Rudolf. Vous vous souvenez, je vous avais dit qu'il venait me rendre visite.

– Parfaitement, Miss Young. » Rudolf fit une petite courbette qui parut étrangement formelle à cause de la manche repliée, et il serra la main de Timothy.

« Il va se reposer dans ma chambre aujourd'hui jusqu'à ce que j'aie résolu son problème de logement.

– Je veillerai à ce qu'il ne soit pas dérangé. »

Timothy remercia Rudolf et Kath lui demanda d'aller chercher le sac de son frère à la gare dans la journée.

« Est-ce qu'il va pouvoir? murmura Timothy comme ils montaient l'escalier recouvert d'un tapis. Je veux dire, avec son bras?

– Oh, bien sûr, il a un chariot. J'aurais pu demander à un taxi mais Rudolf sera ravi d'avoir un pourboire.

– Comment l'a-t-il perdu?

– Son bras? À la guerre, je suppose. Je n'ose pas lui demander. Je sais qu'il a été prisonnier de guerre en Angleterre. C'est là qu'il a appris l'anglais.

– Il paraît trop jeune pour avoir fait la guerre.

– Je suppose qu'il a été appelé juste à la fin. Les Allemands en étaient arrivés à recruter les collégiens.

– On ne devinerait jamais... je veux dire, il paraît bigrement gentil.

– C'est vraiment dommage, il est bien trop intelligent pour ce travail, mais les Allemands ne peuvent pas faire les difficiles, surtout avec une infirmité pareille. Eh bien, nous voilà chez Young. »

Elle introduisit une clé dans une des portes réparties le long du couloir et qui se confondaient avec le mur et elle l'ouvrit toute grande.

« Parfait, dit-elle, en regardant autour d'elle, on a déjà fait le lit.

– Tu veux dire que quelqu'un fait ton lit?

– Oui, on est vraiment gâtées ici. Je ne touche même jamais à un chiffon.

– C'est une chambre fantastique, Kath », dit-il, jetant un coup d'œil admiratif à la banquette couverte de coussins de couleurs vives, à la table à rabat avec ses deux chaises à dossier droit, au fauteuil et à la petite table basse, aux placards intégrés en bois vernis.

« Tiens! s'exclama-t-il. Mais c'est un de mes dessins sur le mur.

– En effet, je l'ai fait encadrer. Je le montre à tous mes amis.

– Je l'avais totalement oublié. La perspective est complètement ratée. Je peux faire beaucoup mieux que ça maintenant », dit-il. Mais ça lui faisait plaisir de voir son œuvre, joliment encadrée sur le mur de Kath, un lavis à l'encre de Chine représentant le Pont de la Tour de Londres qu'il avait fait à partir d'une photo. Il n'était pas si mal que ça, en fait.

« Qu'importe, je l'aime bien. Peut-être que tu pourrais faire quelques dessins pendant que tu es ici. Il y a de très jolies vues.

– Peut-être. J'ai apporté mon bloc de papier et mon matériel à aquarelle avec moi. »

Elle replia le dessus-de-lit sur la banquette.

« Bon, aimerais-tu prendre une douche? J'imagine que la plupart des filles doivent en avoir fini avec les salles de bains maintenant.

– Non, je crois que je vais m'en passer.

– Tu veux te mettre au pieu tout de suite, hein? Je te comprends. Tu peux faire une petite toilette ici. » Elle ouvrit l'un des placards dans lequel il y avait un lavabo intégré et un miroir.

« Euh... est-ce qu'il y a des toilettes quelque part?

– Au milieu du couloir, la porte blanche. »

Quand il revint dans la chambre de Kath, elle avait enlevé son pull et elle boutonnait un corsage blanc.

« J'ai l'impression que la journée va être très chaude, dit-elle. Je vais baisser le store et laisser la fenêtre ouverte. »

Elle tira sur une ficelle derrière le rideau, et le store vénitien, du même vert pâle que les murs, retomba, masquant la lumière du soleil. Timothy s'effondra dans le fauteuil, enleva ses chaussures et se mit à se tortiller les orteils dans ses chaussettes de laine. Kath, debout devant le miroir, passait sa langue sur son rouge à lèvres et tapotait ses cheveux tout en tournant la tête d'un côté et de l'autre.

« Bon, dit-elle, laissant tomber son rouge à lèvres dans son sac à main qu'elle referma d'un coup sec, repose-toi bien, Timothy, et ne t'inquiète de rien.

– Du moment que je n'ai pas à aller vivre dans ce foyer de femmes...

– Rien ne t'oblige à faire ce que tu ne veux pas faire, mon chou, le rassura-t-elle, en lui caressant la tête. Ce sont tes vacances après tout, et je veux que tu t'amuses bien. Je n'ai pas vraiment tenu mon rôle de grande sœur avec toi, hein?

– J'dirais pas ça, dit-il gauchement.

– Bon, qu'importe, je veux me rattraper maintenant que tu as fait tout ce chemin pour venir jusqu'ici. » Elle se pencha et l'embrassa sur le front. « Voilà que je t'ai mis du rouge à lèvres partout. Je serai de retour vers cinq heures et demie, poursuivit-elle brusquement. On ira dîner avec Vince et Greg, deux de mes amis auxquels je tiens particulièrement. Ils meurent d'impatience de te rencontrer. Si tu veux quoi que ce soit, demande à Rudolf. Il y a un distributeur de boissons glacées dans le vestibule avec du Coca et tout un tas de choses. Bon, il faut absolument que je file.

– Au revoir, Kath. Kate. »

Elle sourit et sortit.

Timothy ferma la porte à clé, enleva tous ses vêtements, sauf son slip et son gilet de corps, et trempa ses pieds l'un après l'autre dans le lavabo. Ils étaient tout rouges et gonflés et portaient les marques des côtes de ses chaussettes. Puis, il se lava la figure et les mains et se mit au lit. Les draps étaient frais, bien amidonnés et propres. Il s'étendit avec volupté.

Bien qu'il fût fatigué, il était trop excité pour dormir tout de suite. Pas excité, exactement, mais plutôt mal à l'aise, mal à l'aise dans cet environnement, mal à l'aise avec lui-même. Dans cette chambre lisse, confortable et ordonnée, baignée d'une lumière verte comme dans les fonds sous-marins, il flottait, hors du temps et de l'espace. La maison familiale lui semblait terriblement lointaine, et le moi qui allait avec, tout aussi lointain. Entre tout ça et lui, ici maintenant, il y avait eu le voyage; mais le voyage lui-même semblait rétrospectivement à peine réel, peut-être parce qu'il avait voyagé de nuit. Le jour, on peut voir les kilomètres défiler par la fenêtre et les changements de décor se font au même rythme que les changements qui s'opèrent en vous. Mais la nuit, on ne voit rien à part l'image réfléchie de soi dans la vitre. Avait-il rêvé tout ce voyage? Rêvait-il maintenant? Non, il ne rêvait pas. Il sentait l'amidon sur les draps frais. Il voyait les rais de lumière projetés sur le plafond par le store vénitien. Il entendait le murmure de la circulation, entrecoupé par les klaxons et les cloches des trams. Toutes ces choses-là étaient bien réelles. Et pourtant, elles étaient insuffisantes pour rendre Heidelberg vraiment réel. Il n'avait pas vu assez de choses de la ville pour s'en faire une image cohérente; et les gens qu'il avait rencontrés, Don, Dolores, Rudolf et Kath elle-même, étaient comme des silhouettes dans un paysage onirique, comme les personnages du *Magicien d'Oz,* bizarres, fantasques et quelque peu inquiétants même quand ils semblaient gentils. Et il ne pouvait pas se dire, bon, je suis enfin arrivé, voilà l'endroit où je vais vivre pendant les trois semaines qui viennent, parce que cette chambre n'était qu'une salle d'attente, une étape vers sa destination finale, la pension de Frau Himmler. Ou le foyer de Dolores. L'idée était loufoque, et pourtant... La pension de Frau Himmler n'était pas une perspective bien alléchante. Non seulement elle était lugubre et peu accueillante, mais surtout elle était très allemande.

Timothy avait déjà pris conscience des deux communautés qui vivaient à Heidelberg : tout au fond, les Allemands, et, au-dessus, flottant à la surface ou évoluant au-dessus d'eux avec le minimun de contact comme les libellules ou les notonectes, les Américains. De leur point de vue, les eaux allemandes semblaient aussi dociles et calmes que la retenue d'eau d'un moulin. Mais comment imaginer les formes sombres qui se mouvaient dans les profondeurs en dessous? Séjourner chez Frau Himmler voudrait dire s'enfoncer, du moins partiellement, dans ces profondeurs, et Timothy fuyait instinctivement leur contact glacial. Même Kath, pensait-il, avait semblé moins à l'aise dans cette maison sombre et inhospitalière; pendant ses tractations avec Frau Himmler, elle avait montré moins d'assurance qu'ailleurs.

Kath avait, certes, bien changé. Elle avait une grâce, une assurance, une jolie mine florissante qui le faisaient paraître fruste et lourdaud en comparaison. Et elle était presque maintenant ce qu'on appelle une jolie fille. Elle avait toujours quelques rondeurs, mais on n'en était plus aussi conscient – peut-être à cause de sa démarche et de sa façon de s'habiller. Et si sa poitrine était énorme, elle ne pendouillait pas comme celle des grosses femmes qu'on voyait sur les cartes postales dans les stations balnéaires mais ressemblait plutôt à celle de Jane Russell ou des femmes nues dans *Razzle* que les garçons de l'école regardaient en se tordant de rire et en gémissant comme s'ils avaient mal quelque part. Elle portait sa poitrine haute, comme sa tête. Et elle avait vraiment un très joli visage; et même si son menton était un tantinet trop gros, il donnait à son visage un air chaleureux et enjoué. Et ses cheveux – il ne se souvenait pas, maintenant, comment ils étaient mis exactement, sauf qu'ils étaient soignés et encadraient son visage de façon charmante. Ce charme nouveau semblait donner plus de crédit aux soupçons de sa mère qui pensait que Kath avait une liaison et peut-être un enfant. Mais, dans ce cas, pourquoi l'avait-elle invité à venir, au risque d'être découverte? Ça ne pouvait être alors, comprit-il intuitivement en un éclair, que parce qu'elle voulait qu'il le découvre.

Oui, un jour, au cours de ces trois semaines à venir, Kath allait l'emmener, sans autre explication, dans une institution ou un orphelinat – il imaginait une vieille maison dans la campagne près de Heidelberg, tenue par de gentilles religieuses à la voix douce, avec tout un tas de jeunes enfants qui trottinaient dans le jardin, faisaient des trous dans des bacs à sable et s'amusaient sur des balançoires... et il y aurait une petite fille (il ne savait pas pourquoi, mais, pour lui ça ne pouvait être qu'une fille) vêtue d'une blouse, comme toutes les autres, mais d'une certaine façon différente des autres, une jolie petite fille aux boucles brunes, comme Jill, qui traverserait la pelouse en courant dès qu'elle apercevrait Kath, et Kath l'attraperait et la ferait tourbillonner en l'air et elle lui dirait, *Qu'est-ce que tu dis de celle-ci, Timothy?* et il dirait, *Elle est adorable*, et Kath dirait, *Elle est à moi, Timothy, elle est à moi*, et elle fondrait en larmes. Et il réagirait en adulte, pas choqué le moins du monde, plein de compassion et de compréhension, au contraire. Et il promettrait de l'aider à élever l'enfant dès qu'il aurait un travail et à amener leurs parents à l'accepter. Et Kath serait stupéfaite, délirante et pleine de reconnaissance. *Oh, Timothy*, dirait-elle...

Mais bien que ce fût la voix de Kath qu'il entendait, elle ne disait pas ce qu'elle était censée dire et elle donnait l'impression de parler à quelqu'un d'autre, comme s'il n'était pas là.

« Seize ans... un vrai petit collégien anglais. Tout m'est revenu à la minute où je l'ai aperçu. Tu connais ces affreux imperméables anglais dont on affuble les collégiens en Angleterre?... Non, bien sûr, tu ne peux pas les connaître : ils sont bleu marine, trop chauds pour l'été et trop légers pour l'hiver et, de toute façon, ils ne protègent pas de la pluie, et ils sont serrés au milieu comme un sac de pommes de terre. Et un épais pantalon gris de flanelle et des chaussures noires et une casquette – attends un peu de voir la casquette... Et il paraissait si pâle et si fatigué, le pauvre gosse, il est resté debout toute la nuit parce qu'il n'a pas pu trouver de place assise... Archiplein qu'il a dit... Bon, ils ont dû penser que ça allait être une folie, c'est l'une de leurs formules favorites, *une folie...* »

Il se rendit compte soudain que Kath n'était pas en train de lui parler dans son imagination ou dans un rêve. Elle était dans la chambre et parlait à quelqu'un d'autre. Elle avait dû revenir pour chercher quelque chose. Il ouvrit les yeux et il la vit, pelotonnée dans le fauteuil, lui tournant le dos, vêtue d'une robe de chambre à fleurs. Elle avait une cigarette dans une main et dans l'autre le combiné du téléphone. La lumière de la pièce avait changé et l'air était plus chaud. Était-ce possible qu'il eût dormi, que ce fût déjà l'après-midi et que Kath fût déjà de retour du travail? Il avait l'impression qu'il s'était couché il y avait seulement un instant.

Elle disait maintenant que Dolores avait proposé sa chambre.

« Eh bien, le problème c'est qu'il ne veut absolument pas en entendre parler, tu sais comment sont les garçons à cet âge, l'idée de vivre dans un foyer de jeunes filles le révulse totalement. Oui, je suis sûre que toi, tu le ferais, mais ce n'est pas le cas de tout le monde... Évidemment, j'aimerais bien qu'il accepte... exactement, sans parler aussi que ça m'économiserait quelques marks... Il faudra que tu m'aides à le convaincre, mais avec tact, surtout. On se voit vers sept heures. Au revoir. »

Kath reposa le téléphone et Timothy ferma bien vite les yeux. Il l'entendit tourner le bouton de la radio et un air de danse emplit la pièce. Puis, la musique s'arrêta et une voix américaine suave annonça :

*« A.F.N. Francfort, et voici le sergent MacCabe qui vous donne les nouvelles de dix-huit heures. Tout d'abord, les grands titres. En Corée : les pourparlers d'armistice se sont poursuivis aujourd'hui à Kaesong, mais, signale-t-on, aucun progrès n'a été fait concernant l'échange des prisonniers. Deux pilotes américains sont morts et trois autres ont été grièvement blessés dans un accident de voitures survenu hier soir sur l'*Autobahn *Francfort-Mannheim. Au pays, le sénateur Joseph McCarthy a allégué une nouvelle fois, au cours d'une conférence de presse à Washington, que le Département d'État était infiltré par les communistes. »*

Timothy se redressa sur son lit et bâilla.

« Oh, tu es enfin réveillé, dit Kath. J'ai mis la radio exprès.

– C'est drôle d'entendre les nouvelles et qu'il n'y ait rien sur l'Angleterre.

– Tu as bien dormi?

– Comme une souche. J'ai réfléchi, Kath. Peut-être que je devrais accepter la chambre de ton amie. »

Kath eut un sourire rayonnant.

« J'en suis ravie! Qu'est-ce qui t'a fait changer d'avis?

– Oh, j'sais pas. Ça semble stupide de ne pas accepter cette offre.

– Eh bien, je suis sûre que tu y seras beaucoup mieux. Ça me faisait de la peine de t'imaginer dans cette mansarde lugubre. À propos, Rudolf a rapporté ton sac.

– Parfait. Tu vas trouver un pantalon, un pantalon marron, quelque part sur le dessus. Tu veux bien me le balancer?

– Tu n'aimerais pas prendre une douche d'abord?

– Non, je crois que je vais m'en passer aujourd'hui », dit-il. Et, voyant son air consterné, il ajouta : « J'ai pris un bain il y a deux jours ».

Kath, amusée et choquée, ne put se retenir de lui dire : « Mais tu as fait des centaines de kilomètres depuis. Dans tous ces trains crasseux.

– Oh, d'accord alors, s'empressa-t-il de dire. Où est la salle de bains?

– À côté des toilettes où tu as été ce matin.

– Il ne va pas y avoir de femmes à traîner dans le coin?

– C'est possible en effet. » Kath réfléchit. « Je sais... »

Elle lui fit enfiler une vieille robe de chambre à elle et lui mit sur la tête un bonnet en plastique décoré de fleurs artificielles.

« Voilà, dit-elle en gloussant. Encore heureux que tu n'aies pas commencé à te raser. »

Elle ouvrit la porte, inspecta les lieux avec un air de conspiration, puis lui fit signe que le couloir était libre.

Tenant le peignoir, qui ne boutonnait pas, bien serré contre sa poitrine et ses genoux, Timothy se faufila le long du couloir et se glissa dans la salle de bains. Il tira le verrou et s'appuya contre la porte. Il se retrouva face à son image grotesque que lui renvoyait un miroir à l'autre bout de la pièce. Il arracha le bonnet de bain et le jeta par terre. Il regrettait déjà d'avoir changé d'avis à propos de la chambre de Dolores. Ça allait être comme ça tout le temps là-bas. Si Kath n'avait pas fait allusion à l'argent au téléphone, il aurait changé d'avis encore une fois.

Quand il revint, le lit était fait, Kath s'était changée et portait une robe noire soyeuse avec un décolleté profond qui mettait bien en évidence ce que le *Daily Express* appelait " l'échancrure ".

« Chouette, ta robe, Kath.

– Eh bien, merci, Timothy; venant de toi, c'est un beau compliment. Tu as pris une bonne douche?

– J'ai pris un bain. Je n'aime pas trop les douches.
– Oh, moi je trouve qu'une douche est bien plus rafraîchissante. Et je pense sincèrement que c'est plus propre. »

Kath était manifestement obnubilée par la propreté, se dit-il intérieurement comme il se retournait pour enfiler son pantalon de gabardine marron, s'abritant pudiquement sous la robe de chambre. Il prit plus de soin à s'habiller que de coutume, car les remarques qu'il avait entendues sur sa tenue lui étaient restées malgré tout sur l'estomac. Il mit sa plus jolie chemise blanche, sa veste sport marron en Harris tweed et une cravate couleur lie-de-vin.

« Eh bien, comme tu es chic », dit Kath. Mais il sentit dans sa voix une sorte de réticence.

« Je n'ai pas de costume, dit-il. Est-ce que ça va?
– C'est parfait, Timothy, parfait. Je pense simplement que tu risques de trouver cette veste un peu chaude, ici. Le tissu est vraiment superbe. » Elle palpa le revers de son col.

« Du Harris tweed. C'est du solide.
– Tu n'as rien de plus léger?
– Seulement mon blazer, mais il est un peu sale.
– Ta chemise est en nylon?
– Oui, c'est toi qui me l'as envoyée à Noël, il y a deux ans.
– Moi? Et elle te va toujours?
– Elle est un peu serrée au cou, reconnut-il. Maman a reculé le bouton du col.
– Oui, dit Kath, je vois... Il va falloir qu'on t'achète des vêtements plus légers. Une veste très légère, et peut-être un slip.
– J'ai plein de slips, dit-il. Maman m'en a lavé quatre.
– Excuse, je voulais dire un pantalon, dit Kath en riant. Je ne sais plus comment je parle depuis que je fréquente les Américains.
– Tu n'as pourtant pas l'accent américain.
– Je suis contente que tu le dises. Je vais te faire une confidence, un bon accent anglais fait merveille auprès des Américains. C'est mon meilleur atout en société. »

Il avait vu juste, le paternel, se dit Timothy en lui-même.

« Tu dois commencer à avoir plutôt faim, Timothy, mais les garçons ne vont pas tarder à arriver. Je vais aller te chercher un coca et des glaçons et on va se faire un drink en les attendant. »

Quand elle fut partie, il enleva sa veste. Kath avait tout à fait raison : elle était trop épaisse, vu la chaleur. Il transpirait déjà. Son blazer était plus léger, mais, quand il l'essaya devant la glace, il trouva qu'il n'allait pas avec son pantalon marron et que, de toute façon, il n'était pas propre après ce voyage. Il jeta le blazer et fit la moue dans la glace. Il avait emporté avec lui en Allemagne presque toute sa garde-robe, et voilà qu'il n'avait rien de correct à se mettre dès le premier soir.

Kath servit les boissons avec cérémonie. Elle versa le coca-cola, déjà bien glacé à en juger par la condensation sur la bouteille, sur des glaçons dans un grand verre, et ajouta une tranche de citron et deux pailles.

« Qu'est-ce que tu dis de ça? »

Il tira longuement et profondément sur les pailles et sentit la boisson étancher sa soif comme s'il avait sucé un glaçon.

« Délicieux! Qu'est-ce que tu bois, Kath?

– Martini on the rocks. Les spécialistes seraient choqués mais je ne veux pas me donner la peine de sortir le shaker. Tu veux essayer? Non? Bon, peut-être que c'est mieux comme ça pour toi. Je ne veux pas que papa et maman m'accusent de te donner de mauvaises habitudes.

– Où est-ce que tu prends la glace?

– On a une cuisine collective à chaque étage. On partage un grand frigidaire.

– J'aimerais bien qu'on ait un frigidaire à la maison.

– Pourquoi est-ce que maman ne s'en achète pas un?

– J'sais pas. C'est réservé à l'exportation, j'imagine. Ou c'est trop cher. En Angleterre, c'est toujours comme ça. » Il se servit copieusement de toutes ces choses salées que Kath avait mises sur la table près de lui. En plus des cacahuètes, il y avait des amandes, des noix et des noix du Brésil. C'était tous les jours un peu Noël ici.

« Je ne sais pas comment maman arrive à se passer de frigidaire, dit Kath. Ou plutôt, je le sais et même trop bien. On garde le beurre et le lait dans l'évier en été en laissant couler l'eau du robinet. On renifle les choses dans le garde-manger pour voir si ce n'est pas avarié... » Elle soupira avec malice en renvoyant un nuage de fumée de cigarette.

« Et elle ne jette jamais rien. Elle finit les restes quand personne n'en veut.

– Ah, oui, finir les restes. *C'est un reste qu'il faut finir.* On se demande par quel miracle elle ne s'est pas encore empoisonnée.

– Oh, je crois que ce sont les rationnements qui l'ont rendue comme ça, dit Timothy pour se racheter, sentant confusément qu'il avait été un peu injuste.

– Je me sens parfois très coupable quand je pense aux rationnements qui durent toujours chez nous. On mange si bien ici. Même les Allemands sont mieux lotis, et en France ou en Belgique, on peut avoir toute la nourriture qu'on veut.

– C'est la faute du gouvernement.

– J'ai lu dans le *Time*, l'autre jour, qu'on disait qu'il allait y avoir de nouvelles élections bientôt.

– Le vieil Attlee s'accroche parce qu'il sait qu'il va être blackboulé.

– Tu crois que les conservateurs vont l'emporter, alors, la prochaine fois?

– Y'a pas de doute, dit Timothy avec assurance.

– Ça fera plaisir aux Américains. Ils adorent Churchill. Qu'est-ce que tu penses de l'affaire Burgess et Maclean? Cette histoire rend les Américains furieux.

– Je ne vois pas comment on aurait pu deviner ce qu'ils faisaient. Allons, pourquoi deux Anglais feraient-ils de l'espionnage pour le compte des Russes? Ça n'a aucun sens.

– Peut-être qu'ils l'ont fait pour l'argent. Ou qu'ils pensent que la Russie va gagner la prochaine guerre », dit Kath d'un ton badin.

À la radio, une voix américaine traînante disait, sur un fond de violons très rythmé :

> *« Musique aux chandelles... A.F.N. présente de la musique d'ambiance pour danser, dîner ou tout simplement pour rester dans son fauteuil. »*

« Tu peux te faire à manger ici, alors? dit Timothy.

– Oui, mais je ne suis pas une grande cuisinière, je te préviens. Vince a suggéré – je viens de l'avoir au téléphone – qu'on aille au *Molkenkur*, ce soir. Je crois que tu aimeras. Ça se trouve à mi-pente en montant vers le Königstuhl, cette grande montagne que tu as vue de la gare, ce matin.

– C'est un restaurant?

– Oui, et un club pour les officiers et le personnel civil. On y va très souvent. Ils ont un groupe de musiciens à eux. Tu sais danser, Timothy?

– Non.

– Dommage, il faudra que je t'apprenne.

– Je ne vois pas très bien le plaisir qu'on peut avoir à danser, dit-il prudemment. Vince est américain, j'imagine?

– Oui, Greg aussi. Ils sont très drôles, tu les aimeras. J'ai dû parler d'eux dans mes lettres.

– Ils sont dans l'armée?

– Ils l'étaient pendant la guerre, mais maintenant ils travaillent en tant que civils pour le compte de l'armée.

– En somme, ce sont des fonctionnaires, comme l'oncle Ted?»

Kath sourit.

«Des fonctionnaires, oui, on pourrait dire ça, mais pas du tout comme l'oncle Ted. Ils ont de très bons boulots – de gros salaires – et je pense que Vince doit avoir une autre source personnelle de revenus. Il vient d'une vieille famille de Washington – son père était ambassadeur ou consul ou quelque chose comme ça. Mais, tous les deux, ils dépensent tout ce qu'ils gagnent. Après tout, l'argent est fait pour être dépensé.

– Ils sont mariés?»

Kath le regarda, interloquée.

«Seigneur Jésus, non. Qu'est-ce qui t'a fait croire ça?

– Je me demandais, simplement, dit-il.

– Non, ce sont des célibataires endurcis. Je les vois mal l'un comme l'autre se fixer et se marier. Ils aiment trop la grande vie.»

Elle vida son verre et regarda l'olive qui traînait au fond d'un air pensif. Timothy se demanda s'il n'allait pas risquer une question vitale, du genre : *Et toi, où en es-tu, Kath?* Mais le moment passa. On frappa à la porte.

En voyant Vince et Greg, Timothy eut immédiatement l'impression qu'ils étaient la version positive et négative de la même personne. Vince avait des cheveux incroyablement blonds, un teint hâlé et il portait un costume bleu foncé. Greg avait des cheveux noirs, un visage très pâle, et il était vêtu de beige. Mais, en les examinant de plus près, on voyait qu'ils étaient tout à fait différents. Vince était un homme superbe, bâti comme un athlète, et il portait une moustache : il ressemblait à un acteur de cinéma. Greg était plus trapu et plus corpulent, et son nez retroussé, ses yeux légèrement protubérants et son double menton à peine marqué lui donnaient un air de gros bébé joufflu. Timothy sourit spontanément dès qu'il vit Greg s'avancer dans la pièce en tendant les bras.

« *Kiss me Kate!* Chérie, tu es superbe. »

Kate s'exécuta et lui donna un petit baiser sur la joue, tout en souriant à Vince par-dessus l'épaule de Greg.

« Greg, Vince, je vous présente Timothy.

– Je suis toujours ravi de rencontrer un autre artiste, dit Greg, comme ils se serraient la main. Oh, tu peux rire, Kate, mais permets-moi de te dire qu'il fut un temps où je dessinais des moustaches sur les affiches dans le métro de New York et elles faisaient l'admiration des foules. C'était ma période moustache. » Il se jeta sur le divan et croisa ses petites jambes rondelettes.

« Ne l'écoute pas, dit Vince, en souriant à Timothy. Il est toujours comme ça.

– Qu'est-ce que vous prenez, les garçons? Un martini on the rocks, O.K. ?

– Tu sais comment Vince le préfère, chérie, dit Greg. Tu verses juste une goutte de martini sur le gin.

– Kate m'a dit que tu avais eu un voyage difficile, Timothy, dit Vince.

– Oui, j'ai voyagé debout.

– Debout, vraiment? C'est affreux, dit Greg. Qu'est-ce que t'as fabriqué, t'as refilé ta place à une dame?

– Non, je n'ai tout simplement pas pu en trouver une de libre, dit Timothy, comprenant trop tard que Greg plaisantait.

– Oh, Kate, dit Vince. On t'a apporté quelques fleurs à mettre à ta robe. » Il lui tendit un petit bouquet de fleurs violettes dans une boîte de cellophane.

« Oh, que c'est gentil. Elles sont jolies, n'est-ce pas, Timothy? » Elle alla épingler les fleurs à sa robe devant la glace.

« Fais attention à ne pas dégonfler tes faux nichons avec l'épingle, chérie, dit Greg.

– C'est le genre de prothèse dont je n'ai pas besoin, Gregory Roche, répliqua Kath en rougissant un peu.

– Je plaisantais, chérie. Dites, vous connaissez l'histoire du type qui a découvert le soir de son mariage que sa jeune épouse portait de faux nichons? Il dit: “ Tu me prends pour un cornichon? ”

– Greg! Il va falloir que je censure tes plaisanteries pendant que Timothy est ici, dit Kath, en riant.

– Oh, allons, dit Greg. Timothy sait ce que c’est des faux nichons, n’est-ce pas, Timothy?

– Oui, admit-il, quelque peu gêné.

– Est-ce qu’on va au *Molkenkur*? dit Vince.

– Oui, dit Kath. La vue est tellement jolie de la terrasse. Je veux montrer ça à Timothy. »

« Ho là là! s’exclama Timothy lorsqu’ils débouchèrent sur la terrasse.

– N’est-ce pas magnifique?

– Fantastique. »

Il s’appuya au parapet et regarda vers la vallée. Le flanc vert de la montagne couvert d’une forêt épaisse tombait à l’à-pic en dessous d’eux jusqu’aux toits pittoresques de la ville teintés de rouge, gris et brun, tout resserrés les uns contre les autres, avec les flèches des églises qui pointaient ici et là. Au-delà des toits, on voyait la rivière large et calme, enjambée par deux ponts. Il n’y avait que quelques rares maisons disséminées sur l’autre rive et, derrière, une autre montagne boisée et abrupte montait vers le ciel. À droite, la rivière disparaissait entre d’autres montagnes; et à gauche, elle se perdait dans une plaine immense noyée dans les brumes du couchant. Il voyait les trams et les voitures circuler lentement dans les rues au-dessous, mais seul un murmure lointain de circulation parvenait jusqu’à eux. Jamais encore il n’avait eu une vue aussi complète d’une ville.

« On dirait une ville miniature.

– Je trouve toujours ça si romantique, dit Kath. Tous ces vieux bâtiments en si bon état. On aperçoit juste un coin du château là-bas. Et au-dessous, il y a le vieux pont, celui qui a les deux tours de ce côté. Ce sont les Américains qui ont bâti l’autre, après la guerre. Les Allemands avaient reçu l’ordre de faire sauter tous les ponts en battant en retraite.

– Mais pas le plus vieux?

– Si, même celui-là, dit Vince. Ils ont fait sauter seulement la travée du milieu et ils l'ont restaurée aussitôt après la guerre. Le Burgermeister me disait justement l'autre jour que c'était le tout premier pont à avoir été restauré dans toute l'Allemagne. On peut voir que les briques du milieu sont d'une couleur différente quand on est tout près.

– Hé, les copains, vos commentaires touristiques sont tout à fait passionnants, dit Greg, mais si Timothy a aussi faim que moi...

– Bien sûr, allons manger », dit Kath.

Comme il faisait chaud, ils décidèrent de manger dehors sur la terrasse. Un garçon donna à Timothy un énorme menu qu'il regarda avec étonnement. La seule chose qui avait un petit air familier c'était les œufs au jambon, mais les autres se récrièrent en lui disant que son choix manquait d'audace. Finalement, il choisit du poulet frit comme plat principal, et après qu'on l'eut assuré que le cocktail de crevettes ne contenait pas de gin (sa question, bien qu'innocente, passa pour un mot d'esprit très drôle) il consentit à en prendre en entrée. Les crevettes lui parurent plus grosses encore que des bouquets mais ce fut le poulet frit, servi dans un panier débordant de frites, qui l'étonna vraiment. Il en compta les morceaux, n'en croyant pas ses yeux.

« Mince alors! dit-il. Il doit y avoir un poulet entier.

– Tu crois que tu vas t'en tirer? dit Kath en souriant.

– Je prends comme ça et je mange avec mes doigts?

– Exactement.

– Bon, allons-y. »

Il attrapa une cuisse et mordit dans la chair à belles dents. Les trois adultes restèrent un moment bouche bée devant leurs assiettes pleines à le regarder.

« Voilà ce qui s'appelle avoir de l'appétit, dit Vince. J'avais oublié. » Il se mit à couper ce qu'il avait dans son assiette en tout petits morceaux et il se mit alors à manger en tenant sa fourchette de la main droite. Timothy était surpris de voir que Greg et même Kath mangeaient de la même façon.

« Le poulet est un luxe en Angleterre, il ne faut pas l'oublier, dit Kath.

– Oui, la dernière fois qu'on a mangé un poulet à la maison, c'était le dimanche de Pâques, dit Timothy, et ensuite ça nous a fait trois jours.

– C'est incroyable! dit Greg. Mais où prenez-vous vos œufs si vous n'avez pas de poulets?

– Tu n'y connais rien! dit Vince. Les poules pondeuses ne sont pas bonnes à manger.

– On prétend que les œufs ne vont bientôt plus être rationnés, dit Timothy.

– Les œufs, rationnés? C'est incroyable, dit Greg. Les poules doivent être constipées. »

Le repas fut plaisant et Timothy ne vit pas le temps passer. La conversation fut pour lui une source constante d'amusement. Les remarques en elles-mêmes n'étaient pas follement drôles; mais les plaisanteries se succédaient en cascade si bien que la conversation était un flot continu de gloussements et de rires. Greg était le principal acteur mais les trois adultes considéraient tous la conversation comme une sorte de jeu d'équipe, faisant circuler la balle entre eux avec adresse, sans jamais la laisser tomber. Timothy, qui était habitué aux repas pris à la va-vite et souvent seul (ses parents et lui prenaient rarement leurs repas autour d'une table, sauf le dimanche), trouva ce nouveau type de relations sociales fascinant. Tout en écoutant, il voyait la rivière se colorer d'ors mats dans les rayons du soleil couchant et prendre un relief tout particulier contre la masse sombre de la montagne sur la rive opposée. Puis, les étoiles apparurent et les lumières de la ville scintillèrent dans la vallée en dessous. Un bateau de plaisance illuminé remonta la rivière en troublant les reflets, si bien qu'on eût dit qu'il traçait dans l'eau sombre un sillon doré.

Les autres ne prirent pas de dessert, mais Vince, qui tenait à offrir le repas, commanda pour Timothy quelque chose appelé une omelette norvégienne, une sorte de pudding miraculeusement fourré de glace bien ferme. Les fenêtres du restaurant étaient ouvertes et la musique parvenait jusqu'à la terrasse. Kath dansa à tour de rôle avec les deux hommes. Elle essaya de convaincre Timothy de prendre une leçon de danse avec elle, mais il déclina l'offre.

La conversation se relâcha pendant tout le temps que Kath dansa avec Vince. Greg devint réservé et taciturne, comme s'il ne tenait pas à gaspiller son humour avec comme seul interlocuteur Timothy. Quand Timothy lui demanda ce qu'il faisait comme travail, il répondit laconiquement qu'il était dans le

Département de gestion du patrimoine et refusa d'en dire plus. Quand Timothy voulut savoir ce que faisait Vince, il répondit, presque grossièrement, qu'il ferait mieux de demander directement à l'intéressé. Finalement, ils se turent et regardèrent les deux autres silhouettes se balancer au rythme de la musique, apparaissant et disparaissant dans les plages d'ombres et de lumières sur la terrasse. Timothy remarqua, non sans intérêt, que Kath dansait joue contre joue avec Vince; mais, en regardant par la fenêtre ouverte, il vit que les couples sur la piste de danse, même les très âgés, dansaient de la même façon. Et quand ce fut le tour de Greg, celui-ci pressa son visage contre celui de Kath.

« Tu devrais accepter la proposition de Kate, Timothy, et apprendre à danser, dit Vince. Elle a un sens inné du rythme.

– C'est vrai? On trouvait toujours à la maison qu'elle avait la démarche plutôt lourde. C'est ce que maman disait.

– Non, elle danse à merveille. Ta sœur est une fille fabuleuse à bien des égards.

– Elle a beaucoup changé, avoua Timothy, depuis qu'elle est venue ici.

– En mieux, j'espère?

– Oh, oui. Heidelberg semble être un endroit fantastique, d'après ce que j'ai pu voir. Et vous, vous aimez vivre ici?

– J'imagine que oui. On y devient un peu claustrophobe par moments. Mais l'endroit est commode. Oui, j'aime bien. »

Vince était assis le dos tourné contre les fenêtres éclairées du restaurant et son visage était comme un masque sombre et impénétrable, sauf quand il tirait sur le cigare qu'il fumait. Alors, une petite lueur rouge illuminait momentanément ses traits réguliers et embrasait sa moustache blonde.

« Qu'est-ce que c'est, la gestion du patrimoine? lui demanda Timothy. Greg a dit qu'il travaillait là-dedans.

– Oh, c'est la gestion des biens et des fonds de l'armée. L'armée est obligée d'acheter des terrains pour ses programmes de constructions, de réquisitionner des logements, de verser des dédommagements – c'est une très vaste entreprise. Greg se débrouille comme un chef.

– C'est un mot bizarre, *patrimoine*; ça fait penser à un moine qui s'occuperait de la patrie. »

Il entendit Vince glousser dans l'obscurité.

« Une chouette d'idée, ça. C'est peut-être là-dedans que je devrais me lancer. *Vincent Vernon, moine gestionnaire de la patrie céleste. Châteaux dans les nuages, tours d'ivoire... manoirs célestes. Commission inhabituelle. Prêts à votre convenance.*

– Vous faites un travail intéressant? demanda Timothy.

– Ouais. »

Il y eut un long silence et Timothy se dit que Vince allait se montrer aussi peu communicatif que Greg mais il eut la surprise de l'entendre dire :

« Officiellement, j'assure la liaison avec le gouvernement allemand. Mais, officieusement, je suis chargé de la dénazification de la région. Tu sais ce que ça veut dire?

– Se débarrasser des nazis, je suppose. On les met en prison ou quoi?

– Les vrais criminels sont jugés et envoyés en prison, mais il n'en reste plus guère maintenant. Mon travail consiste surtout à vérifier que les gens qui travaillent pour le gouvernement ont un dossier politique irréprochable et aussi à superviser les programmes de rééducation dans les écoles et les universités. Officiellement, tout ça est sous la responsabilité du gouvernement fédéral maintenant mais nous aimons garder un œil vigilant bien qu'amical sur ces choses-là. D'où ma tâche quelque peu ambiguë.

– C'est dangereux? »

Vince se mit à rire.

« Pas du tout. »

La musique changea soudain et prit un rythme latino-américain. Kath et Greg se mirent à se trémousser avec frénésie, en riant et s'encourageant mutuellement.

« On a eu du mal à trouver des administrateurs allemands au passé irréprochable pour diriger le pays après la guerre. On a surtout trouvé des communistes qui avaient réussi vaille que vaille à survivre. Aujourd'hui, bien sûr, les communistes sont encore plus suspects aux yeux de l'oncle Sam que les anciens nazis.

– Est-ce qu'il n'y avait pas d'autres Allemands contre Hitler?

– Ouais, mais la plupart d'entre eux furent liquidés après le Complot de juillet.

– Qu'est-ce que c'est que ça? Notre programme d'histoire s'arrête en 1914, ajouta-t-il pour s'excuser.

– Eh bien, il y a eu plusieurs tentatives d'assassinat contre Hitler – des tentatives faites par les Allemands, je veux dire – mais celle qui a failli vraiment réussir fut celle de juillet 1944. Un groupe d'officiers allemands a essayé de tuer Hitler en mettant une bombe lors d'une de ses réunions d'état-major. Un type appelé Stauffenberg a caché la bombe dans une serviette, mais après qu'il a eu quitté la pièce, quelqu'un a déplacé le sac qui contenait la bombe, tout à fait par hasard, et Hitler s'en est tiré, bien secoué, mais sans plus.

– Ma parole! dit Timothy, fasciné.

– Bien sûr, Hitler était passablement furieux. Il a ordonné qu'on purge le pays de tous ceux qui étaient soupçonnés de trahison. On prétend que cinq mille personnes ont été arrêtées et exécutées. Sans doute les cinq mille personnes les mieux qualifiées pour diriger le pays après la guerre. Stauffenberg est passé en cour martiale et a été fusillé immédiatement après la tentative d'assassinat. Heureusement pour lui.

– Pourquoi?

– Les autres meneurs ont été pendus à des crochets de boucher avec des cordes de piano. Pas très rapide comme mort. Hitler a fait filmer ces exécutions pour les projeter en séance privée dans son bunker. On dit que même Goebbels a dû mettre la main devant ses yeux pour ne pas vomir. »

Vince tira sur son cigare et la petite lueur rouge éclaira un instant son beau visage impassible.

« Bon sang! » murmura Timothy.

Kath et Greg revinrent à la table, complètement hilares.

« Ma parole, je suis sûr que cette samba m'a fait perdre quelques centimètres de tour de taille, dit Greg en s'effondrant dans une chaise. Et une année de ma vie.

– Vous aviez l'air d'être tous les deux en grande conversation, fit remarquer Kath.

– Je donnais à Timothy une petite leçon d'histoire. À propos du complot de juillet.

– Oh, Vince, vraiment!

– C'était bigrement intéressant, dit Timothy.

– Eh bien, il t'a fallu peu de temps, Timothy, pour découvrir son dada, dit Kath en mettant une cigarette entre ses lèvres.

Il est toujours en train de lire quelque chose sur Hitler et les nazis.

– C'est mon boulot, chérie, dit Vince en se penchant sur la table pour attraper son Ronson.

– Oui, je sais, mais tu aurais pu choisir un sujet de conversation plus divertissant pour la première soirée de Timothy. Je ne vois pas qui peut s'intéresser à toutes ces choses horribles un soir comme ça. » Elle pencha la tête en arrière et rejeta sa fumée de cigarette en direction des étoiles.

Ils étaient venus au restaurant avec l'énorme Buick noire de Greg. Vince avait une voiture lui aussi mais, avait-il dit, elle était un peu petite pour quatre.

« C'est une Mercedes d'avant-guerre, une blanche, dit Kath. Attends un peu, tu vas voir, Timothy. »

La Buick était assez large pour qu'ils se mettent tous sur le siège avant. Elle ronronnait en descendant la route de montagne en lacets, ses pneus crissant doucement dans les virages et ses phares creusant des tunnels à travers les bois. L'un des virages fut si raide (et la voiture était si longue) que Greg dut arrêter, reculer et refaire la manœuvre. Il poussa un bouton sur le tableau de bord et des battements de jazz tonitruants emplirent la voiture.

« Stan Kenton ! dit-il. *Peanut Vendor*. Je suis comblé. » Il sortit un crayon de sa poche et tapa en rythme sur le cercle du volant.

« Tu ferais mieux de regarder la route, maestro, dit Vince.

– Oui, sois prudent, Greg, insista Kath.

– Allons... cette voiture se conduit toute seule. Freins assistés, direction assistée, transmission automatique...

– Et pourquoi tu ne fais pas installer un pilote automatique ? dit Vince. Tu n'aurais plus qu'à rester tranquillement sur ton siège à écouter la radio.

– Ça viendra, dit Greg. On n'arrête pas le progrès. »

Il se gara devant *Fichte Haus* pour prendre le sac de Timothy puis il les conduisit au foyer de Dolores qui se trouvait tout près.

« Bon, Timothy, dit-il, comme ils descendaient de voiture. Je repasserai un de ces soirs et on organisera une chasse à la petite culotte. Ça se fait aussi en Angleterre, ce genre de chose ?

– Certainement pas, dit Kath. Les petits Anglais n'y songeraient même pas. Et les petites culottes robustes qu'on a chez nous ne valent pas la peine qu'on les vole, crois-moi. »

Vince se proposa de porter le sac de Timothy jusque dans le foyer mais Kath pensa qu'ils se feraient moins remarquer s'ils étaient seuls.

« J'aime tes amis », dit Timothy tandis que la Buick repartait en trombe, les laissant sur le trottoir, le sac entre eux deux.

« Ils sont vraiment drôles, non? Ce que j'aime avec eux, c'est qu'ils essaient de profiter de la vie au maximum. Il n'y a jamais de moments creux avec eux.

– Je m'en suis rendu compte.

– Bon, allons voir à quoi ressemble la chambre de Dolores. Tiens-toi droit et fais comme si tu étais mon petit ami. Je vais prendre une poignée et toi, tu prendras l'autre. »

La pension était un établissement plus grand et plus impersonnel que *Fichte Haus* avec des dalles en pierre par terre et de longs couloirs assez lugubres. Kath pensait que ça avait été autrefois une caserne. Comme ils attendaient l'ascenseur, trois femmes passèrent devant eux sans manifester aucune surprise.

« Tu t'en tires très bien, Timothy, murmura Kath.

– Les hommes sont autorisés ici, alors?

– Bien sûr. Il y a sans doute un règlement stipulant qu'ils doivent avoir quitté les lieux à minuit, mais je crois que personne n'en tient vraiment compte. »

L'ascenseur s'éleva en ronronnant et en grinçant jusqu'au deuxième étage.

« Qui habite ici?

– Des secrétaires civiles, des infirmières peut-être...

– Des Américaines?

– Pour la plupart, mais il y a des gens de toutes nationalités qui travaillent pour les Américains. Anglais, Canadiens, Australiens, Français, Hollandais... Comme moi, ils ont commencé à travailler pour les Américains pendant la guerre, ou juste après, et n'ont pas voulu lâcher un si bon job. Nous y voilà. »

La chambre de Dolores ressemblait davantage à une chambre que celle de Kath, et elle était même très confortable. Le lit était fait et les draps étaient tout propres mais il y avait quelques articles féminins qui traînaient ici et là, signes d'un départ précipité. Kath fit le tour de la pièce, mit un peu d'ordre, rangea les choses dans les tiroirs, s'arrêtant parfois pour inspecter, avec convoitise ou curiosité, un vêtement ou un bijou.

« Eh bien, tu devrais être à ton aise ici, dit-elle.

– C'est très chouette, dit-il. Mais qu'est-ce qui se passera si on découvre que je suis ici ?

– Personne ne le découvrira, Timothy. Rien de bien terrible ne peut arriver, de toute façon. Ne t'inquiète pas.

– Je ne m'inquiète pas, dit-il en bluffant. Et pour demain matin ? Quel est le meilleur moment pour me lever et pour sortir ?

– Toutes les filles sont tenues d'être au travail à huit heures et demie, alors je pense que la maison devrait être vide autour de huit heures et quart. Il faudra que tu prennes un petit déjeuner et que tu manges à midi... Tiens. »

Elle sortit de son sac une longue enveloppe et la lui donna. Il y avait à l'intérieur une sorte de carte d'identité avec la photo de lui qu'elle avait demandé d'envoyer à l'avance.

« Voici ta carte P.X. Elle te donne accès au *Stadtgarten* et à toutes les autres cantines et à tous les restaurants réservés au personnel américain. Et au P.X. lui-même, une sorte de grand magasin, et à la piscine aussi. Je te montrerai où tout ça se trouve pendant le week-end. Tu peux aussi prendre les bus de l'armée avec cette carte. Quoi qu'il arrive, ne la perds pas.

– J'y ferai très attention.

– Et tu vas avoir besoin d'argent. » Elle ouvrit son porte-monnaie.

« J'ai quelques travellers...

– Garde-les. Ou échange-les pour des marks. Tu dois utiliser des titres de paiement dans les établissements américains – c'est une monnaie spéciale pour les forces d'occupation. On en change la couleur de temps en temps pour arrêter le trafic de monnaie. Tiens. Prends quinze dollars pour commencer, et dis-moi quand tu en voudras d'autres.

– Merci beaucoup », dit Timothy, en examinant les billets avec curiosité. Ça lui rappelait les billets du Monopoly.

« Et voici la clé de ma chambre. Je crois que tu devrais éviter de rentrer et de sortir ici pendant la journée. Utilise ma chambre si tu veux te reposer ou prendre une douche. J'ai prévenu Rudolf. Je ne vois rien d'autre, et toi ? »

Timothy se demandait comment il allait se débrouiller

avec les toilettes, mais il n'y avait qu'une seule solution selon lui et il ne tenait pas à en parler à Kath.

« Que vas-tu faire, demain? » dit-elle.

La perspective du lendemain s'ouvrit soudain devant lui comme un trou béant de solitude.

« J'sais pas. Je vais aller me balader en ville, j'imagine.

– Très bien. Respire l'air du pays et essaie de repérer les lieux. Oh, ça me fait penser (elle se mit à fouiller dans son sac). Voici une carte de Heidelberg. Elle te signale, entre autres, l'emplacement de tous les bâtiments intéressants. Tu pourrais peut-être aller jeter un coup d'œil au château?

– Excellente idée.

– Je serai de retour du bureau à peu près à la même heure qu'aujourd'hui. Bon, maintenant, mon petit mignon, il faut que je te laisse. »

Elle l'embrassa sur la joue.

« Bonsoir, Kath. Et merci pour cette soirée extra.

– Je suis contente que tu te sois amusé. Je trouve que tu t'en es très bien tiré.

– Qu'est-ce que tu veux dire? »

Kath parut un peu gênée.

« Eh bien, tout ça doit te paraître très étrange. Pas mal de gamins de ton âge et de ton mil... Je trouvais que tu faisais très adulte », finit-elle par dire, un peu confuse.

Timothy ferma la porte derrière elle, donna un tour de clé et écouta le clic-clac de ses talons hauts s'éloigner dans le couloir. La porte de l'ascenseur se referma d'un coup sec et l'ascenseur descendit dans un ronronnement de machineries. Puis il s'arrêta. Silence. Il était enfin seul.

La première chose qu'il fit fut d'uriner dans le lavabo, en faisant couler les robinets. Il n'y avait pas d'autre solution : c'eût été une folie de se balader dans les couloirs à la recherche des toilettes. Mais si Kath le raccompagnait à sa chambre tous les soirs, cela signifiait qu'il n'allait devoir faire qu'une seule promenade par jour à travers le foyer, à savoir le matin. À part cela, il serait totalement en sécurité.

Le fait d'être seul et malgré tout bien en sécurité était quelque chose de nouveau et d'excitant. Il pouvait faire n'importe quoi – comme pisser dans le lavabo – sans que personne ne le découvre ou ne le sache jamais. Il se sentit soudain pris d'un sentiment confus de licence. En se déshabillant pour aller se coucher, il ne mit pas son pyjama tout de suite mais se balada dans la pièce sans rien sur lui, goûtant la fraîcheur et la liberté que lui procurait sa nudité. Il se regarda dans un long miroir fixé au mur. Tandis qu'il s'examinait, sa chose se raidit, gonfla et se dressa de son propre gré pour finalement se retrouver braquée vers le plafond comme un canon de D.C.A. Il se tourna sur le côté pour examiner le phénomène de profil. Ça l'intriguait toujours. Il n'arrivait pas très bien à comprendre. Il y avait quelque chose de plutôt impressionnant dans ce mouvement puissant, spontané de la chair, mais quelque chose de plutôt dégoûtant aussi. Elle semblait laide et brutale, cette chose empourprée, parcourue de veines gonflées et entourée à la base d'une touffe de poils noirs et drus.

La laideur et la taille l'inquiétaient quelque peu. Ça arriverait fatalement quand il finirait par le faire avec une fille, quand il se marierait ou en quelque autre occasion. Quand il serait seul avec elle, dans une chambre, qu'ils se déshabilleraient, ça se passerait fatalement puisqu'il suffisait d'y penser pour que ça arrive, et elle allait être dégoûtée et effrayée et ça lui ferait mal.

Il en était arrivé à cette théorie qu'on glissait sa chose dans celle de la fille pendant qu'elle était encore petite et molle, et qu'elle grossissait une fois à l'intérieur; autrement, ça ferait mal. La chose de la fille était si jolie en comparaison, rose pâle, douce et sans poils.

Saisi d'une impulsion soudaine, il prit une paire de ciseaux sur la coiffeuse et se coupa les poils du pubis, jetant les poils noirs et raides dans le lavabo. Il s'écorcha la peau, se faisant mal une ou deux fois, mais il persévéra jusqu'à ce qu'il ne restât plus qu'une maigre barbe de petits poils courts. Ça n'améliorait pas vraiment l'ensemble. Il essaya de se débarrasser des poils dans le lavabo, mais ils restèrent coincés, alors il retira le petit tampon mouillé, le mit dans une enveloppe qu'il ferma et alla déposer avec précaution au fond de la poubelle, sous une quantité de mouchoirs en papier tachés de rouge à lèvres.

Il mit son pyjama, mais il se sentait encore agité et n'avait pas vraiment envie de dormir. Il se promena dans la pièce, inspectant les affaires de Dolores avec audace mais circonspection : il ouvrit des tiroirs contenant des écharpes, des pulls et des sous-vêtements mais ne dérangea rien, il renifla les bouteilles de parfum et les pots d'échantillons de crème mais remit soigneusement les bouchons en place. Dans l'un des tiroirs, il trouva une boîte blanche avec cette inscription énigmatique, *Countess Comfort Extra*, qui éveilla sa curiosité. Il l'ouvrit et trouva à l'intérieur quelques pansements blancs, en forme de saucisses, pareils à ceux qu'il avait vus dans les toilettes du train. Ils avaient une petite boucle à chaque extrémité. Son esprit, faisant des recoupements rapides avec certaines observations et énigmes restées sans liens entre elles jusqu'à présent – des remarques surprises à l'école, des réclames troublantes dans les revues de sa mère –, se mit à ébaucher une théorie, hésita, essaya encore et, dérouté, capitula. Il referma la boîte et le tiroir.

Il se regarda encore une fois dans le miroir, but un verre d'eau plutôt tiède, ouvrit et ferma les tiroirs machinalement. Il ouvrit la porte d'un placard et regarda à l'intérieur. C'était une garde-robe profonde dans laquelle on pouvait tenir debout : une pièce à l'intérieur d'une autre pièce, un abri à l'intérieur d'un autre abri. Il entra à l'intérieur et referma presque la porte sur lui. Il faisait sombre et ça sentait la naphtaline. Les rangées de cintres métalliques cliquetèrent doucement comme il avançait vers l'intérieur. Une voix d'homme dit, très distinctement :

« C'est ta voisine ? »

Timothy eut l'impression que son cœur s'arrêtait. Sa chose se ratatina et retomba. Une voix languissante de femme dit :

« Quoi, chéri ?

– J'ai cru entendre quelqu'un à côté.

– Non, je t'ai dit qu'elle était en vacances. C'est pour ça que je t'ai fait venir ce soir. Oh ! »

Le *Oh* ne semblait avoir aucun rapport avec les mots précédents. C'était une exclamation aiguë où se mêlaient la surprise, le plaisir et la douleur. La chair de Timothy se réveilla à nouveau. Il entendit les grincements rythmés des ressorts du lit, les grognements de l'homme et les halètements de la femme.

« Vas-y, ma poule, je vais éjaculer, dit l'homme d'une voix rauque.

– Non, pas encore... Oh !

– Ça vient...

– Non ! Oh ! Oh !

– Maintenant.

– Oh! Oui! Maintenant! Baise-moi, maintenant! Oh. Oh. Oh. Oh. Oh!»

Timothy perdit tout contrôle et éjacula dans l'obscurité étouffante du placard obscur qui sentait la naphtaline. La sensation ne lui apporta ni plaisir ni soulagement. Son pyjama était trempé de sueur froide. Il avait la nausée et était effrayé. Lentement, avec une extrême prudence, il plia les genoux et s'accroupit par terre. Il resta là pendant un moment qui lui parut une éternité, jusqu'à ce que tout fût silencieux derrière la cloison du placard. Il se faufila alors hors de la pièce, ferma la porte doucement derrière lui et se glissa à quatre pattes dans le lit. Il éteignit la lampe de chevet et se cacha la tête sous les couvertures. Il aurait bien voulu être chez lui.

III

Hors de l’abri

1

La carte postale était divisée en six petites sections. Il y avait une vue de la plage, une de la promenade, une du boulingrin, une de la jetée, une des jardins botaniques et une du monument aux morts. Au milieu, en lettres capitales, s'inscrivait le nom de WORTHING. Les photographies, un peu brouillées, en noir et blanc, semblaient avoir été prises avant la guerre ; car, en regardant attentivement, on pouvait voir que les baigneurs de sexe masculin avaient des maillots de bain qui couvraient le buste, et les voitures ressemblaient à des antiquités avec leurs roues de secours attachées par des sangles sur les côtés. C'était une carte laide, assez rebutante – les petites fenêtres surchargées empêchaient l'œil de se fixer et le repoussaient – mais, mentalement, il pouvait deviner à coup sûr les motifs qui avaient présidé à son achat, car c'était exactement le genre de carte que lui-même avait acheté les années passées pour expédier aux amis ou à la famille. Six photos pour le prix d'une, c'était financièrement une bonne affaire, et ça évitait d'avoir à choisir.

Il retourna la carte et lut à nouveau le message écrit au crayon d'une écriture irrégulière :

Cher Timothy,

Je suis très contente que tu sois arrivé sain et sauf. Quel temps fait-il? Ici, on a eu un temps humide, mais le soleil brille ce matin, alors on ne peut pas se plaindre. Mrs. Watkins a demandé de tes nouvelles. Comment va Kath? Embrasse-la pour nous. Est-ce que c'est elle qui va s'occuper de ton linge? J'imagine que tu passes du bon temps. Papa te dit bien des choses. Affectueusement,

Maman.

Il y avait un post-scriptum : « *Quel dommage pour la tarte* ».

Il lui fallut un certain temps pour comprendre à quoi elle faisait allusion. Il avait l'impression que ça s'était passé il y avait si longtemps.

Il sortit de sa poche la carte postale en couleurs qu'il avait achetée un peu plus tôt dans la journée sur la place du marché, dans une de ces boutiques de souvenirs qui s'accrochaient aux cotillons de l'église du Saint-Esprit. Il était assis maintenant presque exactement à l'endroit d'où avait été prise la photo, sur la rive nord de la rivière, un peu en aval du vieux pont, contemplant par-delà les arches brunes légèrement rosées et les tours crème coiffées de leur casque, la silhouette tarabiscotée du château en ruine qui semblait jaillir du flanc vert de la montagne aussi naturellement que les arbres. Les couleurs de la carte postale n'étaient pas tout à fait naturelles – les verts étaient trop vifs et n'avaient pas ce voile de fumée bleutée qui semblait monter des arbres toute la journée et adoucissait les contours du château. Toutes les lignes sur la photo étaient trop nettes. Était-ce à cause de l'atmosphère ou de la patine du temps ? Toujours est-il qu'on ne voyait aucune arête saillante dans le vieil Heidelberg. Il avait malgré tout le sentiment que sa carte postale allait porter ombrage à celle de Worthing en noir et blanc, avec ses tristes petites vues segmentées.

Il la retourna et sortit le crayon bille qu'il avait acheté au P.X. pour griffonner un mot à ses parents. Mais le stylo resta en suspens au-dessus de l'espace blanc. Il ne pouvait mettre en mots, et n'aurait même pas pu le faire sur un espace plus grand qu'une simple carte postale, tout ce qu'il avait vu, tout ce qu'il avait fait ces dix derniers jours. Il mit de côté la carte postale et prit son bloc à dessin sur lequel il avait commencé à dessiner le vieux pont. Peut-être devrait-il ne leur envoyer que cela, en écrivant au dos : *Affectueusement, Timothy.* Mais, se dit-il intérieurement, s'il fallait vraiment qu'il envoie un message sous forme d'images, il vaudrait mieux alors que ce soit comme la carte de Worthing, une série de plusieurs vignettes : pas seulement le vieux pont et le château mais aussi la piscine au bord de la rivière, un coupé Mercedes blanc descendant dangereusement une route de montagne en lacets, la grande salle du Casino de Baden-Baden avec ses dorures et ses glaces, les comptoirs étincelants du P.X., et un panier débordant de poulet frit et de frites.

Au début, ce fut surtout la nourriture qui l'impressionna. Il n'avait jamais mangé autant et aussi bien de sa vie. Il jeta tout d'abord son dévolu sur les plats typiquement américains : poulet, steak, hamburger, banana split et tarte aux pommes avec de la glace. Puis, quand il eut satisfait son surprenant appétit des premiers jours, il devint plus hardi et essaya des choses qu'il n'avait jamais mangées : truite, homard, venaison et même des plats allemands comme les *Wiener Schnitzel* qui s'avérèrent la plupart du temps infiniment moins redoutables que leur nom ne le laissait craindre. Parmi les desserts, rien ne rivalisait tout à fait avec cette pure merveille qu'était l'omelette norvégienne, mais il avait apprécié les crêpes Suzette, l'ananas frais trempé dans du kirsch, la mousse au chocolat et le baba au rhum.

Il prenait un bon petit déjeuner tous les matins au *Stadtgarten* et il arrivait, avec un snack ou deux, à tenir jusqu'au soir, moment où Kate prenait son principal repas. D'habitude ils mangeaient dehors, dans un restaurant, mais, un jour, ils étaient restés dans sa chambre et elle avait préparé un steak et une salade. Même si c'était, comme elle avait dit en plaisantant à moitié, les seules choses qu'elle savait préparer, c'était bigrement bon. Elle parla beaucoup de nourriture ce soir-là, attribuant son embonpoint à la mauvaise alimentation qu'elle avait reçue dans son enfance et sa jeunesse.

« C'était en partie à cause de la guerre, bien sûr, on ne trouvait pas assez de choses nourrissantes, alors on se bourrait de choses lourdes, de pommes de terre, de tartines de confiture. C'était terrible à l'école. Je me souviens quand je suis arrivée pour la première fois chez les Américains, à Cheltenham, je n'en croyais pas mes yeux. Je suis allée à la cantine et, là, je les ai tous vus manger des steaks, d'énormes steaks saignants bien épais, comme si c'était la chose la plus naturelle du monde. Et quand j'en voyais certains se lever de table en laissant la moitié de leur viande dans leur assiette, ça me mettait en rage. Je volais de la nourriture quand j'étais à Cheltenham... Oh, des broutilles, des morceaux de sucre, des portions de beurre et des biscuits. Parfois, une cuisse de poulet. Je laissais tomber ma serviette par-dessus et je glissais le tout dans mon sac. Je donnais ça à des amis en ville. C'était beaucoup de peine pour pas grand-chose, mais ça soulageait ma conscience.

– Mais ça ne t'a pas fait grossir, toute cette nourriture?

– Ça ne m'a pas vraiment fait maigrir. Ma vie n'était qu'une succession de repas. Puis, un jour, j'ai passé une visite médicale. Le docteur a dit que j'avais un grave problème de poids. Ça m'a flanqué une frousse terrible. J'ai eu très peur de perdre mon travail pour des raisons de santé. Alors, le docteur m'a fait suivre un régime draconien, et j'ai perdu cinq kilos en trois semaines. Je continue à suivre un régime mais je ne fais pas de zèle. Les jeunes Américaines, aujourd'hui, soit elles mangent trop soit elles ne vivent que de crackers et de jus de citron. Toujours les extrêmes. Mais je les aime bien. »

L'un des repas les plus étranges qu'il prit, ce fut dans un endroit appelé le Club des officiers (c'était à l'intérieur d'une caserne, et ils durent montrer leur carte P.X. à un garde armé pour entrer). Ce n'était pas la nourriture qui était étrange mais le fait qu'on prenait son repas tout en regardant un film. Entre les rangées de sièges, il y avait des rangées de petites tables rondes et, pendant que le film était projeté, les garçons évoluaient sans faire de bruit dans la pénombre, prenant les commandes de nourriture et de boissons. Kate commanda des sandwichs parce que c'était plus facile à manger dans le noir – mais en fait ce ne fut pas si facile que ça, car les sandwichs avaient trois épaisseurs et il faillit se démantibuler la mâchoire en voulant mordre dedans.

Le film était un film américain sur la guerre dans le Pacifique, comme presque tous les films de guerre américains que Timothy avait pu voir. Il les préférait aux films britanniques qui se passaient presque toujours dans les Q. G. des opérations de bombardement. Ils étaient en noir et blanc et montraient des terrains d'aviation sinistres et des Lancasters qui roulaient vers la piste de décollage au crépuscule, le menton tristement pointé vers le ciel, et qui revenaient à l'aube, un par un ou deux par deux, criblés de balles ou le train d'atterrissage arraché, et il y avait toujours un avion qui manquait. Ces films lui donnaient d'habitude envie de pleurer, peut-être parce qu'ils lui rappelaient l'oncle Jack. Les films américains étaient beaucoup moins émouvants bien qu'ils fussent plus violents et plus sanguinaires – et le sang était en technicolor.

Le film qu'il vit avec Kate au Club des officiers était *The Halls of Montezuma* dont le titre reprenait les premiers mots d'un chant de marche, et il se terminait par une superbe scène de bataille où l'on voyait les Marines avancer sur une verte plaine et les Mustangs mugir dans le ciel en envoyant des roquettes sur les positions nippones, avec en fond sonore la musique de ce chant de marche qui montait en crescendo. Pendant qu'il regardait, son sang battait fort dans ses artères et la mayonnaise de son gros sandwich lui dégoulinait le long du menton. Il se rendit compte par la suite que c'était un vendredi et qu'il y avait eu du poulet et du bacon dans le sandwich. Kate lui dit de ne pas s'en faire, qu'il n'y avait ni jeûne ni abstinence pour les catholiques dans l'armée, parce qu'on les considérait en service actif. Il renifla d'un petit air sarcastique en entendant cela.

Il allait souvent manger dans la journée au P.X., un énorme magasin dans le quartier américain de la ville. Kate l'avait emmené là le samedi matin après son arrivée pour lui acheter des vêtements légers. Ils avaient pris l'un des bus jaunes de l'armée qui servaient de transport public pour le personnel américain. Il fallait montrer sa carte P.X. au chauffeur du bus et aux soldats qui se tenaient à l'entrée du P.X. Timothy trouva bizarre au début de voir des soldats garder un magasin, mais, quand il pénétra à l'intérieur, ça lui parut déjà moins bizarre. Il imagina aisément une foule de gens essayant de forcer l'entrée et de se précipiter à l'intérieur si par hasard ils venaient à découvrir ce qu'il y avait là. Jamais de sa vie il n'avait vu un étalage aussi suffocant de marchandises : des victuailles, des vêtements, des bonbons, des phonographes, des appareils photo, des jouets, du matériel de sport, des valises et des gadgets de toutes sortes qu'il n'avait jamais vus auparavant et dont il avait de la peine à deviner l'usage. La première semaine, il alla au P.X. presque tous les jours, juste pour faire le tour des rayons et des comptoirs surchargés, dans une débauche de curiosité et de convoitise, achetant pour apaiser sa fringale quelque broutille comme un stylo bille ou une paire de chaussettes en nylon.

La première fois qu'il visita le magasin, Kate lui acheta une veste de sport légère en mohair et, pour aller avec, un pantalon au tissu soyeux et frais et trois chemises infroissables, une blanche, une bleu pâle et une à carreaux jaune et marron qui boutonnait sous le col par une petite boucle et paraissait ainsi bien fermée même sans cravate. Les chemises avaient ces longs cols pointus qui étaient du dernier chic en Angleterre. Il eut des scrupules à laisser Kate lui acheter tous ces vêtements, mais il ne put résister. Ce n'était pas seulement la dépense qui le gênait et qui l'excitait comme un péché, mais plutôt l'idée d'acheter tant de choses d'un seul coup. Mais Kate se mit ensuite à faire ses propres emplettes, attrapant machinalement six paires de bas nylon par ici, quatre cents cigarettes par là, sans même interrompre leur conversation, et il commença à comprendre qu'il se trouvait dans un monde totalement nouveau, un monde où on passait son temps à acheter et à vendre. À l'extérieur du magasin, il y avait une rampe où les gens venaient en voiture et où des jeunes gens les aidaient à charger leurs provisions parce qu'ils avaient trop de choses à porter pour regagner leur parking. Les coffres des voitures s'ouvraient goulûment comme les mâchoires d'une baleine et quand ils étaient gorgés de sacs et de cartons, on les refermait alors d'un coup sec et les voitures repartaient à travers l'immense espace goudronné où les toits multicolores des voitures américaines de toutes marques scintillaient au soleil.

Avant de quitter le magasin, Kate prit un café et Timothy un milk-shake au chocolat au snack-bar.

« Ce n'est pas l'ancien G.I. que tu as rencontré dans le train ? » demanda Kate.

C'était bien Don en effet, installé de l'autre côté du comptoir en fer à cheval, en train de bouquiner devant un café. Il sourit en les reconnaissant et fit le tour pour venir les saluer.

« Eh bien, salut, Timothy ! Comment tu trouves ce temple de la consommation ostentatoire ?

– Vous voulez dire, ce magasin ? C'est très chouette.

– Tu as déjà exploré la ville ?

– Oui, un peu. J'ai été voir le château.

– Vous habitez toujours Heidelberg, Don ? dit Kate. Timothy m'a dit que vous veniez d'être démobilisé.

– En effet. Je donne des cours à l'École de l'armée pour subvenir à mes besoins.

– Vous n'êtes pas pressé de rentrer chez vous, alors ?

– Don va aller à l'École supérieure d'administration de Londres, expliqua Timothy.

– Vraiment! dit Kate, intéressée.

– Enfin, je l'espère du moins, dit Don. Je n'ai pas encore la réponse à l'entretien que j'ai passé. Et toi, Timothy, tu as reçu tes résultats d'examen?

– J'avais complètement oublié, dit-il en toute sincérité. Mais les écoles d'ici ne sont pas en vacances en ce moment?

– Je donne un cours spécial à un groupe d'enfants un peu lents – ou plutôt paresseux. Si les gamins n'ont pas eu des notes suffisantes pendant l'année scolaire, ils ont la possibilité de se rattraper en suivant des cours d'été. Ce n'est que le matin... Peut-être que je pourrais te faire visiter la ville un de ces après-midi, Timothy? »

Kate accueillit l'offre avec enthousiasme et ils fixèrent un rendez-vous.

« Quel charmant garçon », fit-elle remarquer comme il s'en allait d'un pas élastique, son livre à la main. « J'avais trouvé qu'il avait de bonnes manières quand tu me l'as présenté la première fois. Certains G.I. sont assez rustres. Il pourrait devenir un précieux ami, Timothy. Bien sûr, il est plus proche de mon âge que du tien mais je ne connais pas d'adolescents... Je connais un ou deux officiers qui ont des enfants, peut-être que je pourrais te trouver quelques amis grâce à eux.

– Je suis très bien comme ça, dit Timothy. J'aime être seul. »

Les filles et les garçons américains de son âge qu'il rencontra, surtout à la piscine découverte au bord de la rivière, semblaient appartenir à une autre race. Les garçons batifolaient dans l'eau comme des phoques, étrangement lisses et luisants avec leur tête ronde rasée et leur torse hâlé et musclé. Les filles aussi avaient tendance à être un peu épaisses et elles portaient des maillots de bain curieusement démodés avec des jupettes qui tombaient à mi-cuisses et qui se gonflaient quand elles se laissaient tomber dans l'eau, les deux pieds en avant. Ils arrivaient et repartaient en bandes énormes, garçons et filles tous ensemble, vêtus de tee-shirts de couleurs vives qu'ils portaient par-dessus leur jean, parlant fort sans aucun complexe – même s'il n'arrivait jamais très bien à comprendre ce qu'ils racontaient. Il avait l'impression que la communication avec eux devait être aussi difficile qu'avec les jeunes Allemands qu'il avait vus nager dans la rivière.

« Ils n'ont pas le droit en principe, lui fit remarquer Kate, comme ils se rendaient à la piscine après leur orgie de courses, mais on les comprend avec cette chaleur.

– Pourquoi ils n'ont pas le droit?

– La rivière est polluée. Il y a des risques de typhoïde. Les Américains ont réquisitionné l'unique piscine de la ville et les Allemands l'ont un peu amer. Il est question de leur en construire une nouvelle dans les faubourgs de la ville. »

Il fallait avoir sa carte P.X., bien sûr, pour entrer à la piscine. En quelques jours, Timothy avait développé un attachement superstitieux à ce petit carré de carton. Il était pour lui comme un talisman aux pouvoirs magiques qui lui ouvrait les portes d'un monde de privilèges et de plaisirs. Il avait une peur constante de le perdre et de se retrouver exclu de la chaleureuse protection des enclaves américaines. La piscine, le *Stadtgarten*, le P.X., la chambre de Kate, telles étaient ses bases, des positions sûres, bien délimitées, entre lesquelles il organisait soigneusement ses déplacements de la journée de façon à se trouver toujours proche de l'un ou de l'autre quand il avait besoin de se reposer ou de se désaltérer. Car, bien qu'il fût sensible à la beauté et au charme de Heidelberg et de son site, une sorte de malaise, un vague sentiment de danger ne le quittait jamais tandis qu'il flânait dans les rues parmi les Allemands. Les gens ne paraissaient pourtant pas particulièrement hostiles ou amers. Ils n'avaient même pas véritablement des airs de vaincus. Ils semblaient dans l'ensemble tout à fait ordinaires, correctement vêtus et bien nourris et ils vaquaient à leurs affaires en ville sans trop sourire peut-être, mais avec calme et assurance. Timothy entr'aperçut une seule fois l'Allemagne qui avait hanté son imagination. Ce fut une expérience qui l'affecta beaucoup.

Il remontait l'une de ces rues pavées derrière l'université qui conduisait au château. À mi-chemin, il y avait un petit renfoncement dans le mur à droite où un filet d'eau tombait dans une petite vasque en pierre. L'homme qui marchait devant Timothy s'arrêta pour boire; il se pencha et inclina la tête de côté pour recevoir l'eau directement dans sa bouche. C'était un jour où il faisait très chaud et la montée était épuisante. Timothy ralentit le pas avec l'intention de se passer un peu d'eau fraîche sur la figure et sur les mains sans toutefois prendre le risque de boire. Mais, comme il approchait, l'homme se tourna face à Timothy en s'essuyant la bouche avec le revers de sa main. C'était un visage marqué d'une brutalité si bestiale qu'en dépit de la chaleur Timothy fut glacé de peur. Un crâne bosselé, rasé, d'un gris métallique, de petits yeux injectés de sang, des narines évasées, des lèvres épaisses étirées en un rictus moqueur par une cicatrice qui descendait jusqu'à la mâchoire – il vit tout ça avant de s'écarter brusquement et de partir en trébuchant à l'assaut de la colline.

Il jeta un regard craintif par-dessus son épaule lorsqu'il arriva tout essoufflé en haut de la colline, mais l'homme avait disparu, probablement dans l'une de ces ruelles en pente qui partaient de chaque côté de la route. Timothy pénétra dans l'ombre rafraîchissante des jardins du château mais ne s'arrêta que lorsqu'il atteignit le parapet ensoleillé de la façade ouest. Il demeura là, assis, sentant la chaleur de la pierre à travers son pantalon. Les toits et les clochers de la ville miroitaient au-dessous de lui; de longues péniches plates descendaient et remontaient la rivière en passant sous les arches du vieux pont; quelque part, une horloge ou la cloche d'une église tinta. Il lui fallut pourtant un long moment avant de se laisser gagner par la sérénité du décor. La rencontre avec cet homme hideux avait eu sur lui le même effet que s'il s'était trouvé un jour d'été dans un jardin, et que, donnant un coup de pied dans une pierre, il avait découvert un nid d'insectes répugnants – on se met alors à se méfier de la surface riante des choses. Ce visage avait été l'image même d'un commandant de camp de concentration – la Bête de Belsen ou autre croque-mitaine qui avait paradé et grimacé dans les journaux et les cauchemars de son enfance.

C'était une vague de chaleur, disait Kate. On sentait venir la chaleur même au petit matin quand la brume montait encore de la rivière. Vers midi, le soleil dans le ciel clair cognait férocement et on prenait soin de marcher à l'ombre. Avec la chaleur, la piscine n'était plus un lieu d'exercice mais une oasis pour se reposer et se rafraîchir. Ce fut pour lui une étrange volupté que de vivre dangereusement dans la chaleur – de laisser le soleil l'étourdir et le déshydrater, puis de lui faire la nique en se glissant dans la piscine ou bien en laissant couler une boisson glacée au fond de la gorge, à l'ombre d'un arbre. Kate lui avait bien recommandé de ne pas s'exposer au soleil plus de quelques minutes au début, mais il avait hâte d'être aussi bronzé que les amis de Kate. À côté d'eux, il se sentait aussi blanc qu'une racine qu'on vient d'arracher de terre. L'après-midi de ce premier samedi, ils allèrent tout de suite prendre un bain, et Kate lui passa ensuite une crème solaire agréablement parfumée sur le dos et les épaules. Il s'allongea à plat ventre sur sa serviette, les yeux fermés pour se protéger de la lumière trop violente, se laissant pénétrer avec délice par des ondes entremêlées de chaleur et de fraîcheur. Son sang avait gardé la fraîcheur de l'eau, mais sa peau était déjà chaude sous le soleil; la crème solaire parfumée était glacée sur sa peau, mais la pression de la main de Kate qui le massait était chaude.

Il fit ensuite la même chose pour elle, à genoux près de son corps prostré, et lui enduit de crème le dos et les épaules. Sa chair était chaude et souple, elle clapotait sous ses mains comme l'eau contre un rocher. Il fut gêné quand elle lui demanda de lui passer de la crème derrière ses cuisses. C'étaient les attributs les moins jolis de sa personne, deux colossaux piliers de chair, survivance de la grosse Kath d'autrefois, et qu'elle cachait en temps normal sous ses jupes.

Presque tous les proches amis de Kate semblaient être à la piscine cet après-midi-là, regroupés en cercle : Greg et Vince, un couple américain, Melvin et Ruth Fallert, et deux collègues de bureau de Kate, Dorothy, une Australienne qui répondait au diminutif de Dot, et Maria, une Hollandaise. Mel et Ruth faisaient un couple bizarrement assorti. Lui était un type plutôt tranquille et costaud, un bel homme dans le genre grisonnant. Sa femme était petite, ronde et laide, et elle avait l'air grotesque. Elle était boudinée dans un maillot de bain lamé or, plusieurs tailles trop petites pour son corps potelé, et les ongles de ses orteils étaient peints du même ton or. Elle portait des lunettes de soleil dont les montures étaient incrustées de pierres synthétiques étincelantes et elle avait mis sur son nez, pour le protéger du soleil, un écran de plastique blanc pareil à un bec. Elle ressemblait à un petit oiseau grassouillet qui se serait empanaché de colifichets volés et, pour compléter le tableau, elle babillait sans cesse d'une voix crispante.

« Ruth est une vraie New-Yorkaise, murmura Kate à Timothy. Juive, bien sûr, mais elle a un cœur d'or. C'est son troisième mariage, et son second... »

Ruth était, certes, d'excellente compagnie et pleine d'humour, mais Timothy ne pouvait imaginer ce qui avait poussé Mel à l'épouser. Surprenant certains regards qu'il lançait à sa femme, Timothy soupçonna Mel de trouver cela également troublant.

Dot était une grande fille bronzée dont la silhouette parfaite était tristement trahie par un visage ingrat : des petits yeux assez rapprochés, un long nez, des dents de lapin qui avançaient en un sourire niais. Maria était une charmante petite personne aux cheveux raides coupés à la garçonne et au nez retroussé. Elle souriait tout le temps mais ses yeux avaient un petit air triste et inquiet comme si elle n'était pas sûre de plaire ou de bien faire partie du groupe.

Ruth s'amusait à faire des sortes de réussites, assise sur une serviette, ses jambes maigrelettes croisées sous son buste dodu comme un oiseau qui couve. Elle retourna une carte et fronça les sourcils.

« Jésus, il y a de quoi se tirer une balle dans la cervelle. »

Timothy se mit à rire.

« Pourquoi tu te marres, Timothy? T'as encore jamais entendu quelqu'un dire ça?

– Non.

– Ce n'est pas la dernière fois que tu l'entendras, je te garantis, dit Mel d'un ton maussade.

– Espèce de crâneur, dit Ruth.

– Dis, c'est vrai que tu as une nouvelle voiture, Mel? dit Greg.

– Ouais, c'est pour ça qu'il est si mal luné, dit Ruth. Un chauffeur handicapé lui a égratigné l'aile sur la Hauptstrasse ce matin. »

Vince pouffa de rire.

« Ruth! Un chauffeur handicapé, tu plaisantes?

– C'est pourtant vrai. Un pauvre bougre d'Allemand avec les jambes arrachées, ou les bras, ou autre chose. Il avait une espèce de voiture à commandes un peu spéciale, tu vois? Mel n'avait pas remarqué qu'il était infirme. Il a sauté de la voiture pour aller donner une raclée à ce sale Boche qui avait égratigné son aile, et c'est alors qu'il voit que le type est un vrai tas de quincaillerie, mains en acier et tout le bataclan. Mel s'est dégonflé comme un ballon. Pchchch! Comme un ballon. » Ruth gloussa d'une voix rauque.

« Je maintiens quand même qu'il ne devrait pas avoir le droit de circuler, dit Mel.

– C'est une voiture neuve, Mel ? demanda Kate.

– Ouais, une Olds toute neuve. On a été la chercher à Anvers le week-end dernier.

– On a logé dans un très grand hôtel à Bruxelles, dit Ruth. Comment il s'appelait déjà, chéri ?

– *Le Métropole.*

– Ouais, *Le Métropole.* Tu y as déjà été, Maria ?

– Non, dit Maria, en souriant. C'était bien ?

– C'était fabuleux.

– La note était fabuleuse aussi, dit Mel.

– Oui, mais ça en valait le coup, dit Ruth.

– Combien, Mel ? demanda Greg.

– Trente dollars la nuit.

– Eh ben ! s'exclama Dot de dessous son chapeau de paille.

– Par personne, ajouta Mel.

– Eh ben, eh ben, dit Dot, en soulevant son chapeau pour les dévisager. Vous avez dévalisé la banque de Baden ou quoi ?

– En parlant de Baden, dit Vince, on pensait, Greg et moi, aller y faire un tour le week-end prochain. Qu'est-ce que tu en penses, Kate ? Ça devrait intéresser Timothy. »

En quelques minutes, ils avaient constitué un groupe pour le week-end prochain. Il n'y avait que Maria qui ne pouvait pas venir. Elle demanda à Ruth si elle avait aimé Bruxelles, et un débat s'ouvrit alors entre eux pour savoir quelle était la capitale d'Europe la plus séduisante. Kath et Ruth choisirent Paris, Vince et Greg, Rome ; Maria préférait Vienne et Mel, Stockholm. Dot choisit Lisbonne, ce qui mit un terme à la discussion puisque personne d'autre n'y était allé.

Il y avait un café dans un coin de la piscine. Timothy prit les commandes et partit chercher les cocas, les glaces et les cafés avec un billet de cinq dollars que Vince lui avait donné. Quand il revint avec son plateau chargé, il eut la surprise de voir Don en train de parler avec Kate. Les autres le regardaient d'un air curieux. Il venait manifestement de sortir de la piscine car l'eau ruisselait encore sur son visage et sur son corps, plaquant bien droit les poils noirs sur ses jambes et formant une petite plaque d'humidité sur l'herbe. Lorsque Timothy arriva, Kath commençait à présenter Don à chacun de ses amis. Il avait une peau pâle, presque aussi blanche que celle de Timothy et il semblait gêné de se présenter ainsi tout mouillé, passant la main sur son maillot de bain pour tenter en vain de l'essuyer.

« Je suis en train de mouiller tout le monde, dit-il en s'excusant, mais ma serviette est de l'autre côté de la piscine.

– Tiens ! » Vince lui lança une serviette pliée que Don rattrapa au second essai, manquant de se heurter à Timothy qui portait son plateau.

« Merci ! Oh, salut, Timothy. Alors comme ça on se retrouve.

– Tu viens souvent ici, si je ne suis pas indiscret ? demanda Greg à Don. Je suis sûr de t'avoir déjà vu.

– Tu as pu me voir au Q.G. Je travaillais à l'intendance, là-bas.

– Tu veux dire que tu es soldat ?

– Je l'ai été. »

Kate intervint.

« Don a fini son service. Il enseigne à l'École de l'armée maintenant. »

Mel s'anima brusquement.

« Tu viens d'être démobilisé ?

– C'est cela.

– Alors, les meilleures années de ta vie sont derrière toi, mon pote.

– Ce n'est pas tout à fait comme ça que je vois les choses, dit Don avec un sourire.

– Il voit les choses différemment, bien sûr, dit Ruth d'un ton méprisant. C'est un type qui a de la culture... un prof, t'as pas entendu ?

– Bien sûr que j'ai entendu.

– Alors, qu'est-ce qu'il peut bien attendre de l'armée ?

– Un voyage gratuit en Europe ? suggéra Vince tranquillement.

– On est tout de même plutôt ligotés, dit Don.

– Eh bien, pour ma part, j'ai appris des tas de choses dans l'armée, dit Mel. Mais c'était la guerre. J'imagine que c'est différent maintenant.

– Ouais, raconte-nous ce que tu as fait pendant la guerre, papa, dit Ruth. Dis-nous comment tu as libéré Paris à toi tout seul.

– Tu as vraiment été au combat pendant la guerre, Mel? demanda Maria.

– Ouais, dit Ruth. Surtout dans le corps auxiliaire féminin, une unité non combattante.

– J'étais dans l'armée de Patton, dit Mel.

– J'ai essayé d'entrer dans le corps auxiliaire féminin, dit Greg, mais j'ai été recalé à la visite médicale.

– Moi, j'ai essayé d'entrer dans le corps auxiliaire féminin de la Royal Air Force et j'ai vraiment été recalée à l'examen médical, dit Kate. Mais je ne le regrette vraiment pas aujourd'hui! » Elle porta une bouteille de coca à ses lèvres et l'inclina vers le soleil.

« Comment cela? lui demanda Don.

– Eh bien, je ne serais pas ici autrement. Je serais sans doute en train de repriser mes chaussettes, de collectionner mes coupons de vêtements ou bien de rêver à une semaine en camp de vacances pour couronner l'année.

– Vous dressez un tableau plutôt lugubre de l'Angleterre, dit Don.

– C'est bien comme ça, non, vous qui en revenez?

– Oh, je ne sais pas. J'aime assez Londres.

– Je suis content d'entendre quelqu'un dire ça, dit Timothy. Personne n'a encore dit du bien de Londres jusqu'à présent.

– Aah, si c'est pas malheureux, dit Ruth, on a blessé Timothy. Mais si, moi, j'aime Londres, petit. C'est seulement que la nourriture y est vraiment infecte et qu'on n'y a pas encore inventé les glaçons.

– Dis-moi, Timothy, c'est comment ce Festival de Grande-Bretagne? dit Greg.

– Bigrement chouette.

– Ça vaut le coup de faire le déplacement?

– Je dirais que oui », répondit-il prudemment.

Timothy avait des sentiments très mitigés à l'égard de ce Festival. Sa famille, calquant son opinion sur le *Daily Express*, avait eu tendance à y voir l'exemple le plus manifeste de l'extravagance gouvernementale et s'était réjouie des scandales et des retards successifs pendant sa préparation. Mais quand, finalement, il avait visité l'exposition sur la rive sud en promenade scolaire, il avait été saisi d'un tel émerveillement et d'un tel bonheur que tout son scepticisme et son dédain avaient été balayés et qu'il y était retourné à plusieurs reprises. Mais, maintenant, dans ce cadre exotique, si loin de chez lui, au milieu de ces gens pleins d'esprit qui avaient beaucoup voyagé, le Festival semblait avoir encore perdu de son prestige. Il essaya de penser à quelque attraction susceptible d'intéresser ses nouveaux amis.

« On y danse le soir en plein air, dit-il.

– Exactement ! dit Dot. Une fille que je connais est allée à Londres il y a quelques semaines. Elle a dit que les gens dansaient sous la pluie.

– Ça a l'air dingue, dit Vince.

– Oh, personne n'était délirant, si c'est ce que tu veux dire. Il y avait juste quelques couples qui tournicotaient pesamment dans les flaques d'eau, une, deux, trois, en faisant comme s'il ne pleuvait pas.

– C'est ce qui a fait la grandeur de la Grande-Bretagne », dit Vince.

Kate se mit à rire.

« Tu as tout à fait raison. Danser sous la pluie – c'est typique.

– J'ai trouvé le Festival assez bien, quant à moi, dit Don. Étant donné le budget limité avec lequel ils ont dû se débrouiller, c'est un très bon spectacle.

– Est-ce que vous êtes allé à la fête foraine de Battersea ? » lui demanda Timothy.

Don hocha la tête mais sans grand enthousiasme.

« Navré de le dire, mais c'est quelque chose qu'on fait infiniment mieux aux États-Unis. Coney Island, par exemple...

– Coney Island ! Bon sang, ça me fiche le cafard, s'écria Ruth. Tu es de New York, Don ?

– Non, mais j'ai été à l'université là-bas. À Columbia.

– C'est une excellente université, ça, dit Ruth, très impressionnée.

– Vince a été à Yale, hein, je ne me trompe pas, Vince ? dit Kate.

– Ouais, mais j'en suis parti pour m'engager dans l'armée. Je n'y suis jamais retourné.

– Dommage », dit Don.

Il y eut un éclat de soleil dans les lunettes de Vince comme il se tournait vers Don.

« Je ne regrette rien.

– C'est parfait, alors, dit Don.

– Tu es originaire de quelle région, Don? demanda Mel.

– Mes parents se sont beaucoup déplacés: Chicago, Columbus, Philadelphie. Ils sont installés maintenant en Californie. »

Ruth leva les bras au ciel.

« En Californie! Tous les gens que je connais vont s'installer en Californie. Il ne reste plus à New York que des Noirs et des Portoricains, si je comprends bien.

– Tes parents doivent avoir hâte de te revoir, Don, dit Maria en souriant.

– Ils vont devoir patienter encore longtemps, je le crains. J'ai l'intention de faire un cycle de recherche en Angleterre avant de rentrer à la maison.

– Pourquoi tu ne le fais pas chez nous? demanda Mel.

– Oh, c'est une longue histoire. Dans mon domaine, les sciences politiques, on ne parle en ce moment que d'ordinateurs et de politique consensuelle. Je suis plutôt attiré par l'approche excentrique et moins technique qui se pratique en Angleterre. »

Il parla encore un peu de ses études, mais Timothy avait l'impression que personne, sauf Vince peut-être, n'arrivait à le suivre. Puis il dit qu'il fallait qu'il s'en aille. Il plia la serviette et la redonna à Vince, puis il repartit de son pas élastique, les épaules légèrement tombantes. Une fois arrivé de l'autre côté de la piscine, il leur fit un geste de la main.

« Charmant garçon, dit Dot. Où est-ce que tu les dégotes, Kate?

– Quand j'ai été chercher Timothy à la gare, il l'aidait à porter son sac. Je l'ai envoyé sur les roses – je croyais que c'était encore un de ces G.I. coureurs de jupons.

– Tu as peut-être vu juste, ma chère, dit Ruth. Il a l'air affamé d'un type en manque. S'il te fait peur, refile-le à quelqu'un. »

Kate rit.

« C'est davantage l'ami de Timothy que le mien. »

Ils s'attardèrent à la piscine jusqu'en fin d'après-midi, ce samedi-là. Dans la soirée, ils s'entassèrent tous dans l'immense voiture étincelante de Mel et remontèrent la vallée du Neckar jusqu'à une petite auberge où ils dînèrent. Plus tard, Kate raccompagna Timothy à sa chambre.

« Je viendrai te chercher demain matin, dit-elle. J'espère que ça ne t'embête pas de prendre un petit déjeuner tard. Je traîne souvent au lit le dimanche.

– À quelle messe tu vas d'habitude ? »

Kate parut un peu perplexe.

« Oh, évidemment, tu vas vouloir aller à la messe.

– Et pas toi ?

– Oh si, j'irai avec toi, bien sûr. Il y a une église près de chez moi, juste au coin de la rue. Il y a des messes toute la matinée sans interruption. »

C'est donc bien ça, pensa-t-il, tandis que la porte se refermait derrière elle et qu'il entendait le clic-clac de ses talons s'éloigner dans le couloir. Elle ne pratique plus. C'est pour ça qu'elle n'est pas revenue à la maison. Elle ne pratique plus et elle ne veut pas que papa et maman l'apprennent.

Timothy avait entendu dire bien des fois à l'école que le gros avantage de la liturgie latine c'était qu'elle demeurait la même dans le monde entier. Partout où on se trouvait, on pouvait toujours entrer dans une église catholique et se sentir à l'aise avec la liturgie – un privilège dont ne jouissaient pas les protestants. L'Église catholique était l'Église universelle : catholique signifiait universel. Il se rendit à la messe avec Kate, tout heureux à l'idée de pouvoir confirmer cette théorie par l'expérience. En fait, il trouva la messe d'une bizarrerie déconcertante.

Kate s'était un peu trompée d'heure et ils arrivèrent en retard. L'église était bondée et ils durent rester debout au milieu d'une masse de gens, tout au fond. C'était un vieil édifice, bourré de statues dorées et d'immenses peintures à l'huile très sombres qui ressemblaient davantage aux tableaux dans les galeries d'art qu'aux objets de piété ordinaires grossièrement peints qui décoraient l'église paroissiale en briques de chez lui. Ce n'était pas une grand-messe, mais il y avait cependant deux chanteurs à la tribune, un baryton et une soprano, qui chantaient de temps en temps, en solo ou en duo. Il n'aurait pu dire s'ils chantaient en latin ou en allemand, mais ce n'étaient certes pas le Kyrie, le Gloria et l'Agnus Dei qu'il connaissait. Tout ça ressemblait davantage à un concert à la radio sur B.B.C. 3 qu'à une messe, surtout quand quelqu'un se mit à jouer un long morceau de virtuose au violon, instrument qu'il n'avait jamais entendu auparavant dans une église. Kate quitta l'église à la communion et Timothy la suivit.

« Oh là là! s'exclama-t-elle lorsqu'ils se retrouvèrent dans la rue. On étouffait complètement là-dedans, tu n'as pas trouvé? J'étais incapable de tenir un instant de plus. »

Il n'osa pas faire remarquer que, techniquement, ils n'avaient pas assisté à la messe puisqu'ils étaient sortis avant les ablutions.

« J'ai besoin de prendre l'air, dit Kate. Allons jusqu'au sommet du Königstuhl, il fait toujours plus frais là-haut. On peut prendre le funiculaire à partir du marché au Grain. »

Ils prirent place dans le compartiment arrière de l'étrange petit train tout biscornu dont les compartiments étaient superposés en escalier les uns au-dessus des autres et regardèrent le long de la voie le terminus qui s'éloignait à une vitesse vertigineuse. La machine craquait et gémissait. Il sentait jusque dans ses os la force de gravité énorme qui s'exerçait sur le train. Et si le câble venait à se rompre... Il tourna la tête et contempla les fleurs sauvages qui se trouvaient sur les talus de chaque côté des rails en se demandant s'il n'était pas en état de péché mortel parce qu'il avait quitté la messe trop tôt.

Après qu'ils se furent promenés un peu sur le sentier au sommet du Königstuhl, il posa ouvertement la question à Kate.

« C'est pas que je ne pratique plus exactement, dit-elle. En fait, je vais de temps en temps à l'église, quand j'en ai envie. Je ne vois pas à quoi ça rime d'y aller autrement. J'ai trop connu ça au couvent.

– Tu fais tes Pâques?

– Non.

– Alors, tu n'es plus pratiquante », dit-il d'un ton ferme.

Kate se mordit la lèvre mais ne parut pas particulièrement perturbée. Ils se tenaient sur la terrasse près de la gare du funiculaire. La vallée du Neckar s'étalait au-dessous d'eux comme une carte représentant le relief dans la classe de géographie à l'école.

« Oh, Seigneur. Tu crois alors que je suis une damnée, Timothy?

– Bien sûr que non, dit-il, très mal à l'aise.

– Tu crois à l'enfer?

– On n'est pas obligés d'y croire, répondit-il de façon évasive. Avec les flammes et tout le bataclan.

– Je sais. La vraie souffrance, c'est d'être damné, c'est ça? Je me disais autrefois à l'école que ça ne me ferait rien si je pouvais être sûre que ce n'était que cela – je croyais pouvoir m'en accommoder. »

Timothy pouffa de rire, ayant eu, lui aussi, la même idée.

« J'imagine que tu aimerais autant que papa et maman ne le sachent pas ? » dit-il.

À sa grande surprise, elle sembla envisager le problème pour la première fois.

« Tu as sans doute raison. Ils ne comprendraient sûrement pas et ça ne ferait que les bouleverser. »

Non, finalement, ce n'était pas ça.

Don se montra en définitive un excellent guide pour visiter Heidelberg et, quand Timothy retrouva Kate ce soir-là, il avait la tête pleine de tous les renseignements qu'on lui avait prodigués.

« J'avais oublié que Heidelberg s'était trouvée au centre de la guerre de Trente Ans, lui dit-il pendant le dîner. On a vu ça en histoire en seconde. »

Ils étaient en train de dîner au Club des officiers et devaient ensuite aller jouer au Bingo.

« C'était quoi comme guerre ?

– Tu sais bien, au XVIIIe siècle, la succession du Saint Empire romain. Les catholiques contre les protestants.

– Qui a gagné ? »

Timothy réfléchit.

« Personne, en fait.

– Comme dans toutes les guerres, dit Kate.

– On a tout de même gagné la dernière, non ?

– Quelquefois, je me le demande... C'était il y a six ans seulement et aujourd'hui on est aux côtés de l'Allemagne contre la Russie. Qu'est-ce que tu prends comme dessert ? Une glace ? Noix et sirop d'érable, c'est très bon.

– Tu comprends, Frédéric, je crois que c'était Frédéric V, du Palatinat d'Heidelberg, il était protestant, et les protestants de Bohême ont voulu le faire empereur. C'est comme ça que la guerre a commencé. Frédéric a épousé Elisabeth, la fille de notre Jacques VI – c'est pour ça qu'une partie du château s'appelle l'aile anglaise, il l'a faite pour elle.

– Ma parole, tu en sais des choses, Timothy!

– C'est Don qui m'a dit tout ça.

– C'est très gentil de sa part d'avoir pris sur son temps.

– Tu sais, Kate, dit-il d'une voix hésitante, je crois que Don a un petit faible pour toi.

– Qu'est-ce qui te fait croire ça? dit-elle en souriant.

– Il a parlé de nous inviter tous les deux à sortir un soir avec lui. Je lui ai dit que je t'en parlerais. »

Kate fronça légèrement les sourcils.

« Hum, c'est un peu gênant.

– Pourquoi?

– Eh bien, tu comprends, j'ai mon propre cercle d'amis, ici, et Don ne va pas très bien avec eux.

– Pourquoi cela?

– C'est difficile à expliquer mais... eh bien, pour commencer, il est toujours un G.I., d'une certaine façon. Je sais, bien sûr, qu'il a été démobilisé, mais l'armée demeure son milieu tant qu'il reste à Heidelberg. Si je l'intègre dans notre cercle, il sera fatalement amené à rencontrer des gens, des officiers, etc., qui étaient autrefois ses supérieurs. Ça pourrait être gênant pour tout le monde. Heidelberg est un tout petit monde. Et, de toute façon, je ne crois vraiment pas qu'il ait grand-chose en commun avec nous. Nous ne sommes pas du genre intellectuel, sauf peut-être Vince, et, de plus, il n'est pas exactement ce qu'on appellerait... Je sais que j'y regarderais à deux fois avant de sortir avec Don. Je n'oserais pas ouvrir la bouche de crainte de me tromper de siècle en parlant de la guerre de Trente Ans. Bon, finis ta glace, sinon on va être en retard au Bingo.

– Mais qu'est-ce que c'est que le Bingo? »

Le Bingo se révéla être le jeu qu'on désignait en Angleterre sous le nom de *Housey Housey* mais ce nom différent semblait approprié, plus excitant et plus sophistiqué. Les joueurs étaient assis à des tables, en train de manger et de boire, et l'estrade croulait sous une montagne de lots de grande valeur qui étincelaient : réfrigérateurs, radios, grille-pain électriques, jouets et bouteilles d'alcool. Ni l'un ni l'autre cependant ne gagna quoi que ce soit, et Kate fut déçue.

« On aura peut-être plus de chance samedi prochain, à Baden, dit-elle. Quel est le numéro qui te porte chance?

– Je n'en ai pas », répondit-il.

En revenant dans le bus jaune qui cahotait, elle fit brusquement cette remarque :

« Ce serait plus facile s'il avait été officier – je parle de Don. Mais, en général, les appelés ne peuvent pas devenir officiers.

– Je ne crois pas qu'il aurait souhaité l'être. Il était objecteur de conscience. »

Kate parut sidérée.

« C'est ce qu'il m'a dit, cet après-midi.

– Qu'est-ce qui lui est arrivé, alors ?

– Eh bien, il a fait de la prison.

– De la prison ?

– Juste quelques jours. On n'a pas accepté qu'il soit objecteur de conscience parce qu'il ne pratiquait aucune religion. Apparemment, en Amérique, on est censé avoir une religion de toute façon.

– Il a changé d'avis, alors ?

– En quelque sorte. On ne tenait pas vraiment à le garder en prison, alors on lui a promis qu'il pourrait être un... comment on dit, un non...

– Un non-combattant ?

– C'est ça. Alors, il a décidé de se soumettre.

– Tu parles d'une histoire ! Pourquoi était-il objecteur de conscience ? »

Timothy haussa les épaules.

« Je ne lui ai pas demandé. Il croit, sans doute, que la guerre est un mal, quelque chose comme ça.

– Peut-être qu'il ne voulait pas, tout simplement, être envoyé en Corée, dit Kate, d'un ton un peu sévère.

– Eh bien, on ne peut pas lui en vouloir. Tu as dit toi-même que la dernière guerre n'avait abouti à rien.

– Je n'ai pas dit ça. Ce que j'ai dit, c'est que... oh, je ne m'en souviens pas, s'exclama-t-elle, irritée. Mais je pense que quand un homme est appelé dans l'armée, il doit en tirer le maximum. »

Il y eut entre eux un long moment de silence. Timothy se demanda pourquoi il avait essayé de défendre Don puisqu'il était plutôt enclin à avoir sur les objecteurs de conscience la même opinion que Kate.

« Que vas-tu faire demain? demanda-t-elle au bout d'un moment.

– Je vais me promener avec Don. Il a parlé du chemin de la Philosophie ou quelque chose comme ça.

– Oh, le chemin des Philosophes. De là-haut, on a une magnifique vue sur la ville. »

Il s'était presque totalement accoutumé à vivre au foyer. La sortie du matin constituait l'épreuve la plus délicate. Il attendait habituellement jusqu'à neuf heures, mais, malgré tout, le risque que quelqu'un le vît sortir de la chambre de Dolores existait toujours. Généralement, il y avait deux ou trois femmes de ménage qui passaient la serpillière sur le carrelage dans le hall d'entrée lorsqu'il sortait de l'ascenseur. Elles s'asseyaient sur leurs talons pour essorer leur serpillière et il sentait leurs regards furtifs et curieux se poser sur lui tandis qu'il passait près d'elles. Peut-être pensaient-elles qu'il avait passé la nuit avec l'une des filles du foyer, se disait-il. L'idée l'amusait, le gênait et le piquait tout à la fois. Il avait récemment enrichi son expérience, mais pour ce qui était du sexe, ces ajouts constituaient des abîmes qui masquaient plus de choses qu'ils n'en révélaient. La chose la plus étonnante peut-être qu'il avait apprise, le tout premier soir, c'était qu'une femme pouvait prononcer à haute voix le mot interdit, dans le feu de l'amour ou du plaisir.

Les deux soirs suivants, il ne toucha pas à la porte du placard et la laissa fermée. Le troisième soir, il l'ouvrit de nouveau. Il n'entendit aucun bruit. S'enhardissant, il se glissa à l'intérieur et ferma la porte presque complètement sur lui. Aussitôt, il entendit le son d'une radio. Tout en haut, dans le coin du placard, il y avait une petite fente dans le plâtre qui laissait passer la lumière. Les bruits de la chambre d'à côté arrivaient évidemment par ce trou et résonnaient dans le placard quand la porte était fermée.

Le soir suivant, il écouta encore avant d'aller au lit, et encore le soir d'après. Mais il entendit seulement la femme aller et venir dans la pièce, ouvrir et fermer les tiroirs, faire couler de l'eau dans le lavabo, allumer la radio, remonter un réveil. Le soir suivant, il n'entendit rien d'abord, et il s'apprêtait à quitter le placard quand il entendit la femme entrer dans la chambre. Elle était accompagnée d'un homme, pas le même que la fois précédente, pensa-t-il. Ils étaient apparemment très gais et un peu ivres. La femme ne cessait de dire *chut!* et gloussait constamment. Il entendit une bouteille tinter contre un verre. Les voix baissèrent pour ne plus être qu'un murmure interrompu de temps à autre par un gloussement ou un gros éclat de rire. La lumière disparut derrière la fente du mur. Il attendit en retenant son souffle que tout recommence : les gémissements de plaisir et de douleur de la femme, les non, non, non, puis, le oui, le mot cru de l'abandon. Mais il entendit seulement l'homme haleter et répéter plusieurs fois *Oh Seigneur!* comme quelqu'un qui lutte et prie. Il y eut un moment de silence et, alors, la femme dit : « *Tu peux me passer le paquet de cigarettes?* » et l'homme dit : « *Je suis désolé, chérie, vraiment désolé* », et elle dit : « *Laisse tomber* », et il dit : « *J'ai trop pris de ce satané bourbon* » et elle bâilla, et il dit : « *J'y comprends rien,* » et elle dit : « *Chéri, je suis fatiguée, je crois que tu ferais mieux de partir* », et l'homme dit : « *Peut-être que si on attend un peu* », et la femme dit d'une voix agacée : « *Écoute, n'y pensons plus, ça peut arriver à tout le monde* ». Puis la fente s'éclaira à nouveau et il entendit les robinets couler et l'homme qui discutait à voix basse d'un ton hargneux, et la femme qui répondait d'une voix dure et sèche. Finalement, une porte s'ouvrit et se referma, il n'y eut plus aucun bruit dans la pièce, sauf le fracas d'un flacon tombant dans le lavabo et les jurons de la femme. Timothy sortit du placard déboussolé et frustré. Il essaya de mettre en images ce qu'il avait entendu, mais ses spéculations tournèrent court et se réduisirent à des points de suspension, comme les passages intéressants dans les livres de poche qu'il avait dénichés sur les étagères de Dolores.

Au fil de sa rêverie, il dota peu à peu la femme d'à côté de traits physiques particuliers. Il la recréa à partir des mots et des expressions qu'il associait à l'amour charnel. Elle était voluptueuse, ses seins ressemblaient à de gros fruits mûrs, ses cheveux d'un noir bleuté étaient brillants et relevés au-dessus de la nuque, ses gestes étaient langoureux, et ses lèvres faisaient une moue sensuelle. Il eut comme un choc quand il la vit en chair et en os. Ils étaient, Kate et lui, dans l'ascenseur – elle était venue le chercher pour partir à Baden-Baden – au moment où la femme était sortie de sa chambre. L'ascenseur était déjà en train de descendre quand elle apparut. Du niveau où il se trouvait, presque au ras du sol, il aperçut des jambes maigres comme des bâtons plantés dans des chaussures hautes à semelle compensée, une longue silhouette maigrichonne serrée dans un tailleur vert chou, un visage triangulaire et blanc et une mèche de cheveux roux filasse qui lui cachait un œil. Puis elle disparut. Ce n'était pas exactement, selon la terminologie de la bibliothèque de Dolores, un corps fait pour l'amour, mais c'était pourtant, d'une certaine façon, un corps saisissant et provocant. Il jeta un petit coup d'œil en direction de Kate mais elle n'avait pas spécialement remarqué la femme.

« J'espère que tu as bien dormi, dit-elle, la journée va être longue.

– Je dors toujours bien.

– C'est calme ici la nuit?

– Oh, oui, très calme », dit-il avec assurance.

Deux voitures étaient garées devant le foyer : la Mercedes de Vince à la blancheur laiteuse, avec sa capote repliée, et l'énorme Oldsmobile grise toute neuve de Mel Fallert. Mel était penché en avant sur son siège, le menton appuyé sur le volant, et faisait ronfler son moteur, gaspillant l'essence avec désinvolture. Dot salua de la banquette arrière tandis que Kate et Timothy sortaient du foyer, et Ruth sauta de la voiture pour les accueillir.

« Salut, Kate! Salut, Timothy! Que dites-vous de ma tenue de voyage? »

Elle était tout habillée de bleu, d'un bleu électrique – pantalon, pull, sandales à talons hauts et casquette de base-ball à longue visière. Même ses boucles d'oreilles étaient bleues – deux grands disques sur lesquels un numéro en or était appliqué.

« Splendide, Ruth, dit Kate poliment. Où as-tu trouvé ces boucles d'oreilles?

– Tu ne vois pas ce que c'est? » Ruth pencha la tête d'un côté comme une perruche. « C'est chou, hein?

– Ma parole, ce sont des jetons! Des jetons de casino!

– Exactement. Des jetons de cent marks. Je les ai rapportés avec moi la dernière fois qu'on a gagné à Baden. Mel était furieux. Il a dit : " Il n'y a vraiment que ma femme pour mettre deux cents marks dans une paire de boucles d'oreilles en plastique ". » Elle se mit à rire de son rire rauque et croassant.

On palabra un moment pour savoir qui irait dans quelle voiture. En définitive, Timothy se vit accorder le privilège de voyager avec Vince, et le reste du groupe monta dans l'Oldsmobile.

« Attention, pas d'excès de vitesse, Vince, l'avertit Kate.

– O.K., chérie. »

Les limitations de vitesse étaient très strictes pour les conducteurs américains en Allemagne, expliqua Vince, à cause du taux élevé d'accidents. Parfois, il passait la frontière française rien que pour avoir le plaisir d'appuyer sur le champignon. Mais même à la vitesse autorisée, la décapotable aux lignes effilées donnait une sensation enivrante de vitesse, et, quand ils se retrouvèrent au cœur des montagnes de la Forêt-Noire, sur la route qui serpentait en lacets, Vince ne ralentit pas. Le long capot blanc semblait pointer tout droit vers un mur d'arbres incurvé qui tournoyait en un flou continu autour de Timothy, tantôt d'un côté, tantôt de l'autre. Il fermait parfois les yeux, mais il garda toujours pleinement confiance dans la conduite de Vince. Niché au creux de ce siège profond et moelleux, il eut l'impression d'être une pièce faisant partie intégrante de la voiture et que la voiture elle-même était l'extension des mains basanées et puissantes de Vince. Aucune tension n'apparaissait sur son visage sauf peut-être un léger rictus euphorique sous sa moustache blonde.

Au bout de quelque temps, Vince ralentit l'allure pour permettre aux autres de les rattraper. Le bruit du moteur et le souffle de l'air diminuèrent et rendirent possible la conversation. Ils se mirent de nouveau à parler de Hitler et des nazis.

« Personne n'a expliqué, pour autant que je sache, le personnage de Hitler de façon satisfaisante, dit Vince. C'est un mystère, une énigme. À quoi penses-tu quand je dis, *Hitler* ?

– J'sais pas, dit Timothy. Je crois que je pense à son visage – à sa moustache en brosse et à sa mèche de cheveux, évidemment.

– Très bien, dit Vince comme s'il était en train de soumettre Timothy à une sorte de test. Et ce visage, est-ce qu'il a quelque chose d'un visage humain ordinaire?

– Non, pas vraiment. On dirait plutôt un masque de carnaval.

– Un masque, exactement! On a beau regarder tout un tas

de photos différentes de Hitler, on a toujours l'impression d'un masque. Jamais une expression humaine. Toujours cet air figé, glacé, même quand il sourit, ce qui est plutôt rare. On ne trouve jamais ça chez les autres chefs de guerre : Churchill, Roosevelt, Staline. On a toujours le sentiment que c'étaient des humains en même temps que de " grands hommes " entre guillemets. Hitler semble toujours ridicule sur les photos.

– Il me terrifiait autrefois, dit Timothy. Je rêvais de lui.

– Ouais, il était terrifiant aussi. Ridicule en même temps que terrifiant. Il était si ridicule qu'il n'était plus drôle du tout, tu vois ce que je veux dire? Prends les caricaturistes – il a dû paraître une véritable manne pour eux, avec sa petite moustache et tout le reste, mais, en fait, personne n'a vraiment réussi à le caricaturer. Il était déjà en soi une caricature.

– Dans ce cas-là, dit Timothy, pourquoi les Allemands lui ont-ils obéi?

– Oh, dit Vince en souriant, tu viens de poser la question à soixante-quatre mille dollars... Le plus curieux avec Hitler, si on met noir sur blanc ce qu'il a accompli jusqu'en 1942 environ, c'est que non seulement il a relevé l'Allemagne mais il s'est aussi rendu maître d'une bonne partie de l'Europe. Eh bien, si l'on prend en compte ce bilan, il apparaît comme une sorte de génie, comme Napoléon ou Alexandre le Grand, tous ces grands types. Mais quand on y regarde de plus près, qu'on examine l'homme lui-même pour essayer de comprendre comment il a fait ça, alors tout se volatilise complètement. On a affaire alors à un petit homme grincheux, sans éducation, sans humanité, sans racines, sans idées personnelles, tout simplement creux, un homme creux qui débite des slogans fous où il est question de sang et de fer, et du *Volk*, et des Juifs qui pactisent avec les communistes... Il n'avait même pas de vice – il ne fumait pas, ne buvait pas... Tu sais comment il se défonçait?

– Non?

– À coup de choux à la crème. De choux à la crème, bon Dieu! À chaque fois qu'un pays s'effondrait, tous les nazis sortaient célébrer l'événement avec du café et des choux à la crème.

– Et Eva Braun dans tout ça? dit Timothy.

– Ah, Eva Braun... Je me suis souvent demandé si Hitler l'a jamais sautée. Tu savais qu'il n'avait qu'une couille?»

Un klaxon de voiture retentit comme un vrombissement d'orgue derrière eux. Vince jeta un coup d'œil dans son rétroviseur.

« Ils nous ont rattrapés. »

Timothy se retourna et aperçut la superbe voiture grise qui se balançait doucement sur ses ressorts comme un radeau. Kate, assise sur le siège avant entre Mel et Ruth, sourit et fit un signe de la main. Pour la énième fois, il examina mentalement les questions à propos de sa sœur, ces questions qu'il avait apportées avec lui en Allemagne, en même temps que sa veste de sport en Harris tweed et ses quatre slips de rechange. Le fait qu'elle n'était plus catholique pratiquante permettait d'imaginer plus facilement qu'elle avait une aventure amoureuse illicite, mais si tel était le cas, avec qui? Vince paraissait le candidat le plus plausible – même lui, Timothy, subissait le charme magnétique de sa beauté blonde et de ses manières désinvoltes pleines d'assurance face à la vie. Mais le problème était justement là : même si Kate s'était un peu arrangée physiquement, elle n'était toujours pas d'une beauté transcendante et elle ne le serait jamais, comme était forcé de le reconnaître Timothy. Pourquoi Vince, lui qui n'avait sûrement qu'à claquer des doigts pour qu'une fille qui lui plaise vienne se jeter dans ses bras, pourquoi irait-il jeter son dévolu sur cette pauvre vieille Kate, avec ses seins presque trop gros et ses jambes décidément trop grosses? Certes, Kate n'avait apparemment pas de rivale, et Vince semblait passer presque tout son temps libre avec elle – mais toujours en compagnie de Greg et souvent aussi d'autres amis. S'il y avait vraiment quelque chose entre eux, ne souhaiteraient-ils pas avoir plus d'intimité? Mais il n'avait jamais senti que sa présence à lui fût pour eux une gêne ou un fardeau; ou, s'il l'avait senti, c'était par rapport à eux trois. Il n'y avait rien qui pût trahir une complicité entre Kate et Vince qui n'impliquât aussi Greg. Peut-être qu'ils étaient alors tous les deux amoureux de Kate et qu'elle ne voulait pas ou ne pouvait pas choisir entre eux deux? Si c'était le cas, ils vivaient leur rivalité avec une sérénité remarquable. Mais alors, se pouvait-il – l'idée lui traversa brusquement l'esprit – que tous les deux soient ses amants, qu'ils la partagent entre eux? Il essaya d'imaginer comment un tel arrangement pouvait se faire dans la pratique, et fut surpris de constater combien il était peu choqué par cette idée.

Tout semblait si étrange et si nouveau pour lui ici, tout le monde semblait vivre selon des idées si différentes de celles qui prévalaient chez lui, qu'on pouvait presque tout imaginer.

« Pourquoi est-ce qu'on appelle ça le chemin des Philosophes ? demanda-t-il à Don.

– J'imagine que ç'a toujours été la promenade favorite des professeurs de l'université. Un endroit idéal pour méditer sur les vérités éternelles.

– Ça monte dur.

– On va arriver sur du plat dans peu de temps. »

Ils grimpèrent en silence le dernier raidillon du chemin. Il y a quelques années, à l'école, un garçon avait demandé en classe ce que signifiait le mot *philosophe*, et le maître avait dit qu'un philosophe était un homme qui essayait d'expliquer ce qui était réel et ce qui était vrai. Certains philosophes avaient cru que rien n'était réel, eux-mêmes y compris. La classe avait éclaté de rire.

« Nous y voilà », dit Don, comme ils débouchaient sur un sentier plat. Ils se reposèrent un moment, appuyés à un muret de pierres, et regardèrent le château tout en bas, loin de l'autre côté de la rivière. De n'importe quel point de vue, Heidelberg composait une sorte de tableau naturel. Don montra du doigt les bâtiments de l'université.

« À quelle université vas-tu aller, Timothy ?

– J'sais pas. Il est possible que je n'y aille pas du tout. Mon père voudrait que je fasse plutôt un apprentissage.

– Quel genre d'apprentissage ?

– Comme dessinateur chez un architecte.

– Tu pourrais étudier l'architecture à l'université, non ?

– Hum ! Mais il faut être terriblement bon pour y entrer.

– Eh bien, qui sait, peut-être que tu es terriblement bon. »

Timothy ne fit aucun commentaire, et Don poursuivit :

« Si tu étais architecte, que voudrais-tu bâtir ?

– J'sais pas. Des églises peut-être.

– Des églises ? Don parut amusé.

– Et pourquoi pas des églises ? dit Timothy, se sentant attaqué.

– Rien. Rien du tout. Je me demande simplement si on a besoin d'avoir d'autres églises.

– En Angleterre certainement – des églises catholiques en tout cas. Celles que nous avons sont pleines à craquer.

– Si j'étais architecte, je me lancerais dans la construction d'écoles et d'universités – ce sont les églises et les cathédrales de notre temps. Tu as de la chance, je trouve, d'avoir grandi juste au moment où le système éducatif britannique commençait à se développer.

– De la chance, c'est pas ce que je dirais. Ils ne m'ont pas laissé passer mon *O-level* alors que j'étais prêt.

– Qui ça, ils?

– Ce gouvernement pourri, bien sûr. »

« Hitler », dit Vince, en négociant en douceur un virage en épingle à cheveux avec la Mercedes, « on se sent obligé d'une certaine façon de l'admirer. C'était un parfait esprit nihiliste. La mort et la destruction. Et il a été logique avec lui-même jusqu'au bout. Tu sais ce qu'il a dit? " Il se peut qu'on soit anéantis, mais si ça arrive, on entraînera avec nous tout un monde, un monde en flammes ". Bon Dieu, c'est ce qu'il a fait! Si tu avais vu Berlin en 45. Un monde en flammes. Le *Götterdämmerung*.

– Qu'est-ce que ça veut dire? demanda Timothy.

– *Le Crépuscule des Dieux*. C'est un opéra de Wagner. Hitler aimait beaucoup Wagner.

– *Le Crépuscule des Dieux* », répéta Timothy lentement. Les mots avaient quelque chose d'étrangement troublant.

« L'opéra se termine avec... comment déjà... Brunehilde qui se jette sur le bûcher funéraire de Siegfried.

– Le cadavre de Hitler n'a-t-il pas été brûlé avec celui d'Eva Braun?

– En effet. Dans le jardin de la chancellerie, les Russes n'étant qu'à quelques centaines de mètres de là. Il y avait des bâtiments qui brûlaient, des bombes qui explosaient partout. Il ne manquait plus que la musique. Et tu sais quoi? Le type qui les avait mariés s'appelait Wagner. C'est une drôle de coïncidence, non?

– Mais on n'a jamais retrouvé les corps, pas vrai?

– C'est ce que prétendent les Russes. » Vince sourit et glissa un regard en coin vers Timothy. « Tu penses qu'il est peut être encore en vie, terré quelque part?

– Non », dit Timothy en regardant les arbres qui déferlaient sans fin en vagues denses et impénétrables. Où est-ce qu'il avait lu, où est-ce qu'il avait entendu cette histoire à propos de Hitler et de ses acolytes qui, déguisés en nonnes, s'étaient cachés dans un couvent? Il n'arrivait pas à se souvenir. Un nuage passa devant le soleil et obscurcit le feuillage. Il comprit pourquoi on appelait ça la Forêt-Noire.

Don éclata de rire.

« Tu es un vrai petit Tory, n'est-ce pas, Timothy?

– Pas vraiment, dit-il. Mais Attlee est une telle lavette. Ce serait bien si Churchill était Premier ministre.

– Tu admires Churchill?

– Il a gagné tout simplement la guerre, dit Timothy. C'était vraiment dégoûtant de le dégommer.

– Aucun autre pays au monde n'aurait fait ça. Voilà pourquoi c'était formidable.

– Formidable? Moi, j'appelle ça dégoûtant.

– Mais tu te rends compte de ce que ça veut dire, Timothy? Aucun autre pays au monde n'aurait voté contre un homme qui venait de le conduire à la victoire, et, qui plus est, dans une guerre pareille. Tu vois les Allemands faire ça, si bien sûr ils en avaient eu la possibilité? Ou les Français? Ou les Américains? Ça veut dire que, vous autres les Britanniques, vous mettez la politique au-dessus du patriotisme, voilà ce que ça veut dire. C'est aussi pour ça que vous ne pourrez jamais avoir de dictature en Grande-Bretagne.

– Et en Amérique alors?

– Nous avons un prétendant à ce poste, dit Don. Son nom est McCarthy. »

Baden-Baden était une ville de villégiature aux bâtiments multicolores, pleine de pelouses, de parterres, de jets d'eau et de drapeaux. Une rivière étroite au cours cahotant traversait le centre de la ville en une succession de petites chutes et on entendait partout le gargouillis de l'eau. Baden se trouvait dans la zone française et les soldats français maigrichons et souffreteux, avec leurs uniformes trop serrés ornés de parements violets, se mêlaient aux civils qui prenaient le soleil ou flânaient au bord de la rivière.

Ils prirent une chambre dans un hôtel situé à mi-hauteur le

long d'une des rues pavées très en pente du centre-ville, un hôtel qui affichait un luxe un peu désuet et compassé. Les épais tapis et les hauts plafonds étouffèrent les bavardages fébriles du groupe, et les lourds miroirs au cadre doré devant lesquels ils passaient le long des couloirs interminables semblaient leur renvoyer avec un air de reproche l'image de leurs tenues de sport bariolées. Timothy avait une chambre pour lui tout seul avec une salle de bains attenante. La baignoire avait trois robinets différents sur lesquels était écrit *Brause*, *Süßwasser* et *Thermalwasser* ; et, sur le mur, il y avait un gros thermomètre avec une poignée en bois et un sablier. Il était en train de s'amuser avec cet instrument, totalement fasciné, lorsque Kate vint le chercher pour partir au club de golf. En route, elle lui montra le casino, un imposant bâtiment néo-classique tout blanc à colonnes corinthiennes, d'une sobriété et d'une raideur inattendues. Il s'attendait à quelque chose de plus tapageur.

Le golf se trouvait sur les contreforts des collines à environ trois kilomètres de la ville. Ils déjeunèrent à la terrasse du club qui dominait le dernier green et où les tables, sous des parasols rayés de couleurs gaies, étaient tendues de nappes blanches. Des accents allemands, français et américains se mêlaient au bruit des couverts qui s'entrechoquaient doucement et au cliquetis des verres. Les longs fairways verts s'étalaient en dessous d'eux et il remarqua à gauche un petit hôtel en bois, enfoui dans les arbres qui montaient jusqu'au rebord du toit, avec une petite piscine ovale qui scintillait au soleil.

« Ça c'est la grande vie, hein, Timothy ? » dit Kate.

Ils commandèrent des truites avec de la salade et des pommes de terre sautées. Vince suggéra de prendre du vin blanc pour accompagner le repas.

« Je prendrai simplement une bière, dit Mel. N'oubliez pas qu'on joue au golf cet après-midi.

– Qu'est-ce qu'on en a à foutre, dit Ruth. Je ne peux déjà pas taper dans la balle quand je suis à jeun, alors j'ai pas grand-chose à perdre. »

Mel et Vince étaient des golfeurs passionnés et jouèrent l'un contre l'autre. Les autres organisèrent un double, Kate et Greg jouant contre Dot et Ruth. Dot semblait être une joueuse assez talentueuse. Les autres étaient des débutants et Timothy les classa rapidement en ordre décroissant selon leur compétence : Kate, Greg, Ruth. Ils louèrent des petits chariots pour porter leurs sacs de golf et Timothy proposa à Kate de tirer le sien.

Vince et Mel donnèrent un coup sec dans leurs balles qui montèrent très haut et retombèrent tout droit sur le fairway, puis ils repartirent à grandes enjambées, côte à côte. Il fallut aux autres beaucoup plus de temps pour décoller du premier tee et leur progression sur le court fut lente et confuse. Ils balancèrent leur club et ratèrent, ils arrachèrent de grosses touffes de gazon, ils perdirent une quantité de balles dans le rough ou les envoyèrent sur le fairway d'à côté et se retrouvèrent mêlés au jeu de leurs voisins. Ils rigolèrent, jurèrent et essayèrent de tricher en comptant les points.

Timothy s'ennuya beaucoup jusqu'au moment où Kate lui permit de jouer à sa place. Il s'était beaucoup exercé à taper dans une balle de golf sur le green municipal tout bosselé de Worthing, et, grâce à son adresse, Kate et Greg se mirent à rattraper Dot et Ruth.

« Tu es formidable, dit Kate à Timothy qui venait de réussir un putt de cinq mètres. Tu devrais te mettre à faire du golf. »

Greg, allongé dans l'herbe du talus qui entourait à moitié le green, applaudit.

« Cette herbe, c'est du vrai velours, on ne peut pas rater, dit Timothy modestement.

– C'est en fait l'un des plus beaux terrains de golf d'Europe, dit Kate. Les golfeurs viennent du monde entier pour jouer ici. Attention ! »

Timothy baissa la tête juste comme une balle lui sifflait aux oreilles et allait se perdre dans les hautes herbes de l'autre côté du green. Ruth émergea d'un bunker en boitillant, une cigarette pendue à ses lèvres, sa casquette de base-ball toute de travers.

« Hé, vous avez vu ça un peu ? J'ai réussi à taper dedans ! Chouette ! » Elle fronça les sourcils et regarda autour d'elle, les mains sur les hanches. « Où diable est-elle donc passée ? Ne me dites pas qu'elle est allée droit dans le trou ?

– Peut-être que si, Ruth, dit Greg. Mais pas dans celui-ci. Va voir dans l'un des autres trous.

– O.K., tu te prends pour Sam Snead mais tu ne t'en tires pas si bien que ça. Seigneur, comme il fait chaud ! » Elle s'assit sur le green, enleva sa chaussure droite et remua ses doigts de pieds. « Ces chaussures neuves me font affreusement mal.

– Cette piscine a l'air formidable, vous ne trouvez pas ? dit Dot en regardant vers l'hôtel que Timothy avait déjà remarqué auparavant. Et personne ne semble l'utiliser.

– Une piscine ? Quelqu'un a parlé d'une piscine ? dit Ruth en gloussant. Emmenez-moi vers cette piscine. Portez-moi.

– De l'eau, de l'eau, gémit Greg d'une voix rauque en rampant à quatre pattes dans l'herbe du talus.

– Qu'en dites-vous, les copains ? dit Ruth. Et si on arrêtait la partie et qu'on allait se baigner ?

– Mais on n'a pas de maillots, fit remarquer Kate.

– C'est pas le moment d'être prude, dit Greg. Et puis, j'ai toujours voulu voir Ruth à poil.

– Eh bien, vieux pote, t'as encore rien vu ! dit Ruth, ravie, de sa voix croassante.

– Ils nous prêteront peut-être des maillots, dit Dot. Je ne dirais pas non à une petite trempette.

– Mais qu'est-ce qui vous fait croire qu'on va nous permettre de nous baigner ? dit Kate. Après tout, c'est une piscine privée. »

Le directeur de l'hôtel fit d'abord non de la tête d'un air stupéfait mais, après que quelques billets eurent changé de mains, on leur permit d'utiliser la piscine et on leur fournit des maillots de bain. Les maillots étaient démodés et ne leur allaient pas du tout et, quand ils sortirent des cabines, ils avaient tous une telle allure qu'ils partirent d'un grand fou rire.

« J'espère que vous avez gardé votre soutien-gorge sur vous, les filles, dit Ruth. J'ai essayé ce maillot sans : pendant quelques horribles instants, j'ai cru que j'avais tout perdu. » Elle fit comme si elle cherchait ses seins, se tâtant comme un homme à la recherche de son portefeuille.

Ils commandèrent du thé glacé pour boire pendant qu'ils se séchaient au soleil. Les ombres étaient déjà longues lorsque Mel et Vince arrivèrent ; ils paraissaient avoir très chaud.

« Qu'est-ce que tu fais ici, bon Dieu ? demanda Mel à sa femme. J'ai fait tout le putain de golf pour te trouver.

– Il a perdu, dit Ruth. Tu as perdu, mon petit chou, pas vrai ? Mon intuition féminine me le dit. »

Vince confirma cette supposition :

« Trois à deux. J'ai proposé qu'il s'entraîne un peu avant qu'on commence, mais il a été trop fier pour accepter mon offre.

– Mon handicap est le même que le tien, grommela Mel. C'était tout simplement pas mon jour. J'ai joué comme une ganache.

– Tu devrais demander à Timothy de te donner des cours, dit Ruth. C'est vraiment lui le meilleur.

– Où avez-vous dégoté ces maillots de bain?

– Un charmant monsieur de l'hôtel nous les a donnés.

– On dirait qu'il est allé les chercher au musée des horreurs.

– Tu es jaloux, c'est tout, mon petit cœur. Va plutôt en chercher un et viens nous rejoindre!

– Allez viens, il est tard.

– Il serait peut-être temps de partir, dit Vince. Sinon, on ne pourra jamais aller au casino ce soir.

– Il fallait le dire plus tôt », dit Ruth, en se relevant brusquement.

« Vous n'aimez pas les amis de Kate, je me trompe? » dit Timothy.

Don parut un peu surpris.

« J'imagine que c'est réciproque.

– Mais pourquoi ça? »

Don donna l'impression qu'il allait parler, mais il hésita. Ils continuèrent à marcher en silence, accompagnés seulement par le bourdonnement des insectes dans l'herbe le long du chemin des Philosophes et par le murmure de la circulation qui montait de la ville loin en dessous.

« Laissons tomber le sujet, finit-il par dire. Ce sont les amis de ta sœur, après tout.

– Je ne lui dirai pas », dit Timothy.

Don eut un grand sourire.

« Il n'empêche que j'aime bien ta sœur. C'est réciproque?

– J'sais pas... Je le pense. Vous ne trouvez pas qu'elle est trop grosse?

– Non, dit Don, en riant. Je ne trouve pas qu'elle est trop grosse. Tu peux lui dire ça, si tu veux. »

Ils retournèrent à l'hôtel pour prendre une douche et se changer; puis ils reprirent les voitures pour aller à un petit restaurant que Vince et Greg avaient découvert dans les montagnes. C'était une vieille petite auberge au toit biscornu qui ne pouvait recevoir que vingt convives, et Greg dit qu'il fallait réserver sa table plusieurs jours à l'avance. Le repas paraissait ne pas en finir; il y avait au menu de la venaison – selon Vince, le gibier avait été abattu à l'arc dans la Forêt-Noire – , et de l'omelette flambée au rhum, ce qui donna le hoquet à Dot. *Excusez-moi*, répétait-elle constamment, et Greg leur demanda s'ils connaissaient l'histoire de cet Américain qui assistait à un dîner à Paris au cours duquel l'une des dames avait lâché un pet.

« Un Français, qui était assis à côté de cet Américain, se leva et s'excusa. " *Pourquoi vous excusez-vous, ce n'est pas vous qui avez pété* ", lui glissa à l'oreille l'Américain. " *Ah, M'sieur* ", dit le Français, " *dans ce pays, la tradition veut qu'on soit galant.* " Quelques minutes plus tard, la même dame lâcha un nouveau pet. L'Américain se leva brusquement et dit : " *Les amis, mettez celui-là sur mon compte !* " »

Timothy, qui n'avait jamais entendu un adulte prononcer le mot *pet*, et qui avait bu deux verres de vin, trouva la plaisanterie fort drôle et rit beaucoup. Les autres se mirent à raconter des histoires et, en entendant quelques-unes, Kate le regarda d'un air perplexe. Il évita son regard et se contenta d'afficher un sourire vague qui laissait planer le doute sur l'étendue de ses connaissances – fort limitées, en effet.

Il était onze heures quand ils quittèrent le restaurant. Les lumières de Baden-Baden clignotaient en dessous d'eux, loin dans la vallée. Depuis qu'il avait quitté l'Angleterre, il lui semblait qu'il regardait les choses d'en haut et qu'on lui présentait les royaumes de ce monde comme on les avait présentés à Jésus dans la Bible. L'air vif de la nuit coupa son envie de bâiller et rafraîchit son corps surexcité. Il aurait aimé revenir dans la Mercedes décapotable de Vince, mais Kate avait jeté un foulard sur sa tête et pris d'assaut le siège avant près du chauffeur. Le reste du groupe monta dans l'Oldsmobile de Mel et suivit la Mercedes le long de la route de montagne qui descendait en lacets; ses feux de stop s'allumaient et s'éteignaient comme des cigarettes dans le noir chaque fois que Vince ralentissait dans les virages en épingles à cheveux. Greg, sur le siège avant de l'Oldsmobile, tripota les boutons de la radio et, balayant le cadran, passa par toute une variété de bredouillis multilingues, de bribes de musique, de symphonies, de marches, d'opéra, avant de trouver du jazz. Timothy fut encore une fois très impressionné par l'appétit insatiable de divertissement qu'avaient les amis de Kate. Leur but semblait être de faire de la vie une suite continue de sensations agréables et d'éprouver, si possible, plus d'une sensation à la fois. Une image saugrenue lui vint à l'esprit, et il se représenta les déesses et les dieux indiens à six bras qu'il avait vus dans les livres d'art, avec un martini dans une main, une cigarette dans l'autre, une autre maniant une fourchette, une autre réglant la radio, tandis que la troisième paire de mains tenait par la taille un cavalier ou une cavalière.

Il était difficile de s'adapter à ce mode de vie qui était contraire à ses instincts et à ses principes les plus profonds. Tout ce système de règles strictes et de garde-fous péniblement acquis à l'école de la pénurie – mettre de l'argent de côté, garder les choses pour des jours meilleurs, différer son plaisir, ou l'économiser morceau par morceau, vivre par anticipation ou par le souvenir, mais jamais sous l'impulsion du moment – ce système ne pouvait fonctionner dans un environnement où régnait l'abondance. Quel avantage pouvait-il y avoir à garder la moitié de la barre de chocolat qu'il avait le lundi si Kate lui en donnait une entière le mardi ? À quoi bon se limiter à un seul coca-cola quand on avait en poche de quoi s'en offrir deux ? Quel intérêt pouvait-il y avoir à anticiper le plaisir de la semaine prochaine quand aujourd'hui réservait peut-être quelque chose de plus excitant ? Déjà cette seule journée avait offert assez de nouveautés et de gratifications pour satisfaire les désirs d'une année entière chez lui, et encore cette journée n'était-elle pas terminée. Ils dévalaient la route qui descendait en spirale pour se rendre vers un nouveau lieu de plaisir. Il y avait une demi-heure, il aurait bien aimé aller se coucher. Maintenant, rafraîchi par l'air frais de la nuit, il avait retrouvé son second souffle et s'abandonnait à cette philosophie du plaisir et voulait que la nuit continue. Il s'extasiait sur lui-même et portait sur son existence passée un regard assez méprisant. Il lui semblait que, pendant des années, il avait fait des choses qu'il n'avait pas vraiment voulu faire, par timidité ou parce qu'il ne connaissait rien de mieux. Maintenant, il avait découvert qu'un autre monde l'attendait, un monde qui offrait une multitude de plaisirs.

« Tu as entendu parler des gens qui, autrefois, traînaient derrière les armées ? dit Don. À l'époque, toute armée entraînait dans son sillage une seconde armée. Qui vivait à son crochet, qui était protégée par elle, tolérée par elle et qui pillait ce que la première armée n'avait pas pillé ou détruit... C'est à quoi me fait penser parfois, hélas, toute cette troupe de civils établis ici. Aux pillards à la traîne des armées. À la différence près qu'ils ne sont pas en guenilles et ne portent pas leur barda sur le dos. Ils portent des costumes Brooks Brothers, ont toute une série de valises assorties et circulent dans de grosses Buicks étincelantes. »

Timothy jeta un petit coup d'œil discret vers Don et remarqua ses poignets effilochés et son pantalon en coton tout crasseux.

« Mais ce n'est pas de leur faute s'ils sont riches, dit-il timidement.

– Peut-être, mais ils ne le méritent pas non plus, dit Don. Pourquoi est-ce que c'est eux qui devraient hériter de la terre ?

– Que voulez-vous dire ?

– Ils vivent comme vivait autrefois l'aristocratie. Mais l'aristocratie du sang vaut tous les jours l'aristocratie du dollar. Au pays, on ne ferait même pas attention à eux et ils le savent. Attention, je ne parle pas de ta sœur.

– Bien sûr », dit Timothy, bien qu'il ne comprît pas très bien pourquoi.

« Je parle de mes compatriotes. Chez nous, ils seraient des moins que rien, assis dans leur petit jardin de derrière en train de se demander s'ils peuvent se permettre de changer de voiture cette année ou d'envisager des vacances à Atlantic City. Mais ici, ils peuvent vivre comme des rois. L'Europe est leur terrain de jeu. Ils ont simplement eu de la chance.

– D'être ici, vous voulez dire ?

– D'être ici au bon moment. Juste comme les Allemands – et pas seulement les Allemands – commençaient à sortir à quatre pattes de leurs caves, à dégager leurs ruines, à rebâtir leurs villes, à réouvrir les hôtels et les restaurants, les lieux touristiques et les casinos – les seules personnes à avoir assez d'argent pour pouvoir en profiter, comme par hasard, c'est eux. Les seules personnes à ne pas avoir de problème de devises, de passeports, de visas. Bien sûr, ils ne peuvent pas visiter l'Est, mais de toute façon, ça ne les intéresserait pas. On ne s'amuse pas là-bas. C'est avant tout un champ de ruines, là-bas.

– Vous voulez dire derrière le rideau de fer? Vous y êtes allé?

– J'avais tout organisé un jour pour aller à Varsovie. J'avais mon visa, tout et tout.

– Pourquoi vous n'y êtes pas allé, alors?»

Don haussa les épaules.

«Aller à un colloque organisé par les communistes est considéré comme un acte antiaméricain – ce n'était pourtant qu'un congrès de jeunes. Ils ont dit: “ *Tu peux y aller, mon gars, mais on ne te laissera pas revenir* ”. Ils m'auraient confisqué mon passeport.»

Don mit sa main en visière devant ses yeux. Timothy suivit le regard de Don qui remontait le long de la rivière, vers l'est. Il y avait une petite retenue d'eau, une chute, où l'eau formait une barre d'écume avec d'un côté une écluse. La rivière au-delà de l'écluse disparaissait tout de suite entre les flancs verdoyants des montagnes le long de la vallée du Neckar.

«C'est difficile à imaginer, tu ne trouves pas? dit Don. Tu irais à trois ou quatre cents kilomètres à l'est, et tu aurais de la peine à croire que la guerre est finie. Des ruines partout. Des queues pour acheter de la nourriture. Et la police secrète.

– Pourquoi voulez-vous aller là-bas, alors?

– C'est difficile à dire... Quand on pense à ce qui s'est passé en Europe il y a quelques années seulement, peut-être que le sac et la cendre, comme on dit, paraissent plus appropriés que les chemises hawaïennes.»

Timothy médita ces paroles un moment.

«C'est pour ça que vous aimez l'Angleterre?» demanda-t-il.

Quand il se réveilla dans sa chambre d'hôtel à Baden, il découvrit qu'au cours de la nuit il s'était complètement enroulé dans l'édredon qui, aussi ridicule que cela pût paraître, était apparemment le seul type de couverture fourni, et se retrouva donc tout en sueur. Il avait aussi une soif terrible et un affreux mal de tête. Était-ce ça, la gueule de bois, se demanda-t-il. Il n'avait pris que deux verres de vin et un Tom Collins au casino.

Le souvenir de cette boisson déclencha dans son esprit tout un flot d'autres images du casino. La splendeur flamboyante du décor, les miroirs, les lustres, les peintures murales. De gigantesques femmes nues peintes au plafond, portant des noms français : *Richesse*, *Noblesse*, *Industrie* et *Agriculture*, dont les parties intimes étaient cachées par des mouvements de draperies. Le bruit des roulettes qui tournoyaient et le cliquetis des jetons qu'on poussait et triait, un incessant bruit de fond, comme un concert de criquets. Kate, debout à l'entrée de la Grande Salle, les narines gonflées, les yeux brillants, qui murmurait : « *C'est pas fabuleux, Timothy*? » Et elle encore, quelques heures plus tard, comme ils traînaient leurs jambes lourdes jusqu'au parking, qui chuchotait : « *Surtout, ne demande pas à Vince comment il s'en est tiré. Il n'a pas eu de chance.* »

Sa montre s'était arrêtée à sept heures vingt, mais il devina qu'il était bien plus tard que cela, car une lumière vive filtrait à travers les fentes des volets. Il alla jusqu'au lavabo, but imprudemment au robinet et s'aspergea la figure d'eau froide. Quand il poussa les volets, un flot de lumière et d'air frais pénétra dans la pièce; l'esprit irrésistiblement transporté, il regarda pardessus les toits et les jardins clos de la ville, et vit les montagnes verdoyantes et le ciel d'un bleu intense.

Il trouva Kate à la terrasse du restaurant de l'hôtel. Elle était seule à une table en train de fumer une cigarette et, les yeux protégés par des lunettes de soleil, lisait une revue.

« Salut! lui dit-elle en le voyant arriver. Tu as bien dormi? J'ai pas voulu te réveiller.

– Quelle heure est-il?

– Près d'une heure.

– Mince alors! Et la messe? »

Kate fit la grimace.

« Je crois que c'est un peu tard. Je vais me renseigner auprès d'un garçon. Et te commander un brunch.

– Qu'est-ce que c'est que le brunch?

– Essaie de trouver?

– Un mot composé de *breakfast* et de *lunch*, je suppose, le petit déjeuner et le déjeuner en même temps. Ça se dit?

– C'est un mot américain.

– Typique. »

Le garçon leur dit que la dernière messe en ville était à midi.

« Ça ne te fait rien, j'espère, Timothy?

– Non, ça ne me fait rien. C'est pas de ma faute si je me suis réveillé si tard. Qu'est-ce qu'on mange au brunch?

– Ce qu'on veut. C'est ce qui en fait le charme. »

Il commanda un pamplemousse, des œufs brouillés avec du jambon et des saucisses, de l'*Apfelstrudel* et du café. Kate lui dit que les autres étaient partis faire une autre partie de golf.

« J'espère que tu n'es pas restée rien qu'à cause de moi.

– Non, j'ai une petite course à faire cet après-midi. Quelque chose que je fais toujours quand je viens à Baden-Baden. Tu peux venir avec moi, si tu veux.

– Où?

– C'est un orphelinat que j'ai découvert quand on est venus ici, l'été dernier. »

L'arrivée du garçon avec le pamplemousse permit à Timothy de dissimuler son émotion. Il prit avec sa cuillère un morceau de fruit soigneusement découpé et l'avala.

« Un orphelinat? répéta-t-il d'un ton banal.

– J'ai vu un dimanche ici un groupe d'enfants qui sortaient deux par deux de l'église, d'adorables gamins, et je me suis mise à parler avec l'une des religieuses qui les accompagnaient. Il se trouve que j'avais eu de la chance au casino la veille au soir, alors spontanément, j'ai donné cent marks pour l'institution. Greg appelle ça de l'argent pour soulager sa conscience, mais elle a été tellement reconnaissante. Elle a pleuré, Timothy. Je me suis sentie affreusement mal à l'aise... qu'est-ce que c'était pour moi, après tout, cent marks? »

Kath renifla et se moucha délicatement dans un mouchoir en papier.

« Bon, pour résumer, la religieuse m'a invitée à visiter l'orphelinat et, depuis, j'y vais toujours. J'emporte chaque fois des bonbons pour les enfants et parfois je donne un peu d'argent. Vince et Greg me donnent d'habitude aussi quelque chose – ils sont en fait très généreux même s'ils me taquinent à ce sujet. Greg m'appelle la dame de bienfaisance. Aimerais-tu venir cet après-midi? »

Elle parlait d'un ton désinvolte mais il crut discerner un appel pressant dans ses yeux.

« Oh, bien sûr, lui promit-il, je viendrai. »

« J'ai toujours eu pour l'Europe de l'Est un sentiment très particulier, dit Don tout bas, d'une voix si basse que Timothy avait du mal à entendre ce qu'il disait. Je n'y suis jamais allé, mais j'ai l'impression de la connaître, comme si c'était chez moi. La Pologne, la Prusse orientale, cette partie-là, je veux dire, cette partie pour laquelle on s'est tellement battu que la terre doit être comme de la cendre d'os. Parfois les villes portent des noms polonais, parfois des noms allemands et parfois encore des noms russes. Mais ce sont bien les mêmes endroits. Une malédiction pèse sur cette terre. Les pires choses se sont passées là-bas. »

Il se tut; Timothy ne trouvait rien à dire.

« C'est un pays très gris. Et froid – dans ma tête, c'est toujours l'hiver là-bas. Avec un ciel gris et une petite couche de neige sale par terre. Un pays plat et marécageux. De la fumée dans l'air et une fine cendre mouillée qui tombe comme du crachin – mais laissons ça de côté. Quelque part, aussi, il y a une locomotive qui fait une manœuvre, seulement on ne la voit pas, on l'entend seulement, on entend les wagons de marchandises qui ferraillent et ces wagons... mais laissons ça aussi de côté. »

Il se tut de nouveau. Timothy, perplexe, ne trouvait toujours rien à dire.

« Quand j'ai voulu aller à Varsovie, ce n'était pas en fait pour visiter Varsovie ou pour assister au colloque. Je voulais tout simplement aller à Auschwitz. »

Timothy sentit qu'il était censé réagir.

« J'ai entendu ce nom quelque part, dit-il. C'était pas avec Napoléon...

– Ça c'est Austerlitz. Bonté divine ! » Don tourna la tête lentement vers lui et le dévisagea. « Tu veux dire que tu n'as pas entendu parler d'Auschwitz ?

– C'était un camp de concentration ? Comme Belsen ? »

Don hocha la tête.

« Un camp d'extermination. Il y avait une différence subtile entre les deux.

– C'est ce que j'avais compris d'abord, mais je ne voyais

pas pourquoi vous vouliez y aller », dit Timothy pour se justifier. C'était toujours le problème quand on était avec Don : on éprouvait une sorte de tension comme si on était toujours en train de passer un examen.

« Je voulais savoir si le fait de voir l'endroit pouvait m'empêcher d'en rêver.

– Vous rêvez des camps de concentration?

– Constamment. Je suis dans le camp, tu vois, et la même question revient sans cesse : suis-je polonais ou juif? En fait, je suis les deux. Mes grands-parents étaient de Cracovie – ce n'est pas loin d'Auschwitz. Ils se sont rencontrés aux États-Unis – ils n'auraient pas pu s'épouser en Pologne. Il était chrétien, mais ne pratiquait plus, et elle était juive. Les Polonais détestent les Juifs plus que quiconque. Les Polonais détestent aussi les Allemands et les Russes, et les Allemands et les Russes détestent les Polonais et se détestent entre eux. La seule chose qu'ils ont en commun c'est que tous ils détestent les Juifs. Le Juif est le dernier du lot. Tu connais ce poème de T. S. Eliot? Non? Bon, qu'importe, dans mon rêve, je refuse toujours de reconnaître que je suis juif. *Non, non, Herr Kommandant, je ne suis pas juif. Aryen, un pur Aryen. Mettez-moi dans un camp, par pitié... je comprends... en temps de guerre, certaines mesures doivent être prises... mais ne me mélangez pas avec ces sales Juifs.* Bien sûr, je me déteste affreusement mais je veux sauver ma peau, tu comprends? C'est du chacun pour soi. Je ne vois pas pourquoi j'irais brûler dans un four si je peux l'éviter, ça ne sauvera la vie de personne. De plus, je ne suis pas vraiment juif, c'était seulement ma grand-mère paternelle qui l'était. Alors, comme ils ne sont pas très sûrs, ils me relâchent. Je deviens une sorte de personnage légendaire dans le camp, comme le concierge d'une école, tu vois ce que je veux dire? Un de ces vieux types en bleu de travail qu'on voit toujours traîner quelque part dans les parages. Toujours avec un balai à la main, ne serait-ce que pour s'appuyer dessus et se mettre à balayer au besoin pour s'activer dès qu'il aperçoit les femmes et les enfants qu'on pousse comme un troupeau vers le bloc de désinfection. Un coup de balai par ci, un coup de balai par là. Je ne vois rien. Trop occupé à balayer. *J'aime que tout soit propre et impeccable, Herr Kommandant. Est-ce que je peux espérer avoir un nouveau balai, Herr Kommandant? Celui-ci est complètement usé.* Les officiers se rendent compte qu'ils peuvent me mettre en colère en me posant de temps en temps une question en yiddish, mais ils ne tiennent pas vraiment à me prendre en défaut. Je leur suis trop utile. Je connais tous les ragots du camp. Mais ils me foutent une de ces sacrées trouilles quand ils font ça. »

Au bout d'un moment, Timothy dit :

« Comment est-ce que le rêve finit?

– Il ne finit pas. C'est pourquoi je veux aller à Auschwitz. »

Tout se passa exactement comme il l'avait rêvé ou imaginé : la vieille maison aux odeurs de cire dans la banlieue de Baden, le jardin avec les bacs à sable et les balançoires, les enfants dans leurs sarraus qui s'agglutinaient autour de Kate tandis qu'elle leur offrait des bonbons, les religieuses au sourire béat, la petite fille aux cheveux bouclés qui traversait la pelouse en courant quand tous les autres s'étaient dispersés, et Kate qui l'attrapait et la balançait en l'air très haut, en disant à Timothy : « *Qu'est-ce que tu dis de cette petite fille, n'est-elle pas adorable?* » Sa réplique ne se fit pas attendre :

« C'est la tienne, Kate? »

Elle faillit laisser tomber l'enfant.

« Quoi? » dit-elle d'un air ahuri.

Affreusement gêné, il sentit son estomac se nouer mais parvint à sourire.

« Je plaisantais, dit-il.

– Oh! » Elle lui lança un regard inquiet.

« Mais d'où est-ce qu'ils viennent, ces enfants? » demanda-t-il. Il prit un air sérieux afin de bien souligner la désinvolture de sa question précédente.

« Certains parmi les plus âgés ont perdu leurs parents à la fin de la guerre, dans les raids. Ou ils se sont tout simplement perdus – il y avait alors en Allemagne une telle pagaille avec tous ces réfugiés qui fuyaient devant les Russes. Bien sûr, celle-ci n'est née qu'après la guerre, n'est-ce pas, mon trésor? »

Kate déposa l'enfant par terre et lui donna une barre de chocolat. Elle tendit la joue pour recevoir un baiser mais l'enfant partit vite en courant pour montrer son butin à une religieuse. Kate rit et haussa les épaules en regardant la religieuse et celle-ci lui fit comprendre par des mimiques qu'elle trouvait le geste répréhensible mais si amusant.

« Ça ne m'étonnerait pas que le père de cette petite fille soit un G.I., ou un soldat français », dit Kate.

« Ou encore un Tommy, dit Ruth. Pourquoi pas un soldat britannique? Pourquoi mettrait-on tous ces bâtards sur le compte des mangeurs de grenouilles et des G.I. ? »

Kate venait de décrire la petite fille comme ils s'en retournaient dans l'Oldsmobile vers Heidelberg. Les arbres défilaient rapidement dans le crépuscule mais, à l'intérieur de l'énorme voiture, c'était aussi calme et tranquille que dans un salon.

« Le soldat britannique est un homme d'honneur », dit Timothy, assis sur la banquette arrière. Il avait découvert que le plus sûr moyen de divertir ses amis américains c'était de débiter tous ces clichés sur le patriotisme britannique... et ce divertissement était, semblait-il, la seule monnaie dont il disposait pour les dédommager des dollars et des marks qu'ils dépensaient pour lui. Comme il s'y attendait, Ruth fut ravie de cette remarque et fit retentir son rire croassant.

« Ce n'est pas ce que me disent mes amis de Hambourg, dit Dot. Ils prétendent que la Reeperbahn ressemble en ce moment à la Old Kent Road de Londres.

– Qu'est-ce que c'est que la Reeperbahn? demanda Timothy.

– T'occupe pas de ça », dit Kate.

Ruth gloussa.

« Kate veut protéger ton innocence, Timothy. Mais il n'y a pas grand-chose, j'imagine, que tu ne saches pas, hein? »

Il détourna la question en en posant une autre : « Les jeunes Allemandes, est-ce que ça les gêne de fréquenter les troupes d'occupation? »

Mel, écrasé sur son volant, s'étrangla de rire.

« La plupart se feraient couper le bras droit pour pouvoir mettre le grappin sur un G.I.

– Ce n'est pas leur bras droit que demandent les G.I., mon chou, dit Ruth en gloussant.

– Notez que les Allemandes font davantage la fine bouche qu'autrefois, dit Dot.

– Tout à fait, dit Mel. Il fut un temps où, avec une barre de chocolat Hershey, on pouvait avoir n'importe quelle *Fräulein* qui vous tapait dans l'œil.

– Ouais, dit Ruth, maintenant, c'est deux barres de Hershey qu'il faut, plus un Milky Way. L'inflation, que voulez-vous, c'est partout pareil... mais laissons ça, Timothy ne s'intéresse pas aux *Fräuleins*, est-ce que je me trompe, Timothy?

– Non.

– Ce que tu veux, c'est sortir avec une gentille petite lycéenne américaine, c'est ça?

– Non, pas du tout, dit-il. Je suis bien comme je suis.

– Laisse-moi faire, Timothy, dit Ruth. Je trouverai ce qu'il te faut.

– Laisse le gamin tranquille, Ruth, dit Mel. Il a tout le temps devant lui pour s'occuper de la gent féminine. Et si tu veux mon avis, Timothy, tu n'en tireras rien de bon. Surtout, quoi qu'il arrive, ne te marie pas.

– Hé, attends un peu! protesta Ruth.

– Prends Hitler par exemple. Tant qu'il est resté célibataire, il s'en est très bien tiré. Voilà qu'il épouse Eva Braun, et qu'est-ce qui arrive? Le lendemain, il perd la guerre. »

Ruth ne put s'empêcher de rire; elle bourra de coups de poing son mari et la voiture fit une petite embardée.

« Eh, t'excite pas! » cria-t-il. Il sourit, plutôt satisfait de sa petite plaisanterie. Il appuya sur un bouton du tableau de bord et les phares transpercèrent les ombres de plus en plus épaisses du crépuscule.

« Aucun signe des garçons? demanda Kate.

– Holà, à l'heure qu'il est, ils doivent être à Heidelberg, murmura-t-il. Quand Vince a perdu beaucoup de fric au casino, il se défoule sur sa voiture. »

Mais pourquoi donc Dieu a-t-il laissé Hitler vivre jusqu'au bout? Laissant tant de gens se faire tuer pour l'atteindre ou le défendre. Ou encore se faire prendre entre les deux, comme les réfugiés. Ou se faire tuer dans les camps, dix mille par jour rien qu'à Auschwitz, avait dit Don. Si le Complot de juillet avait abouti, peut-être qu'un million de gens auraient été sauvés. Davantage. Mais quelqu'un a déplacé la bombe et Hitler a eu la vie sauve. Et il y avait eu d'autres tentatives, prétendait Vince. Mais les bombes n'ont pas explosé, ou bien Hitler a changé de programme à la dernière minute. Un jour, même, un V1 a fait demi-tour et est tombé sur le bunker de Hitler, mais celui-ci n'a pas été touché. *Comment s'étonner alors qu'il ait pu penser qu'il jouissait d'une sorte de protection divine?* disait Vince. Mais pourquoi Dieu aurait-il protégé Hitler?

« C'est ton problème, Timothy, dit Don. Je ne suis pas chrétien, je ne suis rien. Mais si j'étais chrétien, je ne me demanderais pas ce que Dieu faisait pendant ce temps-là, je me demanderais plutôt ce que les autres chrétiens étaient en train de faire. Comme le pape, par exemple.

– Il était neutre. Le pape doit rester neutre.

– Je ne parle pas de la guerre. Je parle des camps. Comment peut-on être neutre à propos des camps?

– Eh bien, peut-être qu'il ne savait pas. Personne ne l'a su avant la fin de la guerre, pas vrai?

– Lui, savait. Des quantités de gens le savaient. Peut-être qu'ils ne voulaient pas y croire. C'est la seule excuse que je vois. Dieu sait comme il est encore difficile d'y croire maintenant.

– Mais que pouvait-il faire? Il était enfermé dans le Vatican.

– Il aurait pu parler. Il aurait pu se faire crucifier.

– Ce n'est pas juste. »

Timothy était choqué, dérouté. On ne pouvait tout de même pas blâmer le pape. Le pape était un homme bon. On disait que c'était un saint.

« Non, en effet, ce n'est pas juste. C'est seulement moi qui le dis. Je n'ai pas le droit de dire ça. Appuyé sur mon balai. »

Mel les déposa à *Fichte Haus* vers neuf heures.

« On vous revoit tous les deux vendredi prochain, peut-être avant, dit Ruth.

– Je n'en ai pas encore parlé à Timothy, dit Kate.

– Oh, tu vas adorer, Timothy, dit Ruth.

– De quoi était-il question? demanda-t-il tandis que l'Oldsmobile repartait majestueusement.

– Le week-end prochain, on part en voyage à Garmisch – c'est dans les Alpes bavaroises.

– Sapristi! c'est loin?

– Oh, je ne sais pas, quelques centaines de kilomètres. On va y aller en train-couchettes, on part vendredi soir et on reviendra lundi matin. L'armée a un centre de repos là-bas. C'est un dépaysement total: des montagnes, un lac...

– On va se reposer de quoi là-bas... de ce week-end? »

Kate éclata de rire.

« Tu as toujours le mot pour rire, Timothy! C'est pour les soldats, en fait, un endroit où ils peuvent aller en permission. Tout est prévu : on peut se baigner, faire du tourisme, skier en hiver et faire du ski nautique en été. Tu as déjà essayé ce truc-là?

– Non.

– Vince est un champion en ski nautique. Moi, je ne sais pas pourquoi mais je n'arrive pas à me lancer. Voyons s'il y a du courrier. »

Il n'y avait personne dans le petit bureau de Rudolf mais la porte n'était pas fermée et Kate prit son courrier dans l'un des casiers contre le mur.

« Une carte de maman pour toi », dit-elle, lui remettant une carte postale de Worthing avec six petites vues en noir et blanc. Il retourna la carte et parcourut le message. Il était question de tarte.

« À propos, dit Kate, en l'entraînant vers sa chambre, Rudolf a proposé de t'emmener quelque part cette semaine, le jour où il sera en congé. Il a parlé d'une balade à bicyclette dans la campagne. J'ai dit que ça te ferait sûrement plaisir. Je ne me suis pas trop avancée, j'espère?

– J'sais pas. Comment je ferai pour la bicyclette?

– Il a dit qu'il pourrait en louer une pour toi. C'est un garçon absolument charmant. Tu lui as parlé un peu, non?

– Un tout petit peu. Je ne sais pas de quoi parler, en réalité.

– Parle-lui de l'Angleterre. Rudolf adore l'Angleterre.

– Je me sentirais gêné. Lui qui a été prisonnier de guerre et qui a connu tout ça.

– Tu n'es pas obligé de parler de la guerre. Je ne parle jamais de la guerre aux Allemands. Ils veulent l'oublier, comme la plupart des gens. Pouah! Ça sent le renfermé ici! »

Tandis qu'elle relevait le store et ouvrait la fenêtre de sa chambre, elle lui lança par-dessus son épaule :

« Quoi de neuf à la maison?

– Rien de spécial. Ils te font de grosses bises. Tu veux lire?

– Plus tard. Je vais juste préparer un peu de café et des sandwichs.

– Je peux t'aider?

– Oui, c'est très gentil de ta part, Timothy. »

Il aimait se rendre à la cuisine collective où tout l'impressionnait, l'éclat des surfaces blanches ou en inox, les gadgets et l'énorme frigidaire qui ronronnait. Quand on ouvrait la porte du frigidaire, l'intérieur s'allumait comme une fabuleuse vitrine de magasin d'avant-guerre. Kate le laissa ouvrir une boîte de thon avec l'ouvre-boîtes mural qui avait un petit aimant permettant de retenir le couvercle une fois celui-ci découpé.

« On peut trouver ce genre d'ouvre-boîtes ici ?

– Au P.X. ? Bien sûr. Pourquoi ?

– Je pensais en ramener un pour maman.

– Bonne idée. Tu crois qu'elle s'en servirait ? »

Il réfléchit un petit moment.

« Non », dit-il, et ils se mirent tous les deux à rire.

Kate prit un paquet de pain dans le frigidaire et en détacha quelques tranches.

« La cuisine n'a toujours pas changé à la maison ?

– Que veux-tu dire ?

– Est-ce que la porte du placard se prend toujours dans la poignée de la porte du jardin ?

– Je pense que oui.

– Et le tiroir de la table verte est-il toujours aussi dur à ouvrir ?

– Oui.

– Vous avez sans doute toujours cette vieille table verte, non ? Et la même toile cirée à carreaux, je parierais.

– Elle est vaguement blanche maintenant. Les motifs se sont effacés. »

Kate soupira.

« Les choses n'ont guère changé d'après ce que tu dis. Le débit du robinet d'eau froide est bien sûr toujours aussi faible quand quelqu'un tire la chasse d'eau ?

– Mais si tu donnes un bon coup sur les tuyaux, le débit revient. L'ennui, c'est que parfois ça fait tomber la suie dans la cheminée de la chaudière. »

Kate rit et secoua la tête.

Comme d'habitude, il mangeait alors que Kate avait déjà fini sa part de goûter. Elle alluma une de ses longues Pall Mall et se cala bien dans son fauteuil.

« Tu as aimé le week-end, Timothy ?

– C'était sensas.

– J'espère que l'orphelinat ne t'a pas trop ennuyé.

– Non, c'était intéressant. »

Kate resta silencieuse un moment. Il avait comme un pressentiment de ce qui allait suivre. Il mordit à belles dents dans le dernier sandwich.

« Qu'est-ce que tu as voulu dire quand tu as dit, *C'est la tienne*, en parlant de la petite fille ?

– J'sais pas pourquoi j'ai dit ça, en fait, marmonna-t-il.

– Oh, voyons, Timothy. Tu voulais bien dire quelque chose en disant cela. »

Elle attendit patiemment, inexorablement, qu'il réponde. Il se tortilla, mal à l'aise sur son siège.

« Eh bien, pourquoi tu n'es pas revenue à la maison pendant toutes ces années ? » finit-il par dire.

Kate éclata de rire.

« Alors, c'est donc ça ! C'est ce que vous avez imaginé ? Que je suis une fille-mère ? Oh, Seigneur, tu ne peux pas savoir comme c'est drôle. » Elle secouait la tête en riant mais son rire avait quelque chose de forcé. « Je suis probablement la dernière vierge de tout Heidelberg. »

Elle tapota sa cigarette au-dessus du cendrier bien qu'il n'y eût pratiquement pas de cendre au bout.

« C'est pas moi qui ai eu cette idée-là, dit-il.

– Pas la peine de me le dire. C'est une idée de maman, n'est-ce pas ?

– Je l'ai entendue parler à papa un jour. Elle ne savait pas que j'écoutais.

– Et qu'est-ce que papa a dit ?

– Il n'arrivait pas à y croire, je pense. Mais il était inquiet. Moi, je n'y croyais pas vraiment, mais quand tu m'as emmené à l'orphelinat, ça m'est revenu à l'esprit. Et tu dois reconnaître...

– Quoi ?

– Eh bien, ça paraît bizarre que tu ne sois pas revenue à la maison depuis si longtemps. »

Kate écrasa sa cigarette et en alluma une autre.

« Je vais te dire pourquoi je ne suis pas retournée à la maison. Pour deux bonnes raisons : d'abord parce que je ne le supporte pas, ensuite, parce que j'avais peur qu'ils essaient de me forcer à rester.

– Te forcer ? »

Kate eut un grand geste d'impatience et sa main fit une traînée de fumée en l'air.

« Bon, bien sûr, ils ne m'auraient pas forcée contre ma volonté. Je veux dire que je ne supportais pas les disputes, les reproches, les récriminations. Je ne voulais pas leur faire de la peine en leur disant ce que je pensais vraiment. »

Elle ne voulait pas, expliqua-t-elle, avoir à leur dire qu'elle détestait leur affreuse petite maison étriquée où les pièces étaient si petites qu'on se cognait constamment dans les meubles chaque fois qu'on bougeait et où tout le monde se trouvait emprisonné la moitié de l'année dans le salon du fond, parce que le reste de la maison était aussi glacial qu'un tombeau, et aussi humide.

« Sais-tu que la dernière fois que j'étais à la maison, j'ai retrouvé une paire de chaussures à moi toute moisie, à l'étage dans ma chambre ? Tu ne peux pas savoir à quel point j'ai été déprimée ce Noël-là. »

Elle avait attendu avec impatience de rentrer à Heidelberg, comptant les jours de permission qui lui restaient et inventant finalement une bonne excuse pour retourner plus tôt que prévu. Le simple fait d'ouvrir les rideaux de sa chambre le matin lui donnait un sentiment de panique, comme si elle allait se noyer. Le simple fait de regarder tous ces petits jardins de derrière minables, avec leurs remises délabrées, ces remises à charbon, à outils ou à bicyclettes qui s'affaissaient et pourrissaient d'humidité. Et de voir ces femmes avec leurs vieux pulls et leurs vieilles jupes, leurs foulards noués autour de leurs bigoudis qui serraient bien fort leurs bras contre elles pour affronter le froid ou qui causaient par-dessus les clôtures du prix des pommes de terre ou encore mettaient à sécher leur linge trempé tandis que la fumée de mille cheminées retombait dessus – quand on passait le doigt sur le rebord d'une fenêtre qu'on venait de nettoyer une heure avant, il était tout noir. Le froid, l'humidité, la crasse.

« Je ne pouvais plus le supporter. Je me suis rendu compte que je ne m'étais jamais sentie propre, que je n'avais jamais eu chaud en hiver avant de quitter la maison ; et chaque fois que je retrouvais tout ça, ça m'était insupportable. »

On se protégeait comme on pouvait des courants d'air en se recroquevillant autour d'un feu qui vous cuisait les jambes tandis que le dos gelait, et chaque fois que quelqu'un ouvrait et fermait la porte, le feu renvoyait un petit nuage de fumée dans la pièce et les cartes de Noël exposées sur la cheminée dégringolaient.

« Le travail qu'exige ce maudit feu! Et les disputes! Et si encore il vous réchauffait. Pendant ces vacances-là, je pensais à cette petite pièce douillette, je rêvais d'une douche brûlante dans une salle de bains bien chaude et je me demandais combien de temps j'allais pouvoir encore tenir le coup à la maison. Je n'ai pris qu'un seul bain pendant tout le temps que j'ai été là-bas. Et ça m'a suffi. Mais comment faire comprendre ça à papa et à maman? »

Comment pouvait-elle leur faire comprendre qu'elle ne leur en voulait pas, qu'elle ne leur en faisait pas grief, qu'elle savait que la plupart des gens vivaient ainsi à cause de la guerre et des restrictions de l'après-guerre? Mais elle était habituée à un autre mode de vie et il était inutile de faire comme si elle pouvait se réadapter à l'ancien.

« Un jour pendant cette permission-là, je me suis rendue dans le West End pour faire des courses – les magasins n'avaient pourtant pas grand-chose à offrir mais c'était un prétexte pour sortir. Je me suis un peu attardée avant de rentrer et je me suis retrouvée en pleine heure de pointe. J'avais oublié ce que c'était. »

Elle avait cru qu'elle allait s'évanouir tant elle était écrasée dans ce compartiment où une douzaine de personnes étaient debout dans l'espace étroit entre les deux banquettes, s'accrochant aux filets à bagages pour garder l'équilibre tout en essayant de lire leur journal. Les relents de vieux mégots et de corps humains. Les fenêtres ruisselantes de condensation. Et elle s'était dit qu'il s'en était fallu de peu qu'elle fasse partie de ce lot de voyageurs fatigués, aux traits tirés, condamnés à faire ce trajet deux fois par jour pendant tout le reste de leur vie active, et elle s'était juré qu'elle ne reviendrait plus jamais.

« Plus jamais?

– Tu es ici depuis assez longtemps pour comprendre pourquoi, n'est-ce pas, Timothy? Imagine un peu le week-end qu'on vient de passer. Comment pourrais-je espérer avoir le quart de cette vie en Angleterre?

– Bon, je sais, mais... plus jamais?

– Je veux dire que jamais plus je ne me réinstallerai là-bas. Je ne parle pas des visites, même si, je le sais, je les repousse constamment. J'ai été personnellement très soulagée quand cette histoire de Corée m'a empêchée de rentrer à la maison la dernière fois. N'est-ce pas terrible d'avouer tout ça ? Mais à quoi bon se cacher la vérité ? Quand on quitte sa famille et sa maison, on est censé avoir le cafard, eh bien, sais-tu quoi, je n'ai jamais rien regretté, pas même quand j'ai été évacuée. Je me suis toujours demandé quand j'étais gamine si je n'étais pas une enfant adoptée parce que j'ai toujours trouvé que je n'aimais pas vraiment mon père et ma mère comme on doit les aimer en principe.

– Tu parles sérieusement ?

– Très sérieusement. Bien sûr, le fait que tu as toujours été le chouchou à la maison n'a fait qu'aggraver les choses.

– J'ai été le chouchou ?

– Bien sûr que oui ! Et il y avait une telle différence d'âge entre nous que j'étais persuadée qu'ils m'avaient adoptée parce qu'ils pensaient qu'ils ne pouvaient pas avoir d'enfants à eux et que toi tu étais arrivé par surprise – ce qui a été le cas, en fait.

– Vraiment ?

– Bien sûr. On avait déconseillé à maman d'avoir un autre enfant après moi – elle avait eu un accouchement difficile, apparemment. Mais, quand tu es né, tout s'est bien passé et, depuis, elle a toujours eu un faible pour toi. »

Kate prit une autre cigarette dans le paquet et lui en offrit une.

« Oh, j'oublie toujours.

– Je crois que je vais en prendre une, dit-il.

– Ma parole, je suis vraiment en train de te dévergonder. Tu as déjà fumé ?

– Une fois ou deux. »

Des petites bouffées furtives de Woodbines qui passent de main en main dans les hangars à bicyclettes à l'école, des petits bouts de tabac âcres qui restent sur la langue. Celle-ci, c'était autre chose. Comme une sensation d'avoir un nuage ouaté dans la bouche. Il toussa.

« Je me demandais toujours pourquoi j'étais grosse alors que vous autres dans la famille ne l'étiez pas. Tout semblait cadrer. Puis, un jour, j'ai découvert que j'étais vraiment la fille de ma mère. Mais ça a été un drôle de choc.

– Pourquoi?

– Quand j'ai essayé de m'engager dans la W.A.A.F., j'ai dû aller présenter mon extrait de naissance au bureau de recrutement. Je ne l'avais jamais vu auparavant. C'était écrit, là, noir sur blanc. Mais dans la même enveloppe, il y avait le certificat de mariage de papa et de maman. Et, en regardant les dates, je me suis rendu compte que j'étais née six mois après leur mariage. »

Elle lui jeta un regard plein de sous-entendus.

« Et alors? dit-il.

– Oh, Timothy, je pensais que tu en savais davantage sur les choses de la vie que moi à ton âge! Ça veut dire que j'ai été conçue hors des liens sacrés du mariage, comme on dit.

– Seigneur! dit-il en rougissant.

– Ça laisse songeur, hein? En fait, l'idée m'amuse plutôt. Ça rend papa et maman plus humains. Mais, à l'époque, j'ai été très choquée. Je trouvais qu'ils étaient tellement hypocrites d'être toujours en train de me reprocher de mettre du rouge à lèvres, de rester trop tard dehors. Bien sûr, c'est ce qui expliquait qu'ils étaient comme ça. C'est classique. Qu'est-ce qui ne va pas avec ta cigarette?

– Elle s'est éteinte.

– Les cigarettes ne s'éteignent pas, dit-elle en rigolant et en allumant pour lui son briquet. Quand tu l'auras finie, il faudra que je te ramène. Il se fait tard. »

En fait, elle ne le reconduisit à la chambre de Dolores que bien plus tard. Trop de barrières étaient tombées, trop de portes s'étaient ouvertes... ils n'arrivaient plus à s'arrêter. Ils se laissèrent tous les deux entraîner dans la spirale sans fin des confidences. Il se sentait presque vieillir au fur et à mesure qu'elle parlait, il sentait son cerveau se gonfler sous l'influx de tant d'informations nouvelles – exactement comme lorsque, le soir, en s'étirant dans son lit, il sentait dans ses membres ces douleurs que sa mère appelait des douleurs de croissance. Et, quand il se retrouva enfin au lit, bien qu'il fût très tard et qu'il fût épuisé, il resta longtemps sans pouvoir dormir, repassant dans son esprit différents moments de leur conversation, entendant la voix de Kate qui disait :

« Je me demande comment je suis sortie indemne de mon année à Paris. Je pense que j'étais si innocente que les hommes étaient sidérés. Ils ne savaient tout simplement pas comment séduire une fille qui en savait si peu. Par exemple, je laissais un type me sortir en ville, m'offrir un repas – qui coûtait au marché noir les yeux de la tête – je le laissais ensuite m'emmener dans une boîte de nuit et puis, à la fin de la soirée, je lui donnais une poignée de mains. Une poignée de mains ! Qu'est-ce qu'ils ont dû penser... Il n'y en a qu'un qui l'a vraiment mal pris. Il m'a téléphoné au bureau un jour et m'a traitée de bittophobe. Je ne savais même pas ce qu'il voulait dire. Je me rappelle lui avoir demandé, de ma voix de secrétaire la plus distinguée : " *Voulez-vous bien répéter, s'il vous plaît*? " et c'est ce qu'il a fait mais en utilisant le code de l'armée – tu comprends, B comme Bruno, I comme Irma, j'ai tout pris en note, je suis restée à regarder le mot et j'ai vaguement deviné ce que ça voulait dire, alors j'ai raccroché brusquement. J'ai pensé que c'était une espèce de maniaque. Mais je pense, en fait, qu'il avait raison. Bien sûr, j'étais encore à l'époque une bonne petite catholique. La moindre caresse sur le siège arrière d'un taxi et je me précipitais tout de suite à confesse. L'idée de coucher avec un homme ne m'était jamais venue à l'esprit.

« Puis je suis tombée amoureuse. Le coup de foudre. Boum. Il s'appelait Adam. Il était capitaine dans l'armée américaine. Jamais de ma vie je n'avais rencontré quelqu'un comme lui. Il n'était pas du tout effronté, mais aimable, raffiné et courtois. Il était plus âgé que la plupart des hommes que je connaissais et j'avais l'impression que le soleil se levait et se couchait dans ses yeux. Il était plus ou moins convenu qu'on allait se marier un jour, quand la guerre serait finie, mais je préférais ne pas y penser – on vivait au jour le jour à cette époque-là parce que les combats continuaient et qu'on ne savait jamais ce qui pouvait arriver. Aussi, le jour où il m'a dit qu'il allait être envoyé au front et m'a demandé si je voulais bien passer avec lui le dernier week-end qui nous restait, dans un hôtel près de Paris, j'ai accepté. Je ne savais pas ce que ça impliquait exactement. Je savais que ça voulait dire qu'on allait *le* faire, même si ce *le* restait un mystère. Mais ça ne m'inquiétait pas. D'ailleurs, je n'avais pas l'impression d'être une maîtresse mais une jeune mariée toute timide et grave tandis que le grand jour approchait. Puis, tout à fait par hasard, son dossier est arrivé dans notre service et j'ai vu qu'il était marié, qu'il avait une femme et quatre enfants aux États-Unis. Et il ne partait même pas au front – il était nommé à Bruxelles qui venait d'être libérée quelques semaines avant.

« Je suis restée longtemps amère, ulcérée, repliée sur mon chagrin, même après avoir été mutée en Allemagne. C'est mon retour à la maison, immédiatement après la guerre, qui m'a permis de me ressaisir. J'ai compris combien la vie était lugubre en Angleterre, et j'ai apprécié la chance que j'avais d'être ailleurs. J'étais donc une grosse fille que personne ne voulait épouser... et alors? Rien ne m'empêchait de m'amuser, de vivre dans le confort, de voir le monde. Et qu'y avait-il de si extraordinaire, après tout, dans le mariage? Je ne trouvais pas que maman avait eu une vie si fantastique. Et j'avais vu suffisamment de mariages brisés, d'infidélités, de divorces comme ça dans l'armée (le fait de travailler à l'aumônerie nous amenait à voir ce genre de choses). Quand j'ai été nommée à Heidelberg, j'ai commencé une vie nouvelle, je me suis fait de nouveaux amis, des gens comme Vince et Greg, Dot et Maria. J'ai l'impression qu'on a tous, à un moment ou à un autre de notre passé, subi une profonde blessure. On ne parle jamais de notre passé, de nos familles, on garde tout ça pour soi. Mais il y a quelque chose qu'on a tous en commun. On veut oublier, c'est peut-être ça. On veut vivre dans le présent. On veut s'amuser, être ensemble, mais sans s'impliquer sentimentalement, sans prendre le risque d'être blessé à nouveau. Et on s'amuse beaucoup, tu t'en es rendu compte. Mais ça ne peut pas durer éternellement.

« J'ai décidé, il y a un an environ, de ne pas attendre qu'on me renvoie. Je vais émigrer aux États-Unis, Timothy. Je peux partir n'importe quand. Mes papiers sont en règle, j'ai tous les gens qu'il faut pour me parrainer. Je n'en ai parlé à personne, sauf à Vince et à Greg, et à toi maintenant. La seule chose qui me retient, c'est que papa et maman ne vont pas comprendre. Ils vont penser que je les abandonne. Je compte sur toi, Timothy, pour me soutenir, pour arriver à leur faire comprendre. Je ne peux pas rester ici indéfiniment, et je ne peux pas retourner en Angleterre. Tu comprends ça, n'est-ce pas? Je dois regarder devant moi et pas en arrière, et l'Amérique est l'endroit qui s'impose. Bien sûr, il est possible que je déteste le pays et veuille revenir, mais je ne le crois pas. Tu trouves que j'agis en égoïste, dis-moi ? Que puis-je espérer si je retourne en Angleterre ? Un travail de sténodactylo à dix livres par semaine, et encore si j'ai de la chance. Pour toi, c'est différent, tu es doué, tu auras toutes sortes de possibilités. Peut-être que, quand tu seras adulte, l'Angleterre sera devenue un tout autre pays. Mais, pour moi, il n'y aura jamais aucune possibilité. Alors que, aux États-Unis, une bonne secrétaire peut gagner cinq mille dollars par an. Je pourrai prendre l'avion pour revenir vous voir de temps en temps. Ou toi, tu pourras venir me voir en avion en Amérique et passer d'autres vacances comme celles-ci. Ce serait drôle, non ? Tu vois bien que c'est la seule solution pour moi, n'est-ce pas Timothy, n'est-ce pas ? »

Il ajouta une petite touche d'ombre sous les arches du pont, estompa les effets avec sa gomme, souffla sur les petits bouts de gomme qui traînaient et tendit devant lui son bloc à dessin pour voir le résultat. Le dessin était terminé. Il était tout à fait réussi. La statue sur le pont avait un petit air bizarre mais il n'avait jamais été très doué pour dessiner les formes humaines. Le reste était très bien. Kate et ses amis allaient être impressionnés. Mais le dessin au crayon rendait les choses un peu figées, grises et sans vie.

Il sortit sa petite boîte d'aquarelles. Il fallait de l'eau. Il se laissa glisser à quatre pattes sur la berge de la rivière pour remplir son flacon à eau. Ce n'était pas banal cette idée de peindre la rivière avec la rivière. Il remonta la pente jusqu'à l'endroit où il était installé et se mit à colorer soigneusement son dessin, en essayant ses couleurs sur le dos de la carte postale de Worthing, si bien que les mots de sa mère finirent pratiquement par disparaître.

Il jeta un coup d'œil à sa montre : il était temps d'y aller. Il voulait prendre une douche à *Fichte Haus* avant que Kate ne revienne du travail. Don venait les chercher à sept heures. Il menait là une vie bien remplie. Il y avait des moments où il se disait que jamais adolescent n'avait mené une vie si bien remplie.

2

Don avait proposé d'emmener Timothy et Kate dans l'une de ces vieilles auberges où les étudiants de Heidelberg se retrouvaient et ils s'étaient mis d'accord pour le lundi après le week-end à Baden. Mais quand Kate rentra du travail, elle dit :

« Est-ce que ça te dérangerait beaucoup si je te laissais sortir seul avec Don ce soir ? Je me sens absolument épuisée après le week-end. Et après toute cette discussion d'hier soir.

– Ce ne sera pas très drôle si tu n'es pas là, dit-il d'une voix hésitante.

– Et ce ne sera pas drôle si je suis là, j'ai un affreux mal de tête.

– Prends une douche, tu te sentiras mieux. »

Elle eut un petit sourire las.

« Te voilà déjà devenu un fana de la douche. Qu'est-ce que tu as fait aujourd'hui ? »

Timothy lui montra son dessin du vieux pont.

« Oh mais c'est superbe, Timothy ! Je peux l'ajouter à ma collection ?

– Je pensais l'envoyer à papa et à maman. Je t'en ferai un autre. Kate, Don emprunte une voiture ce soir, exceptionnellement.

– Vraiment ? À qui ?

– À un copain de l'armée. Il sera déçu si tu ne viens pas. »

Elle réfléchit, soupira.

« Bon, très bien. »

La voiture que Don avait empruntée était une Volkswagen toute cabossée. Elle paraissait toute petite et bruyante à côté des voitures dans lesquelles Timothy était monté récemment. Quand le moteur tournait, la conversation était à peine possible. Heureusement, ils n'eurent pas à aller très loin. Don les conduisit d'abord à un restaurant flottant sur un bateau amarré près du pont neuf. Timothy l'avait souvent vu, tout illuminé la nuit, du haut de la terrasse du *Molkenkur*, et il avait demandé à Kate ce que c'était. *C'est bien joli, tu ne trouves pas?* avait-elle dit. *Mais on m'a dit que la nourriture n'y est pas bien terrible. C'est surtout les Allemands qui y vont.*

« Eh bien, c'est très joli », dit-elle, comme ils s'arrêtaient et que Don sautait de la voiture pour aller lui ouvrir la portière. « Toutes ces lumières et cette eau. J'ai toujours voulu venir ici. »

Timothy craignit que Don ne remarquât la petite pointe d'hypocrisie qu'il y avait dans sa voix, ou n'entendît le petit reniflement dubitatif qu'elle fit comme ils s'installaient sur le pont. Une sorte de puanteur s'élevait en effet de l'eau trouble. Quand Don dit sur le ton de la plaisanterie : « Ça vient tout droit de la rivière », tandis qu'il remplissait leur verre d'eau, le mot d'esprit parut plutôt malvenu et Timothy remarqua que Kate ne touchait pas à son verre.

Timothy ne s'amusa guère pendant le repas, en partie parce que la nourriture n'était pas très bonne, mais surtout parce qu'il se sentait en quelque sorte responsable de la réussite sociale de la soirée. La conversation fut un peu difficile au début. Après qu'ils eurent abordé sans grand succès deux ou trois sujets – le jeu, qui n'intéressait pas Don, et la politique qui n'intéressait pas Kate – ils se mirent à discuter des avantages et des inconvénients de la vie en Europe et en Amérique.

« Et la Californie alors, Don? dit Kate. Votre famille vient de s'y installer, c'est pas ce que vous avez dit?

– Oui, mais je n'y suis jamais allé. Ils ont l'air d'apprécier beaucoup, surtout le climat.

– D'après ce qu'on dit, ça ressemble à la Méditerranée, avec en plus tout le confort moderne, dit Kate. Si je devais un jour émigrer en Amérique, je crois que j'irais en Californie.

– C'est ce que vous avez l'intention de faire? dit Don.

– Oh, c'est juste une idée en l'air, dit Kate d'un air évasif. On ne sait jamais ce que l'avenir nous réserve.

– Et que diraient vos parents?

– Et que disent les vôtres? répliqua-t-elle du tac au tac.
– Touché, dit Don. Et si on allait explorer quelques-unes de ces auberges?
– Je crois qu'une seule suffira, si ça ne vous fait rien, Don. Timothy et moi, on a eu un week-end chargé.
– Bien sûr. »

Au moment de régler la note, il y eut une petite discussion embarrassante. Kate voulut payer pour elle et Timothy, mais Don insista pour tout payer, sortit son argent d'un porte-monnaie en cuir et compta méticuleusement ses billets et ses pièces.

Les Allemands qui étaient au bar relevèrent tous la tête quand ils entrèrent. Il y avait bien quelques femmes en corsage et en jupe à l'intérieur, mais Kate, avec son tailleur en lin crème et ses talons hauts paraissait quelque peu exotique, et avait l'air d'une princesse en visite. Le jeune serveur qui leur trouva des places autour de l'une des tables à tréteaux se pencha avec prévenance pour essuyer le banc avec son tablier avant qu'elle ne s'installe.

Le bar avait deux salles, dont l'une se trouvait en contrebas par rapport à l'autre, et toutes les deux étaient meublées de longues tables en bois nu toutes balafrées d'initiales et de slogans. Le plafond aux lourdes poutres était noir de suie; les murs crasseux étaient presque totalement couverts d'affiches, de bannières et de photographies anciennes représentant des jeunes gens qui portaient d'étranges habits et de drôles de chapeaux. Les consommateurs étaient assis sur des bancs avec de grosses chopes de bière devant eux. Ils portaient presque tous des chemises à col ouvert, aux manches retroussées, et certains avaient des shorts gris en cuir.

« Alors, comme ça, c'est une cave à bière pour étudiants, dit Kate en enlevant ses gants et en regardant avec curiosité autour d'elle.
– Vous voulez dire que vous n'aviez jamais mis les pieds dans ce genre d'endroit avant? dit Don. Depuis le temps que vous êtes à Heidelberg?
– Eh bien, c'est peut-être un peu délicat pour une fille de venir ici toute seule, vous ne croyez pas? Et mes amis n'apprécient pas trop ce genre de chose.
– Et vous?

– Je ne sais pas encore, dit-elle en riant. Donnez-moi le temps ! »

Au bout d'un moment, les chansons commencèrent. Un homme, assis au bout d'une des longues tables, frappa un grand coup avec sa chope et entonna une chanson. Les hommes autour de la table reprirent la chanson en chœur, en chantant à tue-tête, le dos très droit, le regard fixe, l'air grave et concentré. Quand ils eurent fini, les autres, dans le bar, applaudirent et puis tous se mirent de nouveau à parler. Les chanteurs échangèrent entre eux des sourires discrets et burent de grandes lampées de bière. Puis, au bout de quelques minutes, le meneur tapa encore sur la table et attaqua une nouvelle chanson.

« Ce doit être une fraternité quelconque, expliqua Don. Ils se réunissent sans doute ici régulièrement et les gens viennent les entendre chanter. D'habitude, c'est plus décontracté, tout le monde chante en chœur.

– Rien à voir avec les *knees-up* de nos pubs anglais, hein, Timothy ?

– *Knees-up* ? » demanda Don, intrigué. Mais, tandis qu'elle commençait à lui parler de cette sorte de danse populaire pratiquée dans les pubs, les chanteurs se remirent à chanter. Quand ils eurent fini, Timothy demanda à Don ce que disait la chanson.

« Il y est question de châteaux sur le Rhin. À propos, Kate, vous ne croyez pas que Timothy devrait profiter de son séjour en Allemagne pour aller voir le Rhin ?

– Eh bien, oui, ce serait chouette, mais la partie la plus jolie se trouve relativement loin.

– Je me demandais si on ne pourrait pas faire une petite virée tous les trois, le week-end prochain. On remonterait le Rhin en bateau et on passerait une nuit quelque part. Il y a des bateaux qui partent de Mayence. C'est très pittoresque.

– Oh, je sais ! Mais malheureusement, Don, on a déjà quelque chose de prévu pour le week-end prochain. Avec quelques amis, je l'emmène à Garmisch, au centre de repos que l'armée possède là-bas. Ce sera, je le crains, le dernier week-end de Timothy.

– Oh, bien, c'était juste une idée comme ça, dit Don.

– Mon dernier week-end, dit Timothy pour meubler le silence gênant qui avait suivi cet échange. J'avais complètement oublié.

– Ne t'en fais pas, dit Kate. Il nous reste encore pas mal de temps avant que tu repartes pour la maison. Tiens, j'y repense, je t'ai trouvé de la compagnie pour demain. Des garçons de ton âge pour une fois.

– Qui? demanda-t-il avec méfiance.

– Les fils d'un capitaine que je connais bien, Ralph Mercer; il vient souvent à mon bureau. Il a une charmante femme ici avec lui et ils habitent avec leurs trois enfants dans le quartier réservé aux couples mariés. J'ai mentionné que tu étais ici en visite chez moi et, aujourd'hui, Mrs. Mercer m'a téléphoné au bureau et m'a demandé si tu ne pouvais pas te rendre demain à leur appartement. Tu peux déjeuner avec eux, et ses fils t'emmèneront quelque part dans l'après-midi.

– Est-ce que je suis obligé d'y aller?

– Non bien sûr, tu n'es pas obligé, dit Kate avec un petit pincement de lèvres qui rappelait la mimique de sa mère lorsqu'elle était contrariée.

– Oh, d'accord, alors, dit-il. Et quel âge ont les enfants?

– Larry a quinze ans, je crois, et l'autre garçon est un peu plus jeune. Je suis sûre que tu seras ravi de te retrouver avec eux. Tu as été tellement entouré d'adultes ces temps-ci que ça te changera.

– Aimerais-tu rencontrer les enfants de ma classe? lui demanda Don. Tu pourrais peut-être leur faire un petit topo sur l'Angleterre.

– Qui, moi?

– Oui, pourquoi pas, Timothy, dit Kate. Je suis persuadée que tu ferais ça bigrement bien.

– Eh bien, je vais y réfléchir », dit-il, très flatté intérieurement.

Pendant la chanson suivante, Kate se pencha vers lui et lui murmura à l'oreille : « *Ça va si on part juste après*? » Il fit oui de la tête. Le banc était dur et inconfortable et ces chansons étrangères plutôt pesantes commençaient à lui porter sur les nerfs. Il se dit que, somme toute, il préférait les soirées telles que les concevait Kate. Cependant, il défendit loyalement le type de distraction offert par Don quand ils se retrouvèrent seuls dans l'ascenseur, montant à la chambre de Dolores.

« Il y avait de l'ambiance, tu ne trouves pas, dans cette cave à bière? se risqua-t-il à dire.

– C'est le moins qu'on puisse dire! C'était à couper au couteau. Et l'odeur de la rivière pendant le dîner. Pouah!

– J'ai pas remarqué, dit-il, mentant effrontément. Mais à part ça, tu as aimé la soirée?

– Bon, ça changeait un peu. Tu as tes clés? Don est un gentil garçon mais il n'est pas ce qu'on appelle un boute-en-train, tu ne trouves pas?

– Il est trop sérieux, tu veux dire?

– Il est un peu du genre amorphe qui attend que les choses viennent. Si rien ne se passe, ça lui va très bien. Moi, ce que j'aime avec Vince et Greg, c'est qu'ils provoquent l'événement.

– J'ai eu quelques discussions très intéressantes avec Don, dit Timothy, comme ils entraient dans sa chambre.

– À propos de quoi?

– Oh... de la guerre. Des camps de concentration. »

Kate leva les bras au ciel.

« Formidable! Il n'y a rien que j'apprécie autant qu'une gentille petite causette sur les camps de concentration.

– Vince parle de Hitler tout le temps, fit remarquer Timothy.

– Pas avec moi, en tout cas. Écoute, je pense que Don est un type vraiment très gentil. Ce n'est pas mon genre, voilà tout. D'abord, je ne supporte pas un homme qui utilise un porte-monnaie.

– Je crois qu'il a été un peu déçu pour le week-end prochain.

– Déçu! Moi, j'ai surtout trouvé qu'il avait du toupet. Je ne pars pas comme ça en week-end avec le premier venu, tu sais.

– Mais... j'étais censé aller avec toi.

– Comme chaperon, c'est ça? » Elle posa les mains sur ses larges hanches et lui fit un grand sourire. « Et tu crois que tu pourrais défendre ma vertu si les choses venaient à se gâter?

– Je croyais que tu voulais la perdre », dit-il d'un ton effronté. Il esquiva la claque qu'elle lui destinait et qui était trop violente pour n'être qu'un jeu.

« Fais attention, petit frère! Et rappelle-toi que si jamais tu répètes un seul mot de ce que je t'ai dit hier soir, je te tords le cou.

– Kate, est-ce que Don ne pourrait pas venir avec nous à Garmisch? »

Elle parut surprise.
« Et pourquoi viendrait-il ?
– Eh bien, je crois qu'il comptait nous voir ce week-end et c'est mon dernier week-end. Je lui demanderai si tu veux. Je pense qu'il sauterait sur l'occasion.
– J'en suis sûre. Mais je ne suis pas certaine en revanche que Vince et Greg aimeront...
– Eh bien, demande-leur. »
Elle réfléchit.
« Je vais voir, Timothy. Bon, surtout n'oublie pas les Mercer demain. »

Les Mercer habitaient dans l'un de ces grands immeubles que les Américains avaient bâtis pour leur personnel dans la partie sud de Heidelberg – « la ville américaine » comme l'appelaient les amis de Kate avec une pointe de condescendance moqueuse dans la voix. Certes, on ne se serait jamais cru en Allemagne au milieu de ces rues rectilignes et proprettes et de ces alignées de bâtiments identiques, sans cachet. Les trottoirs étaient bizarrement déserts, bien qu'il y eût plein de voitures sur les larges avenues au macadam lisse – d'énormes Fords, Pontiacs et Chryslers qui passaient en un ronronnement de pneus. Une fois descendu du bus jaune, Timothy eut quelques problèmes à trouver l'immeuble qu'il cherchait, mais il le trouva enfin. Quelques petits Américains qui traînaient au pied de l'escalier se turent et le dévisagèrent lorsqu'il s'approcha.
« C'est bien la résidence Lincoln ici ? demanda-t-il.
– Ouais », dit l'un des enfants. Un autre expulsa de sa bouche une grosse bulle de chewing-gum et la fit éclater. Comme ils ne bougeaient pas pour le laisser passer, il les enjamba et monta l'escalier.
Mrs. Mercer le regarda avec des yeux ronds quand elle ouvrit la porte. C'était une femme mince, aux traits tirés, vêtue d'un peignoir à fleurs et qui avait les cheveux tressés. Une fillette de trois ans environ, qui suçait son pouce et serrait contre elle une couverture en lambeaux très sale, était accrochée à ses cotillons.
« Timothy qui ? Oh, ouais, le frère de Kate, entre donc, dit Mrs. Mercer. Allons, Lulu, ne reste pas dans mes talons. Voici Timothy, il vient d'Angleterre.

– Bonjour », dit Timothy. Lulu continuait de sucer son pouce.

« Elle est un peu en retard dans son apprentissage du langage, expliqua Mrs. Mercer. Mais le pédiatre dit qu'il faut lui parler tout le temps. Mais surtout pas en langage bébé.

– Eh bien, je ne connais pas le langage bébé. »

Mrs. Mercer éclata de rire.

« En tout cas, tu as un superbe accent.

– Ce n'est pas ce que pense ma sœur.

– Ah oui, mais ta sœur est un peu à part. Elle a ce que je considère être l'accent anglais le plus pur. »

Elle le fit entrer dans une espèce de salon. Il n'était pas très sûr que c'était un salon car tout le mobilier était recouvert de linge, du sale aussi bien que du propre. Il la suivit à travers l'appartement tandis qu'elle cherchait ses fils, et aucune des pièces ne semblait répondre à une fonction précise. Il y avait des assiettes sales dans les chambres, des jouets et des articles de sport dans la cuisine et un poste de radio allumé dans la salle de bains déserte.

« Les garçons ont dû sortir », dit Mrs. Mercer. Elle alla ouvrir la porte d'entrée et cria en se penchant dans la cage d'escalier : « *Larry! Con!* »

Au bout d'un certain temps, le garçon qui avait répondu à sa question au pied de l'escalier et celui au chewing-gum entrèrent dans l'appartement en traînant les pieds. Ils étaient tous les deux plus jeunes que lui, et pourtant, Larry le dépassait d'une tête et Con était presque aussi grand.

« Larry, Con, voici Timothy, dit leur mère.

– On s'est déjà rencontrés, dit Larry.

– J'ai une faim terrible, m'man », dit Con. Il fit une nouvelle bulle avec son chewing-gum.

« O.K., je vais vous faire un sandwich au beurre de cacahuète et à la gelée. Aimerais-tu un sandwich, Timothy? »

Il déclina l'offre poliment, pensant que l'heure du déjeuner était trop proche. Après un échange confus de remarques, il comprit que le sandwich constituait en fait le déjeuner, et alors il changea d'avis. Ils mangèrent dans la cuisine, assis sur de hauts tabourets devant une table étroite et très haute pareille à un comptoir de snack-bar. La conversation fut un peu pénible.

« Qu'est-ce tu fais comme ça à Heidelberg? lui demanda Larry, la bouche pleine de son sandwich.

– Je suis en vacances, dit-il.

– C'est un coin merdique pour des vacances, fit remarquer Con.

– Con ! Je t'ai déjà dit de ne pas utiliser ce mot, dit sa mère.

– Vous ne vous plaisez pas ici ? demanda Timothy.

– Sûr que non. Y'a rien à faire.

– Qu'est-ce que vous allez faire avec Timothy cet après-midi, les garçons ? dit Mrs. Mercer.

– Y'a un nouveau film qui passe en ville, dit Larry.

– Vous êtes allés au cinéma hier.

– Et après, y'a rien d'autre à faire.

– Vous pourriez aller à la piscine. As-tu été à la piscine, Timothy ?

– Oui, dit-il.

– Il a été à la piscine, dit Larry, en pivotant sur son tabouret et sautant par terre. Est-ce que je peux avoir de l'argent pour le cinéma ?

– Évidemment », dit Mrs. Mercer en soupirant. Elle prit de l'argent dans un porte-monnaie et le lui tendit.

« Allons, maman, sois un peu plus généreuse.

– Le cinéma ne coûte que cinquante *cents* par personne.

– Ouais, mais y'a le pop-corn, et j'ai pensé que peut-être il aimerait un milk-shake après. » Larry désigna Timothy d'un petit mouvement de tête.

« Oh, c'est bon, tiens. Et mettez un tee-shirt propre tous les deux avant de sortir. »

Les deux garçons farfouillèrent dans le tas de linge dans le salon et finirent par trouver deux tee-shirts propres. Au grand étonnement de Timothy, ils ne semblaient posséder aucun vêtement personnel. Outre leur tee-shirt, ils portaient un jean et des baskets pas très propres et, avant de quitter l'appartement, ils enfilèrent des coupe-vent légers à fermeture éclair. À côté d'eux, Timothy se sentait trop bien habillé avec sa veste et son pantalon neufs.

« De quel *shire* tu viens ? » lui demanda Larry une fois qu'ils furent installés dans le bus jaune cahotant qui les ramenait vers le centre-ville.

« *Shire* ? répéta Timothy, l'air ébahi.

– Ouais, on dit pas des *shires* en Angleterre pour nommer ce qu'on appelle des états ? Comme le York*shire*, le Landca*shire*.

– Oh! Je viens de Londres, ça ne fait pas vraiment partie d'un *"shire"*. De quel coin d'Amérique venez-vous?

– Du Kentucky, enfin c'est là qu'on habitait avant.

– Là où se passe le derby du Kentucky?

– Exactement! Tu en as entendu parler?» Larry semblait ravi et se montra vraiment gentil pour la première fois.

Comme ils approchaient du cinéma, il y avait de plus en plus d'enfants et d'adolescents américains à envahir le trottoir. Ils déambulaient de ce pas souple et paresseux qui leur était particulier, avec leurs tee-shirts très colorés qui pendaient pardessus leurs jeans rapiécés, jamais seuls, toujours en bande, parlant fort et sans complexe de leurs voix nasillardes. Ils semblaient ignorer ce besoin compulsif que Timothy, lui, éprouvait toujours de se camoufler dans les rues d'Heidelberg, afin de dissimuler le fait qu'il appartenait à la caste des ennemis, des occupants. Bien au contraire, ils se comportaient tout simplement comme si les Allemands n'étaient pas là, comme s'ils avaient débarqué sur la lune, apportant avec eux toute la panoplie qui allait avec leur civilisation. La première chose qui attirait le regard dans le foyer miteux de ce cinéma réquisitionné, c'étaient les petits stands modernes tout scintillants qui vendaient du pop-corn, des hot-dogs et des boissons non alcoolisées. À l'intérieur de la salle, une nouveauté plus mystérieuse encore éveilla sa curiosité : les accoudoirs avaient été supprimés un siège sur deux sur toutes les rangées du fond.

« Des sièges pour amoureux », expliqua Larry sans sourciller, tandis que sa main faisait un va-et-vient régulier entre le sac de pop-corn et sa bouche.

Des sièges pour amoureux! L'idée et son application pratique tout autour de lui détournèrent son attention du film de cow-boys qu'ils étaient venus voir. Des sièges pour amoureux : ça voulait dire qu'on reconnaissait sans gêne que les gens venaient au cinéma pour ça. On emmenait sa petite amie au cinéma et au guichet, on disait : *Deux sièges pour amoureux, s'il vous plaît*, et personne ne vous regardait de travers apparemment. Fantastique.

Il était partagé sur la question : d'une part, il se moquait de cette licence institutionnalisée, d'autre part, il en était jaloux. Tout cela était de l'enfantillage, en effet; oui, c'était bien le mot qui convenait, car ils étaient tous de vrais enfants – il se sentait quant à lui infiniment plus vieux que n'importe lequel d'entre eux, en dépit de leur taille. Mais, c'était un genre d'enfance qu'il n'avait jamais connue, et, malgré lui, il en était jaloux.

Ainsi donc, bien qu'il se sentît mal à l'aise et s'ennuyât un peu en leur compagnie, il ne lâcha pas Larry et Con lorsqu'ils sortirent ensemble du cinéma, éblouis par le soleil, (c'est un crime, aurait dit sa mère, de gaspiller ainsi au cinéma un après-midi aussi divin), et il les accompagna au milk-bar d'à côté. C'était un établissement américain où il n'était pas encore venu; il était fréquenté surtout par des G.I. et par les adolescents qui s'y entassaient maintenant en une foule bruyante, à la sortie du cinéma. Derrière l'étroite façade discrète sur la Bergheimerstrasse, c'était toute une Amérique en raccourci qu'on découvrait avec ses néons roses et ses chromes. De grands soldats à la carrure imposante étaient assis au bar et buvaient leurs boissons avec des pailles, ou bien ils feuilletaient, debout, les revues et les illustrés exposés sur un long présentoir près de la porte. Un énorme juke-box monolithique, dressé comme un autel contre le mur du fond, palpitait et mugissait.

« C'est ici qu'on fait les meilleurs ice-cream-sodas de la ville, dit Larry. Douze parfums.

– *Howard Johnson* en fait trente-neuf, dit Con.

– Je serais vachement content qu'ils ouvrent un *Howard Johnson* à Heidelberg, soupira Larry. Bon, mettons notre fric en commun. J'ai un dollar cinquante. » Il jeta le coupon sur la table.

« J'ai une pièce de dix *cents*, c'est tout, dit Con. M'man te donne toujours tout l'argent. Combien tu as ? » dit-il en se tournant vers Timothy.

Timothy sortit imprudemment un billet de cinq dollars.

« Bon sang! s'exclama Con, les yeux ronds comme des billes, on peut en avoir trois chacun.

– Quatre, dit Larry. Quatre, au minimum. »

Timothy sentit qu'il serait impoli de remettre en cause cet arrangement peu équitable. Ils commencèrent par une tournée au chocolat, continuèrent par une autre à l'ananas et enfin à la fraise. Les ice-cream-sodas étaient en effet somptueux, mais Timothy eut du mal à finir celui à la fraise. Quand Larry se releva en flageolant sur ses jambes pour aller commander une quatrième tournée, Timothy pensa que c'eût été un aveu de faiblesse que de refuser.

« Qu'est-ce qu'on prend cette fois ? » demanda Larry en s'appuyant de tout son poids sur le dossier de sa chaise.

Con bascula dangereusement en arrière pour consulter le menu imprimé qui était affiché au mur.

« Ça vous dit, la pistache ? »

Larry fit oui d'un petit mouvement de tête mais parut incapable de décoller le menton de la poitrine.

« D'accord pour la pistache, alors », dit-il d'une voix mal articulée, et il se rendit au comptoir d'un pas traînant, la tête penchée.

« Con, c'est le diminutif de quoi ? » demanda Timothy pour engager la conversation.

Con avait l'air absent, comme s'il n'avait pas entendu la question ou avait oublié la réponse. Puis il rota et un sourire de soulagement détendit son visage rond marqué de taches de rousseur.

« Constantin, dit-il.

– Comme l'empereur romain ?

– Tu fais le petit malin ou quoi ? Comme mon grand-père. »

Timothy changea de sujet et demanda à quoi servaient les petites boîtes métalliques, munies de boutons ronds et carrés, qui étaient fixées au mur au-dessus de chaque table.

« C'est pour le juke-box, expliqua Con. Ça permet de le contrôler à distance. Ça t'évite d'aller jusque là-bas. »

Tout comme les sièges pour amoureux. Ah ces Américains !

Larry revint avec les ice-cream-sodas qui étaient d'un vert éclatant. La tête penchée en avant sur ses deux coudes et suçant avec délectation, Larry devint loquace et se mit à s'extasier avec nostalgie sur les boutiques d'ice-cream-sodas de son pays, les courses de bolides, les matchs et les programmes de télé.

« Y a la télé en Angleterre ?

– Oui.

– Vous avez de la chance, y'a rien ici. Combien de chaînes ?

– De chaînes ?

– Ouais, je veux dire combien de programmes différents vous pouvez avoir ?

– Oh, rien qu'un. Juste la B.B.C.

– Rien qu'un ? » Ils le regardèrent tous les deux avec pitié et mépris.

« Vous avez des réclames à la télé, n'est-ce pas? dit Timothy. On n'en a pas en Angleterre.

– Vous avez quoi alors entre les programmes?

– Rien. Des interludes simplement.

– Des inter... quoi?

– Eh bien, on nous montre l'image d'un champ, d'une cascade, des choses comme ça, en attendant le programme suivant. »

Larry le regarda d'un air soupçonneux.

« Tu te fiches de nous ou quoi?

– J'aimais bien regarder les réclames, dit Con. Y'en avait qui étaient très chouettes. »

Timothy fut alors distrait par des filles qui se levaient de table à l'autre bout de la salle. Elles s'attardèrent un moment en battant des pieds au rythme du juke-box, debout devant les garçons qui étaient restés assis à la table et plaisantant avec eux. Elles portaient toutes des jeans moulants, coupés et effrangés à mi-mollets. Larry approcha la tête tout près de celle de Timothy.

« Tu vois la fille au pull jaune? murmura-t-il, l'haleine épaisse, chargée de l'odeur fade et écœurante de la pistache.

– Oui, dit Timothy, qui l'avait déjà remarquée.

– Elle s'appelle Gloria Rose. Elle montre ses nichons aux gars pour un dollar. Dans les garages derrière la résidence Lincoln. »

Con se mit à ricaner et enfonça ses mains entre ses cuisses.

« Ça fait cher, dit Timothy. On peut voir presque tout ça pour rien. »

C'était instinctif chez lui, ce genre de remarque détachée et condescendante qui lui avait si souvent permis d'écarter les défis touchant à son expérience et à sa curiosité sexuelles. Mais cette stratégie avait l'inconvénient de mettre un terme à toute conversation. Il attendit, plein d'espoir, lorgnant de dessous ses paupières baissées les seins rebondis de Gloria Rose. Un dollar pour les voir, nus et tout roses. Et qu'est-ce qu'elle montrerait pour cinq dollars? Tout, certainement. Il avala distraitement une grosse gorgée de son ice-cream-soda et, pris d'une nausée soudaine, sentit son estomac se soulever.

« S'cusez-moi », dit-il, en se levant brusquement. Il fonça en titubant vers ce qu'il espérait être les toilettes. Si ce n'était pas les toilettes, alors quelque chose de terrible allait se passer.

Les garçons les avaient justement invités ce soir-là, Kate et lui, à venir dîner dans leur luxueux appartement, au dernier étage d'une de ces vieilles maisons massives qui, tels des châteaux, dominaient le Neckar sur la rive nord. Les garçons firent la cuisine et servirent eux-mêmes le repas, avec panache. La table était superbe avec ses verres et ses couverts étincelants, sa nappe et ses serviettes de lin blanc amidonnées, et ses fleurs. Des bougies rouges piquées dans de curieux bougeoirs se déployaient comme des bouquets à chaque extrémité de la table. La nourriture était manifestement délicieuse, mais, écœuré par les ice-cream-sodas, Timothy n'avait pas gros appétit. Il expliqua qu'il ne se sentait pas très bien et on l'autorisa à quitter la table avant la fin du repas. Dans la pièce d'à côté, il y avait un gramophone stupéfiant qui changeait automatiquement les disques, lesquels étaient d'un type nouveau qu'il n'avait encore jamais vu et qu'on appelait des microsillons. Greg avait placé sur l'appareil une pile de disques au début de la soirée, et Timothy fut si fasciné qu'il passa tout son temps à observer les mouvements de robot du changeur automatique.

Kate vint le rejoindre avec sa tasse de café, les joues roses et le ventre plein, et se laissa tomber dans un fauteuil moelleux.

« Les garçons ont refusé que je les aide à débarrasser la table et je n'ai pas voulu insister, dit-elle. Écoute, je leur ai parlé de Don, à propos de Garmisch, et ils n'avaient pas l'air très chauds.

– Oh!

– Dis-moi, ça ne te fait rien si on ne l'invite pas à venir avec nous?

– Non.

– Comme a dit Greg, ces expéditions ne sont plus drôles du tout s'il y a une seule personne qui ne partage pas l'esprit du groupe.

– Tu crois que c'est la vraie raison?

– Que veux-tu dire?

– Tu ne crois pas qu'ils sont un peu... jaloux? »

Kate gloussa.

« Eh bien, il y a peut-être un peu de ça aussi. Qu'est-ce que tu fais, demain?

– Je vais faire une tournée en bicyclette avec Rudolf, dit-il d'un ton maussade.

– Oh oui. Bon, amuse-toi bien. »

Les bicyclettes fournies par Rudolf étaient des engins lourds et peu maniables, sans dérailleur, avec de larges selles pour femmes et de gros pneus mous faits d'une espèce de caoutchouc blanchâtre. Pas du tout le genre d'engin sur lequel un abonné à *Cycling* aimerait normalement s'exhiber, bien qu'il comprît l'avantage de ces gros pneus quand ils durent affronter les pavés cahotants et les rails des trams d'Heidelberg. Rudolf, avec son unique bras, se débrouillait étonnamment bien, à part une certaine maladresse pour se lancer au départ. La route qu'ils suivirent leur fit quitter les montagnes et ils débouchèrent dans la plaine brumeuse et plate qui s'étendait jusqu'au Rhin. Les trams desservaient aussi la campagne ici et c'était comique de les voir longer des champs pleins de vaches. La terre était grillée et desséchée après la récente vague de chaleur. L'air était chargé de poussière et les gaz d'échappement se mêlaient aux odeurs de fumier et de foin. C'était affreusement banal après les paysages spectaculaires de la vallée du Neckar. C'était la campagne, tout simplement.

Rudolf était un grand admirateur de la campagne anglaise, surtout de la Cornouaille où il avait été interné comme prisonnier de guerre. Il y avait quelque chose d'étrange pour Timothy à parler des plus jolis coins du paysage anglais dans un tel contexte. Il avait vu, un jour, des prisonniers de guerre allemands, parqués dans un train sur une voie de garage à Blyfield. Ils regardaient par les fenêtres : ils avaient sous leurs képis des visages mal rasés au teint cireux et portaient des tenues de travail en grosse toile. Quelques soldats britanniques, le fusil en bandoulière, faisaient les cent pas à côté du train. Il avait observé les prisonniers d'une passerelle, bien en sécurité, avec un mélange de pitié et de haine. Le train avait été retenu presque un jour entier et, après son départ, des odeurs nauséabondes s'exhalaient de ce coin de gare. Les gens du pays étaient outrés et, dans une boutique, quelqu'un avait dit qu'on aurait dû les obliger à nettoyer l'endroit, c'était tout ce qu'ils étaient bons à faire. Et maintenant, quelques années plus tard, le voilà qui roulait en bicyclette aux côtés de quelqu'un qui avait été prisonnier comme ces types et échangeait des propos plaisants sur les haies de la campagne anglaise. C'était un monde bien étrange.

Au bout d'un moment, il s'arma de courage et posa à Rudolf une question.

« Tu as essayé de t'échapper? »

Rudolf rit.

« Certainement pas! Tu plaisantes? S'échapper... elle est bien bonne celle-là! Tu n'as pas idée comme on était heureux d'être prisonniers.

– Heureux?

– Bien sûr! On était en sécurité, bien nourris, bien soignés quand on avait besoin. C'était comme des vacances. Sais-tu qu'on nous a logés dans... comment on dit déjà... un camp pour touristes?

– Un camp de vacances?

– *Ja*, un camp de vacances. Des petites cabanes au bord de la mer. Des couvertures propres. Même un ping-pong. Ç'a été pour moi le meilleur moment de la guerre. »

Quel monde étrange.

Ils s'arrêtèrent à l'heure du déjeuner pour pique-niquer dans un endroit où l'on pouvait se baigner; ce n'était pas une vraie piscine, mais un coin de rivière qui avait été délimité et où on avait installé des tentes pour se changer et des tables de pique-nique. Timothy fut un peu rebuté par l'eau trouble et la gadoue dans laquelle il fallait patauger avant de perdre pied. Mais il fut content de pouvoir se reposer et de se rafraîchir à l'ombre de quelques arbres tandis que Rudolf partait prendre un bain.

L'endroit n'était fréquenté que par des Allemands. On s'en rendait compte à leurs habits, à ce qu'ils mangeaient pour leur pique-nique, aux bouteilles de vin. Et aussi aux mouches. Il n'y avait jamais de mouches dans les secteurs américains de Heidelberg, pas même à la piscine au bord de la rivière. Rudolf fut absent un bon moment et Timothy ne pouvait le distinguer au milieu de la foule qui s'ébrouait dans l'eau. Il se sentit soudain très seul. Et si Rudolf, pour lui faire une blague, était parti et l'avait laissé? Et s'il s'était noyé...? Timothy s'imagina assis là, avec ses deux bicyclettes, tandis que les ombres s'allongeaient, incapable de parler et impuissant. Jamais il ne serait capable de retrouver seul son chemin et de rentrer à Heidelberg.

Deux filles en maillot de bain étendirent leur serviette sur l'herbe non loin de l'endroit où il se trouvait et elles s'installèrent. Elles avaient de grosses figures de paysannes pleines de taches de rousseur et de longs cheveux blonds tressés en lourdes nattes. Elles pouvaient avoir, d'après lui, une quinzaine d'années même si déjà leurs poitrines étaient bien formées et ballottaient sous leurs vêtements de laine apparemment tricotés à la main. Au bout d'un moment, il prit conscience, tout gêné, qu'elles étaient en train de l'observer. Chaque fois qu'il regardait de leur côté, il surprenait un petit clin d'œil furtif, une tête qui se détournait un peu trop tard, une main qui se levait pour étouffer un fou rire. Elles avaient dû sentir qu'il était étranger et s'étaient mis en tête de se moquer de lui. Elles risquaient à tout moment de lui adresser la parole, et alors, qu'allait-il faire? Il chercha autour de lui pour voir s'il apercevait Rudolf.

Il arriva enfin, portant dans son unique main son maillot de bain mouillé et une bouteille d'eau minérale. Timothy se demanda à quoi ressemblait son moignon quand il se déshabillait pour se baigner, mais il était content de n'avoir pas eu à assister au spectacle. Une cigarette mouillée pendait aux lèvres de Rudolf et elle remuait tandis qu'il parlait.

« Je suis désolé d'être resté si longtemps, mais l'eau était tellement bonne. Tu dois avoir faim. »

Comme il avait été convenu entre eux, Rudolf avait apporté avec lui dans ses sacoches des petits pains et du beurre, et Timothy quelques petites gâteries achetées au P.X., des conserves de jambon, des saucisses de Francfort et un petit tube de moutarde qui ressemblait à un tube de dentifrice. Ce fut ce dernier article qui déclencha apparemment chez les deux filles une crise de fou rire.

« Tu as fait grosse impression, fit remarquer Rudolf.

– Qu'est-ce qui leur a pris? Je suis simplement resté assis ici, c'est tout.

– Tu es très sexy pour elles, fut-il surpris d'entendre dire Rudolf. Ton teint pâle et tes cheveux noirs sont inhabituels ici.

– Seigneur », dit Timothy en rougissant mais au fond pas mécontent.

Rudolf dit quelque chose aux filles en allemand. Elles ramassèrent leurs serviettes et s'enfuirent en gloussant et en tortillant leurs fesses aux rondeurs juvéniles.

« Stupides comme des oies, dit Rudolf, en haussant les épaules. On est mieux sans elles, non?

– Oui », dit Timothy avec cependant un brin de regret bien qu'il fût soulagé de les voir partir.

Rudolf s'allongea dans l'herbe quand il eut fini de manger. Timothy, quant à lui, resta assis, les bras croisés sur ses genoux.

« Rudolf, comment c'était en Allemagne pendant la guerre ? » dit-il. Puis il ajouta : « Il ne faut pas te croire obligé d'en parler si tu n'en as pas envie.

– Il faut que tu saches que je n'avais que dix ans quand la guerre a commencé, dit Rudolf. On vivait à Munich à cette époque-là. C'était loin de la zone des combats. Et hors de portée de vos bombardiers pendant longtemps. Évidemment, toutes les victoires allemandes m'excitaient beaucoup. Mon père appartenait au Parti et avait un travail sans risque, sur place, parce qu'il avait été exempté de service actif pour raisons médicales. À l'école, on nous parlait de la glorieuse mission de l'Allemagne : diriger l'Europe, tenir en échec le bolchevisme. J'ai fait partie des *Jungvolk*, bien sûr, et j'ai juré, à dix ans, de Lui sacrifier ma vie. Il y avait un portrait de Lui dans toutes les classes. »

Tandis que Rudolf parlait, Timothy remarqua qu'il n'appelait jamais Hitler par son nom mais disait seulement *Il* ou *Lui*.

« Puis la guerre a commencé à mal tourner. Les victoires qu'on nous promettait n'arrivaient jamais. De plus en plus de jeunes gens étaient mobilisés et tout le monde connaissait quelqu'un qui avait été tué ou blessé quelque part. Surtout en Russie. Je me souviens de la chute de Stalingrad. Même Lui ne pouvait prétendre que c'était une victoire. Il y a eu trois jours de deuil national. Les cinémas et les théâtres étaient fermés. Les drapeaux en berne. Il y avait de la musique solennelle à la radio. Ç'a été la première fois, je crois, que j'ai commencé à me demander pourquoi on s'était lancés dans cette guerre. Tu comprends, on nous avait dit que les Russes accueillaient nos soldats en libérateurs.

« Puis, peu après, il y a eu l'affaire Scholl – tu connais ? Non ? Bon, c'était deux étudiants de l'université de Munich, Hans et Sophie Scholl, tous deux frère et sœur. Ils essayaient de mettre en place une propagande antinazie parmi les étudiants, parmi ceux du moins qui restaient. J'ai trouvé un de leurs pamphlets dans une poubelle et l'ai rapporté à la maison. Mon père a pris peur et m'a battu. Puis, quelqu'un a alors dénoncé les Scholl à la Gestapo. Ils ont été pendus, évidemment.

« À quatorze ans, on était censés adhérer aux Jeunesses hitlériennes. J'ai dit que je refusais et j'ai eu avec mon père une terrible dispute. J'ai fini par adhérer, évidemment. C'était dangereux de ne pas le faire. Mais beaucoup étaient comme moi. Bien sûr, il y avait des fanatiques qui avaient hâte d'endosser l'uniforme. Il fallait faire attention à ce qu'on disait. Mais la plupart d'entre nous espérions que la guerre allait se terminer avant qu'on soit mobilisés. Mais on n'a pas eu cette veine. Notre dernière chance, ç'a été quand on a essayé de Le tuer lors du Complot de juillet. Tu sais ce que c'est?

– Oui, dit Timothy, Vince – Mr. Vernon – m'a raconté.

– J'ai été appelé à seize ans. Dieu merci, on nous a envoyés à l'Ouest et pas à l'Est. On était supposés faire partie des troupes de réserve et rester à des kilomètres derrière la ligne de front. Mais la percée américaine à partir d'Avranches nous a pris au dépourvu.

– Comment as-tu été capturé?

– Je ne l'ai jamais su. J'étais inconscient à cause de ma blessure. Quand j'ai retrouvé mes esprits, j'ai eu peur de me trouver dans un hôpital allemand. Puis, un docteur a dit quelque chose en anglais et je me suis senti heureux. J'ai su alors que j'allais survivre à cette maudite guerre.

– Ça doit faire drôle d'y repenser maintenant?

– Oui. Que faisais-tu cet été-là, Timothy?

– J'étais à la campagne dans un coin appelé Blyfield.

– Un nom charmant.

– Il n'y avait pas grand-chose à faire. J'allais chasser les papillons. »

Rudolf eut un petit grognement amusé.

« J'ai quand même connu le Blitz, dit Timothy pour se défendre. On se réfugiait dans un abri et, un jour, la maison dont il dépendait a été touchée par une bombe. La petite fille avec laquelle j'avais l'habitude de jouer a été tuée, et sa mère aussi. »

Tout lui revint soudain à l'esprit, et ce fut comme si un nuage venait de passer devant le soleil. Jill et tante Nora, tuées dans le jardin. Et l'oncle Jack, abattu plus tard au-dessus de l'Allemagne. Il eut pour Rudolf un brusque mouvement de rejet. Non qu'il fût personnellement à blâmer, mais ça semblait presque une trahison envers les morts que d'être, d'être... eh bien trop familier et trop intime avec un Allemand. Si deux pays s'étaient haïs suffisamment pour s'entre-tuer par centaines et par milliers, la haine devait sûrement durer un peu plus de six ans, non?

À peine avait-il formulé la question dans son esprit qu'il vit qu'une autre réponse était possible. Si la haine était si éphémère, peut-être alors que la guerre elle-même avait été inutile. Mais il fallait bien stopper Hitler - même Rudolf l'admettait. Mais alors, à en croire Rudolf, les Allemands auraient haï Hitler autant que les Britanniques. Ça, ce n'était sûrement pas vrai. Ce n'était pas possible que cet homme fût l'unique responsable - il avait dû y avoir des tas de gens de son espèce prêts à exécuter ses ordres. Comme les gens qui dirigeaient les camps. Rien que là, il en fallait des gens aussi méchants que Hitler.

« Est-ce que tu savais à propos des Juifs? » demanda-t-il imprudemment.

Rudolf sourit d'un air narquois.

« Ah, c'est la fameuse question à soixante-quatre mille dollars, comme disent les Américains. Tous les Allemands d'un certain âge redoutent cette question.

- Parce qu'ils savaient?

- Ils savaient quoi? Tout le problème est là. Bien sûr, on savait que les Juifs subissaient des choses affreuses; si quelqu'un te dit le contraire, ne le crois pas. Mais la plupart d'entre nous, on ne savait pas au juste à quel point c'était affreux. Et c'était dangereux de poser des questions.

- Mais si des gens avaient osé... »

Rudolf haussa les épaules.

« Je ne suis pas en train de chercher des excuses. J'essaie d'expliquer. On vivait dans la peur. Si tu ne comprends pas, c'est tant mieux pour toi. »

Quelque chose que Don lui avait dit lui revint à l'esprit: *L'histoire est le verdict que portent ceux qui ont eu de la chance sur ceux qui n'en ont pas eu et ceux qui n'étaient pas là sur ceux qui y étaient. Les historiens sont de sacrés prétentieux.*

Rudolf se releva et s'étira.

« Il est temps de partir. Tu te sens reposé?

- Oui, dit Timothy, en se relevant. Et tes parents, que sont-ils devenus?

- Ils s'en sont tirés, dit Rudolf. Tu vas les voir cet après-midi.

– Cet après-midi ? » Une brusque panique le saisit.
« Oui, ils habitent non loin d'ici. Ils vont nous offrir un café. »

Les parents de Rudolf vivaient dans un petit hameau qu'ils abordèrent par un chemin creux cahotant, en roulant doucement dans les ornières et les nids-de-poule que la sécheresse avait durcis. Il régnait un calme et un silence oppressants, troublés seulement par le bourdonnement des mouches et les chamailleries des poulets dans la poussière de la place du village – sorte de terrain vague irrégulier à moitié pavé, avec une pompe en plein milieu. Un petit garçon aux pieds nus posa son seau pour les observer comme ils descendaient de bicyclette. Timothy sentit aussi qu'on les espionnait de derrière les fenêtres et aussi des entrées de maisons pleines d'ombres. Il se sentait abattu et gêné et aurait préféré se trouver à mille lieues de là.

Le silence fut brusquement rompu par une petite chienne bâtarde surgie de nulle part qui se mit à aboyer et à les harceler. Une vieille femme, sortie de l'une des maisons, accourut et se mit à frapper sauvagement l'animal avec la paume de sa main. La chienne jappa et gémit, traînant le ventre dans la poussière. Rudolf dit à la femme quelque chose en allemand et elle se redressa alors en donnant au chien un dernier coup de pied. Timothy entendit le mot *englisch* et vit la vieille femme jeter furtivement vers lui des regards suspects. Le petit garçon, toujours à son poste, continuait de les mitrailler des yeux. Jamais Timothy ne s'était senti si loin de chez lui.

Tenant leur bicyclette à la main, ils descendirent un étroit sentier qui sentait le chèvrefeuille et le fumier, et arrivèrent à la petite maison où vivaient les parents de Rudolf. C'était une petite maison sombre et encombrée de meubles lourds, mais fraîche et agréable après la chaleur du soleil. La mère de Rudolf les accueillit, embrassa son fils sur les deux joues et serra la main de Timothy, puis elle les fit entrer dans le salon. C'était une femme rondelette, aux cheveux gris et aux joues roses, qui portait un dentier mal adapté. Elle hochait la tête constamment pendant la conversation, telle une poupée sur la plage arrière d'une voiture.

« Mon père travaille dans le jardin, dit Rudolf. On va le voir ? »

Timothy suivit, passablement angoissé. D'après ce que Rudolf lui avait raconté de son enfance, il s'était fait une image assez sinistre du père. Quand ils contournèrent la maison pour aller dans le jardin derrière et qu'il le vit, en gilet de corps et en pantalon, leur tournant le dos, accroupi en train de soigner des plantes, le cœur de Timothy s'arrêta de battre une seconde : les larges épaules rachitiques, le crâne rasé et bosselé, d'un gris métallique, lui rappelèrent immédiatement l'homme à la figure de brute qu'il avait rencontré à la fontaine près du château de Heidelberg.

« *Vater!* » appela Rudolf.

Timothy eut l'impression que le sol se dérobait sous lui lorsque le père se releva et se retourna vers eux. Mais ce n'était pas du tout le visage qu'il avait craint de découvrir. C'était un visage plutôt gentil et mélancolique, la copie conforme de celui de Rudolf, en plus vieux et plus creux seulement, raviné et brûlé par le soleil. Il n'en restait pas moins que c'était un ex-nazi, le premier spécimen attesté que Timothy eût rencontré et il eut une sorte de haut-le-cœur lorsqu'ils se serrèrent la main, le vieil homme ayant eu la prévenance de s'essuyer les mains pleines de terre avec son mouchoir, manifestement gêné. Il baragouina deux ou trois mots en anglais à Timothy à propos de la chaleur, de Heidelberg, puis leur fit faire un tour de jardin tandis que Rudolf commentait avec volubilité et traduisait pour Timothy, lequel manifestait son admiration et son approbation par quelques sons inarticulés. Ils retournèrent dans la maison où la mère de Rudolf avait préparé du café et des gâteaux. Le père les abandonna un moment et revint vêtu d'une chemise et tenant à la main une bouteille; il servit à Timothy un petit verre d'une liqueur transparente. Timothy avala une gorgée qui lui brûla la gorge et faillit l'étrangler. Rudolf et son père se mirent à rire mais la mère, visiblement inquiète, lui apporta un verre d'eau. Il déclina l'offre poliment, craignant que l'eau ne vînt de la pompe du village.

Au bout d'une demi-heure, il avait déjà hâte de s'en aller. Il ne comprenait pas la conversation et n'avait nulle envie de la comprendre. Autour de lui, on échangeait des plaisanteries en allemand dont on riait et qu'on lui redonnait en traduction, comme des tranches de gâteaux, pour qu'il pût, avec un temps de retard, participer à l'hilarité générale. Remarquant peut-être qu'il s'ennuyait, le père de Rudolf fit signe à Timothy de s'approcher du grand meuble radio qui occupait l'un des coins de la pièce.

« Mon père demande si ça te ferait plaisir d'écouter la B.B.C., expliqua Rudolf. C'est un poste très puissant. Il a dix lampes. Mon père en est très fier. »

Le poste se mit à bourdonner tandis qu'il chauffait. Puis, au milieu d'un grésillement de parasites parvint, lointaine mais très audible, une voix indéniablement anglaise :

> *« ... il lance la balle, et Edrich la dégage vers sa gauche, Stewart arrive de sa place de mid-wicket, mais pas de point de marqué. C'est la fin de la septième série de lancers de cette période pour Bedser, et c'est sa troisième sans points marqués... »*

« Du cricket ! » s'exclama Timothy.

Le père de Rudolf parut perplexe.

« Il dit quelque chose comme " Krick " ? »

Rudolf rit.

« Il a compris que tu disais *Krieg*, la guerre.

– Non, pas la guerre. Le cricket, le jeu.

– Je connais, je les ai vus jouer en Cornouaille. »

Rudolf expliqua à son père qui sourit et hocha la tête. Sa mère hocha aussi la tête, plus énergiquement que jamais, et on eût dit que sa tête allait se détacher de ses épaules. Il eut un moment l'impression de se trouver dans une pièce pleine de poupées articulées, tels les personnages sculptés sur les horloges allemandes, tous animés d'un mouvement de tête frénétique.

« Tu aimerais écouter ? lui demanda Rudolf.

– Avec plaisir. C'est le Surrey contre le Middlesex. Je suis un supporter du Surrey. »

Ainsi donc, pendant tout le reste de leur visite, il se vit dispensé avec joie de tout commerce social. Il resta assis près de la radio, dans cette pièce allemande étrange où l'on conversait autour de lui dans un allemand inintelligible, relié par un fil sonore ténu au pays auquel il appartenait et qu'il avait quitté – il y avait quoi... deux semaines seulement ? Il se rappelait qu'il était passé en bus devant le terrain de cricket de Kennington et avait vu le score de la veille. C'était comme si, à ce moment-là, on l'avait jeté loin en pleine mer et qu'il avait dérivé et nagé de son mieux au milieu de courants étranges ; et maintenant qu'il avait atteint ce coin le plus éloigné, le plus étrange, il percevait, à sa grande surprise, des petits coups rassurants sur la corde qui le reliait au pays. Comme elle était saine, sécurisante et familière, la voix de ce commentateur détendu, jovial et très au fait du jeu qui savait donner un sens au moindre détail.

« ...et je pense que Laker, le lanceur – oui, Laker va passer à gauche de l'arbitre maintenant. Il mesure sa course, et Compton, le batteur, palabre avec l'arbitre pour se replacer devant le guichet. Ce devrait être une phase de jeu intéressante. Je pense que Laker va essayer de faire tomber la balle à l'endroit où elle a déjà rebondi et la balle est déviée de côté maintenant – oui, Compton va examiner l'endroit de la chute pour vérifier... »

Timothy pencha la tête vers le poste car la voix devint momentanément inaudible sur les ondes. Rudolf, qui écoutait attentivement son père, croisa son regard et lui adressa un bref sourire.

« J'espère que tu ne t'es pas trop ennuyé », dit Rudolf tandis qu'ils quittaient le village sur leurs bicyclettes, sous l'œil curieux du même petit garçon.

« Non, j'ai bien aimé. C'était formidable d'entendre un match de cricket.

– C'est bien pour toi d'avoir vu une maison allemande, non ? Ce serait dommage d'être venu en Allemagne et de n'avoir rencontré que des Américains.

– Oh, oui, tout à fait. »

Timothy était sincère. Maintenant que cette visite appartenait au passé et qu'ils retournaient vers un territoire familier, il se sentait auréolé d'une grande vertu pour avoir osé pénétrer dans un intérieur allemand et s'être mêlé aux autochtones.

« Tes parents sont très gentils, dit-il poliment.

– Merci. Ils sont aussi très tristes. »

Tandis qu'ils roulaient côte à côte, Rudolf se mit à évoquer les déboires de ses parents. Son père avait été fonctionnaire du gouvernement régional à Munich. À la fin de la guerre, il avait perdu son travail et sa pension à cause de ses liens avec le Parti. Ils avaient quitté Munich et s'étaient installés dans ce village pour être près de Rudolf dont ils étaient totalement dépendants. Ils avaient eu deux autres fils, plus âgés que Rudolf : l'un avait péri en mer dans un sous-marin qui avait coulé dans l'Atlantique ; l'autre avait été fait prisonnier en Russie, et, depuis, on n'avait jamais plus entendu parler de lui.

« C'est une vie de misère et d'ennui qu'ils mènent ici, dit Rudolf. Mais la maison ne coûte pas cher. »

Après ce que Rudolf lui avait raconté plus tôt dans la journée sur son enfance pendant la guerre, Timothy avait cru voir en lui un rebelle éclairé en révolte contre un père compromis et corrompu ; mais Rudolf le surprit en prenant avec véhémence la défense de son père.

« Ce n'est pas juste, tu comprends. Les petits souffrent quand les gros s'en tirent. Il y a une quantité de nazis autrefois haut placés qui occupent aujourd'hui des postes de responsabilité. Dans le gouvernement, dans les affaires, dans les universités. Des hommes avec un dossier bien pire que celui de mon père. Certains ont été envoyés en prison à Nuremberg mais, aujourd'hui, les Américains les relâchent en masse et ils sont plus riches que mon père, qui, lui, n'était pas un criminel.

– Qu'est-ce qu'il a fait exactement ? » Timothy sentait qu'il marchait sur des œufs mais il était poussé par une irrésistible curiosité.

« Il travaillait au *Rathaus* de Munich, à l'hôtel de ville, si tu préfères. Il était dans le service des impôts. Puis, un jour – c'était en 1943 – il a été transféré dans le service du rationnement où il a dû tamponner les carnets de rationnement des prisonniers de Dachau. Après la guerre, on a dit que la plupart de ces carnets de rationnement appartenaient à des morts. Je sais que mon père n'a jamais soupçonné la chose, quoi qu'il aît pu apprendre par ailleurs. Je me souviens que ça l'inquiétait, tout ce marché noir qui se pratiquait en ville. *Je ne comprends pas d'où vient la nourriture*, disait-il. C'était un homme honnête. Mais, après la guerre, personne ne l'a cru.

– Il ne peut pas faire appel ou se défendre ?

– Il est trop fier. J'ai parfois envie d'écrire aux autorités. Elles sont de plus en plus compréhensives sur ces choses-là. Mais alors, il devrait répondre à tout un tas de questions. Ça raviverait de mauvais souvenirs et peut-être qu'il n'en sortirait rien en fin de compte.

– Pourquoi tu n'en parlerais pas à Vince... à Mr. Vernon?
– L'ami de Miss Young?
– Il a à traiter ce genre de problème dans son travail.
– C'est vrai? Je ne savais pas.
– Il pourrait peut-être aider.
– Oui, dit Rudolf d'un air pensif. Il paraît très gentil, je dois dire. Il a toujours un petit sourire pour moi quand il passe devant mon bureau à *Fichte Haus.*
– Évidemment, j'sais pas s'il pourrait faire quelque chose. C'était juste une idée comme ça », dit Timothy, saisi soudain par le doute. Que représentait le père de Rudolf aux yeux de Vince, ou d'ailleurs à ses propres yeux? Que diable était-il en train de faire, pourquoi se mêlait-il d'aider un ancien nazi à avoir une pension? Quel monde étrange! Il continua de pédaler en silence pendant un moment.

« J'ai peur de t'avoir emmené trop loin, dit Rudolf.
– Non, ça va. Je fais beaucoup de bicyclette en Angleterre. C'est plutôt pour toi que ça doit être fatigant de rouler avec une seule main.
– J'ai l'habitude. Mais ce serait bien d'avoir une voiture, non? Comme la Mercedes de Mr. Vernon. Ça c'est une voiture!
– Elle est formidable. Je suis monté dedans le week-end dernier pour aller à Baden.
– Elle est rapide?
– Elle a une accélération fantastique. Mais tu peux conduire, Rudolf?
– J'ai appris à l'armée.
– Je voulais dire... » Timothy regarda le bras handicapé de Rudolf.

« Oh oui. Je peux tenir le volant avec ça (il souleva son moignon) et changer de vitesse avec ma main valide. »

Timothy avait dû prendre un air sceptique car Rudolf se mit à rire.

« C'est sans danger, je t'assure. »

« Les enfants, dit Don, je vous présente un de mes amis qui vient d'Angleterre. Timothy Young. »

Les élèves, dispersés un peu partout dans la pièce – sur les pupitres, les chaises, les rebords de fenêtres – dans des positions indolentes les plus variées, l'observaient avec une curiosité très mitigée. Un garçon à grosses lunettes, assis juste devant, lui cria très fort, *Salut!* Timothy, qui se tenait à côté du bureau de Don, fit un petit sourire timide. La situation n'était pas exactement comme il l'avait imaginée. La classe était composée d'élèves des deux sexes et d'âges différents, allant de douze à seize ans. Il n'y avait apparemment aucun travail systématique en cours. Il régnait une atmosphère de gentille pagaille. Les élèves appelaient Don par son prénom. Mais le plus déconcertant de tout, c'était la présence de Gloria Rose qui, assise nonchalamment sur sa chaise au fond de la classe, se limait les ongles, un livre ouvert sur son bureau. Pendant tout le temps qu'il resta dans la classe, elle ne dit pas pas un mot mais prit des airs agacés en entendant les remarques et les questions que les autres lui adressaient.

« Timothy s'est très gentiment proposé de nous parler de son pays, dit Don. À toi, Timothy. »

Don le laissa seul, debout, face à la classe, et alla s'asseoir à l'un des pupitres de la rangée du fond. Timothy resserra son nœud de cravate (c'était sa cravate d'uniforme qu'il avait mise spécialement pour la circonstance) et s'éclaircit la voix.

« Eh bien, euh... Je ne sais pas ce qu'ils veulent savoir, dit-il à Don.

– Que voulez-vous savoir, les enfants? »

Après un moment de silence, une fille qui avait des bagues en métal autour des dents demanda :

« Est-ce que le roi d'Angleterre porte toujours sa couronne sur sa tête?

– Non », répondit Timothy avec assurance.

Les questions fusèrent alors et partirent dans tous les sens.

« Est-ce qu'il y a chez vous des démocrates et des républicains? »

« Est-ce qu'on joue au base-ball? »

« Est-ce que les petits Anglais pratiquent le pelotage? »

La question déchaîna des fous rires aux quatre coins de la classe et Timothy regarda en direction de Don, pensant qu'il allait intervenir, mais rien ne se passa.

« Je ne sais pas, dit-il. Moi, je vais dans une école de garçons. »

L'auditoire se mit à rire, comme s'il avait dit quelque chose de drôle.

Les vraies difficultés commencèrent quand il entreprit, bien imprudemment, de faire une description géographique des îles Britanniques. Il dessina une carte stylisée au tableau : un vague triangle pour l'Angleterre, une bosse sur un côté pour le pays de Galles, et un autre triangle renversé en haut, pour l'Écosse. Un parallélogramme, plus loin à gauche, pour l'Irlande. Il marqua l'emplacement de Londres avec assurance, mais après cela, il se trouva quelque peu embarrassé. La géographie de l'Angleterre n'avait jamais été son point fort. Il avait abandonné cette discipline en seconde quand il avait fallu choisir les matières pour le *O-level* et, jamais de sa vie, il n'avait dépassé la banlieue nord de Londres. Il hésita avant de situer Manchester qu'il plaça finalement juste en dessous de l'Ecosse, au milieu. Quelques élèves de la classe donnèrent les noms de différentes villes, Birmingham, Oxford et York, et il les représenta par des points vaguement situés autour de Manchester. Il assombrit presque toute la moitié nord de l'Angleterre et expliqua que c'était le Pays noir.

« C'est là que se trouvent toutes les mines et toutes les usines. Il y a tellement de fumée et de suie que les champs sont tout noirs. C'est pour ça qu'on l'appelle le Pays noir. »

C'était toujours ce qu'il avait imaginé. Le nom avait toujours suscité dans son esprit l'image saisissante de flocons de suie tombant comme de la neige et se déposant sur les champs – des champs de blé tout noirs qui ondulaient au vent sous une chape de fumée. Dans son univers mental, tout le nord de l'Angleterre était comme ça. Mais, pendant qu'il faisait cette description, tout ça lui parut assez peu probable et, du coin de l'œil, il remarqua un vague petit sourire moqueur sur le visage de Don.

Don le remercia chaleureusement d'être venu leur parler, d'abord au nom de la classe, et ensuite en son nom personnel quand ils se retrouvèrent dans le couloir. Il dit que ça avait été très intéressant et qu'apparemment les gamins avaient été ravis. Mais, en voulant sortir de l'école, Timothy se perdit, il revint sur ses pas, repassant ainsi devant la classe de Don. Il l'entendit dire : « *Par exemple, Manchester n'est pas si loin au nord, et se trouve davantage à l'ouest...* » Il y eut un bruit d'effaceur au tableau et un crissement de craie. Timothy se sentit mortifié mais amer aussi. Ce n'était pas honnête de la part de Don de l'avoir ainsi trompé et de l'avoir mis dans une situation où il s'était ridiculisé en face de Gloria et de tous les autres. Il se sentit mal récompensé des efforts qu'il avait faits pour inviter Don à se joindre au groupe qui allait à Garmisch, et se réjouissait maintenant de n'avoir pas obtenu gain de cause.

C'était, évidemment, bien fait pour lui. Il avait toujours su que c'était très mal et profondément ignoble d'espionner la femme d'à côté. Combien de fois n'avait-il pas décidé, plein de bonnes intentions dans la journée, d'arrêter, d'abandonner cette habitude, pour finalement, en fin de journée, succomber à l'irrésistible fascination du placard avec toutes ses promesses de secrets interdits murmurés à voix basse. Et maintenant, il était puni. On ne plaisantait pas avec Dieu.

Il priait Dieu maintenant et lui promettait que, s'il sortait sans encombre du placard, plus jamais il ne l'ouvrirait. Et que, de retour à la maison, il réciterait le rosaire en entier tous les soirs et irait à la messe tous les matins pendant un mois. Après avoir passé, plein d'espoir, cette transaction avec le ciel, il essaya d'ouvrir encore la porte, mais elle ne bougea pas d'un pouce. Il n'avait jamais complètement fermé la porte derrière lui auparavant, il avait toujours laissé une petite ouverture pour respirer; mais, ce soir, il l'avait tirée un peu trop fort et la serrure s'était fermée d'un coup sec. Il n'y avait pas de poignée à l'intérieur. Quelle idiotie de faire un placard comme ça! N'importe qui pouvait se trouver enfermé à l'intérieur. On pouvait étouffer. Rien qu'en y pensant, sa poitrine se contracta et il se mit à manquer d'air. Il réprima ce mouvement de panique et essaya de réfléchir calmement. Dans le noir, il explora soigneusement la serrure à tâtons et finit par admettre que, sans tournevis, il n'y avait aucun moyen de la démonter.

Deux solutions se présentaient à lui; ou plutôt trois. Il pouvait appeler au secours, mais c'était hors de question... il n'osait même pas imaginer l'humiliation que ce serait pour lui d'être délivré par une foule curieuse de femmes en robes de chambre, de policiers de l'armée, de pompiers... Il pouvait s'échapper en enfonçant la porte, car elle était somme toute assez mince, mais sa voisine allait fatalement être alertée, et il risquait, bien sûr, d'être découvert. Ou encore, il pouvait passer la nuit dans le placard et forcer la porte dans la matinée quand tout le monde aurait quitté le bâtiment. C'était évidemment la solution la plus prudente, mais il se demandait s'il avait assez de cran pour passer toute la nuit à attendre par terre dans le placard. Et puis, l'air pouvait venir à manquer. Il y avait bien le trou dans la cloison mitoyenne et les fentes autour de la porte, mais déjà l'air était étouffant à l'intérieur du placard.

Il trouva enfin un compromis. Il allait attendre que la femme d'à côté fût endormie (il entendait sa radio) et alors, il allait défoncer la porte, en espérant que, même si le bruit devait la réveiller, elle n'en pût deviner ni la nature ni l'origine.

Le temps passa très lentement. Il y avait des heures, semblait-il, qu'il attendait quand on arrêta la radio et que la lumière s'éteignit derrière la fente du mur. Mobilisant toute sa volonté, il évita de faire le moindre geste pendant environ trois bons quarts d'heure. Arrivé à ce stade, tous ses membres lui faisaient mal, il était en sueur et au bord de la crise de nerfs. Il était incapable d'attendre plus longtemps.

Pour que son plan réussisse, il fallait qu'il enfonce la porte d'un seul coup. Un grand bruit, un seul et puis, le silence – telle était sa stratégie. Il respira profondément et se jeta contre la porte.

La porte ne bougea pas d'un pouce, mais le placard résonna comme un tambour et une centaine de cintres métalliques tombèrent par terre. Fou de rage, oubliant toute précaution, il s'élança encore une fois contre la porte. Puis une fois encore. Un panneau craqua et se fendit mais la serrure, la foutue serrure, la sacrée serrure, ne voulut pas céder.

La lumière apparut derrière la fente du mur et une voix de femme dit d'un ton brusque :

« Qu'est-ce que c'est? Qui est là? »

Timothy, qui respirait fort et massait son épaule meurtrie, ne dit rien.

« Dolores? Tu es déjà de retour? C'est toi, Dolores? Écoutez, je ne sais pas qui vous êtes, bon sang, ou ce que vous faites dans la chambre de Dolores Grey, mais je vais de ce pas vous dénoncer.

– Non, ne faites pas ça », dit Timothy.

Il y eut un silence étonné. Puis :

« Qui est-ce? Qui êtes-vous?

– Euh... je m'appelle Timothy Young. »

Oh Seigneur, Seigneur.
« Ouais? Continuez de parler.
– Je suis enfermé dans ce placard. »
Un gros rire retentit dans la pièce voisine.
« Ça, c'est la meilleure! Qui vous a enfermé là-dedans?
– Je me suis enfermé tout seul par mégarde.
– Qui êtes-vous, un voleur ou quoi?
– Non, je suis... je suis un ami de Dolores. Elle m'a prêté sa chambre pendant son absence.
– Vous n'êtes pas américain, je ne me trompe pas?
– Je suis anglais.
– Anglais! Il y a longtemps que vous êtes dans ce placard?
– Ça doit bien faire trois heures, je pense.
– Seigneur Jésus! Vous devez étouffer. Je vais chercher quelqu'un pour vous faire sortir.
– Non, ne faites pas ça.
– Et pourquoi pas?
– Eh bien, je ne suis pas supposé être ici. J'ai bien sûr la permission de Dolores mais ce n'est pas officiel. Elle pourrait avoir des problèmes, parce que je ne suis pas une femme.
– Ouais, je l'avais déjà deviné. Mais vous ne pouvez pas rester dans ce placard jusqu'à ce que Dolores revienne de vacances. »

Après un petit moment de réflexion, Timothy se hasarda à faire une suggestion :
« Et vous, vous ne pourriez pas me faire sortir? Il suffit que quelqu'un tourne la poignée de l'extérieur.
– Est-ce que la porte de votre chambre est fermée à clé?
– Hélas oui, dit-il d'un ton misérable.
– O. K., je vais aller chercher le directeur.
– Ne lui dites pas que je suis ici. »

Elle gloussa.
« Comment puis-je être sûre que vous n'allez pas me sauter dessus et me violer dès que j'aurai ouvert la porte?
– Je ne le ferai pas, je promets. »

Le même gros rire strident retentit.
« O. K. Timothy, je vous fais confiance. J'espère que je n'aurai pas à le regretter. À propos, quel âge avez-vous?
– Seize ans.
– C'est tout? Tiens bon, petit, je reviens tout de suite. »

Pendant qu'elle fut absente, il fut incapable de penser à quoi que ce soit. Son esprit était aussi sombre et vide que le placard. Il attendit passivement, telle une victime qui attend l'arrivée de l'ambulance, replié dans quelque coin obscur au centre de lui-même. Puis, il entendit une clé tourner dans la serrure de la porte de sa chambre et un bruit de pas. La porte du placard s'ouvrit. Il cligna des yeux, ébloui par la lumière, et se jeta en trébuchant dans la chambre, tombant presque contre la femme.

« Doucement, s'exclama-t-elle, en le retenant d'une main ferme. Tu ferais mieux de t'asseoir une minute.

– Merci, dit-il, et il s'affala dans le fauteuil.

– Je t'en prie. Une cigarette ? »

Elle sortit le paquet de la poche de sa robe de chambre.

« Non, merci. »

Elle alluma une cigarette et s'assit en face de lui sur la banquette-lit.

« Je suis affreusement désolé pour tout ce qui s'est passé, dit-il. Je vous ai réveillée.

– Ne t'en fais pas. Je ne dors pas très bien, de toute façon. » Soudain, son visage s'épanouit en un large sourire. « Parle-moi un peu de toi. »

Il lui raconta brièvement son histoire. Elle connaissait Kate de vue.

« Mais vous ne lui direz rien pour ce soir, n'est-ce pas ? lui dit-il d'un ton suppliant.

– Je peux garder un secret, le rassura-t-elle. Et toi aussi apparemment. Comment as-tu fait pour vivre ici pendant deux semaines sans que personne ne te découvre ? Excuse ma tenue, soit dit en passant, mais je n'attendais personne. »

Elle montra du doigt les gros rouleaux en plastique qu'elle avait sur la tête et le voile transparent qui les enveloppait. Jamais elle ne pourrait passer pour une jolie femme, pensa-t-il, même si elle se montrait sous son meilleur jour. Il n'y avait pas un seul trait, un seul membre, qui ne présentât une sorte d'anomalie ou de disproportion. Elle avait la figure trop petite, ou peut-être la bouche trop large ; sa poitrine était toute plate et les articulations de ses longs bras et de ses longues jambes saillaient bizarrement comme celles d'une sauterelle. Mais il y avait quelque chose dans son attitude, dans son expression qui refusait de s'excuser pour ce corps, ce qui donnait à celui-ci un charme surprenant. Comme elle croisait les jambes, le bas de sa robe de chambre glissa et elle ne se donna pas la peine de le remettre en place. Elle ne semblait pas porter de chemise de nuit en dessous. Ce qu'il savait de cette femme ou qu'il avait imaginé inonda son cerveau comme un afflux de sang. Sa chair se raidit et il croisa ses mains sur ses cuisses, essayant de se maîtriser et de se cacher.

« T'es sûr que t'es O. K. ? Tu ne veux pas de l'aspirine ou quelque chose d'autre ? J'ai dans ma chambre assez de médicaments pour doper tout un régiment.

– Non, merci, ça va aller maintenant. »

Il se leva pour lui signifier qu'elle pouvait partir.

« Attends, je vais aller te chercher de l'aspirine. Tu sembles un peu pâlot. Au fait, je m'appelle Jinx Dobell.

– Enchanté de vous connaître », dit-il, se sentant ridicule, planté là en pyjama. Les yeux verts de la fille brillaient au-dessus de sa bouche épanouie.

« Tu parais bien grand pour ton âge, Timothy. »

Il ne trouva rien à répondre à cela, ne s'étant jamais considéré particulièrement grand, et encore moins maintenant à côté des Américains de son âge.

Après qu'elle fut partie, il découvrit que la braguette de son pyjama était grande ouverte. Il enfila sa robe de chambre et se rassit dans le fauteuil en attendant avec appréhension le retour de la femme. Il y avait au moins quelque chose de bien dans toute cette affaire : elle ne semblait pas se douter qu'il l'avait espionnée.

Quand elle revint dans la chambre, sa figure ne brillait plus autant, elle avait enlevé ses rouleaux et ses cheveux retombaient maintenant sur ses épaules. Elle portait un plateau sur lequel il y avait deux verres, une bouteille de cognac et un petit flacon d'aspirine.

« J'ai pensé que tu aimerais peut-être mieux une boisson forte.

– Non, merci.

– Tu ne fumes pas, tu ne bois pas... Quel est ton petit péché mignon ? Ce doit être les filles.

– En fait, je prendrais bien une cigarette, si vous voulez bien m'en donner une.

– Bien sûr. »

Elle lui donna une cigarette qui lui parut aussi longue que le mât d'un drapeau et il réussit à tirer des bouffées sans tousser. Elle se servit une copieuse ration de cognac et y ajouta un peu d'eau du robinet. Puis, elle alla s'asseoir sur le lit, le dos appuyé au mur, les genoux ramenés contre elle. Elle posa son menton pointu sur ses genoux et le regarda.

« Eh bien », dit-elle avec un sourire.

Il se tortilla sur son siège, gêné par son regard.

« Excuse ma curiosité, dit-elle, mais comment tu te débrouilles avec les lieux d'aisance ?

– Les lieux de quoi ?

– Je veux dire les W.C., la salle de bains, les...

– Oh, je, euh... j'attends qu'il y ait plus personne.

– J'en reviens pas. Ça fait penser à " Don Juan au sérail ". T'as lu ce poème de Lord Byron ?

– Non, on n'a pas fait Byron à l'école.

– Tu devrais le lire, c'est fantastique. Je l'ai lu quand j'ai pris un cours sur la poésie romantique en première. »

Elle se mit à lui raconter l'histoire de ce garçon qui, au temps jadis, s'était introduit dans un harem turc, déguisé en jeune fille. Il ne suivit que vaguement son histoire, plus attentif au fait que le bas de sa robe de chambre avait glissé et dégagé ses genoux. Elle avait les genoux serrés l'un contre l'autre et tout ce qu'il pouvait voir, c'était deux longs tibias et le dessous blanc d'une de ses cuisses. Mais, si elle venait à écarter les genoux... Comme l'idée germait dans son esprit, les genoux s'écartèrent d'un centimètre ou deux. Il sentit sa chair se raidir à nouveau et regarda bien vite ailleurs, vers le mur, vers le plancher. Ses yeux revinrent presque aussitôt à leur place initiale mais, entre les jambes, c'était tout sombre. Sans se rendre compte de son attitude indécente, elle discutait toujours de poésie.

« J'adore les Romantiques anglais, pas toi ?

– Moi aussi, dit-il d'une voix rauque, la bouche sèche.

– Lequel tu préfères ?

– On travaille sur Wordsworth à l'école », dit-il. Était-ce un effet de son imagination ou bien ses genoux s'étaient-ils vraiment écartés d'un centimètre supplémentaire ?

« Oh, je raffolais de Wordsworth à une époque ! »

Elle rejeta la tête en arrière et se mit à déclamer :

Et j'ai senti
Une présence qui me trouble et me comble
De nobles pensées; le sens sublime
De quelque chose d'infiniment plus profond et confus...

Ses jambes se desserrèrent à chaque vers, les cuisses blanches s'écartant comme des branches de céleri, et il comprit, le cœur battant, que rien de tout cela n'était fortuit mais qu'elle s'exhibait exprès devant lui.

« Je ne me souviens pas de la suite mais c'est très beau », murmura-t-elle, les yeux mi-clos, les jambes entrouvertes.

Craignant que ce trou de mémoire ne rompît le charme, il se mit à réciter d'une voix rauque « Les jonquilles », le seul poème de Wordsworth qui lui vînt à l'esprit :

J'errais, solitaire comme un nuage,
Qui flotte loin au-dessus des vallons et des collines...

« Oh, oui ! » Et elle continua :

Quand, tout à coup, je vis une foule,
Une armée, de jonquilles d'or...

Et alors, ses jambes s'écartèrent et retombèrent en un geste de relâchement impudique et il vit. Mais que vit-il ? Non pas la douce petite fente dodue rose perle qu'il avait gardée à l'esprit, mais des poils, une touffe de poils flamboyants, denses et drus comme la queue d'un renard, qui ombraient des lèvres verticales et flasques de chair brunâtre. Il baissa les yeux.

Et alors, mon cœur s'emplit de plaisir
Et danse avec les jonquilles.

Elle acheva de réciter et dit d'un ton banal :

« T'as déjà sauté une fille, Timothy ? »

Il fit non de la tête mais évita son regard.

« C'est bien ce que je pensais. T'as envie ? »

Il secoua la tête une seconde fois. Il y eut un long silence. Puis, les ressorts du lit grincèrent tandis qu'elle se levait.

« Bon, je ne veux surtout pas qu'on dise que j'ai fait violence à un puceau. J'ai bien aimé la poésie en tout cas. Une autre fois, on essaiera Whitman. Tu connais un peu Walt Whitman ? »

Qui va là? Avide, fruste, mystique et nu :
Comment se fait-il que je tire des forces
[du bœuf que je mange?

« Non, murmura-t-il, en secouant la tête.
– Non, évidemment, dit-elle, je m'en doutais. Bonne nuit, Timothy. »

Il resta dans le fauteuil sans bouger, longtemps après qu'elle fut partie.

3

Il se réveilla avec une sensation de bercement inhabituel, le train ferraillant et martelant d'un bruit sourd. Dans la couchette au-dessous de lui, Mel ronflait. Vince et Greg dormaient tranquillement dans les deux couchettes d'en face et leurs deux visages paraissaient sinistres dans la lumière bleue de la veilleuse qui éclairait faiblement le compartiment. Il se retourna et leva le store d'une petite fenêtre située de son côté. Un paysage d'une beauté extraordinaire l'éblouit.

Le train serpentait à travers une forêt de sapins que dominaient d'énormes montagnes. De vraies montagnes, pas les mamelons boisés de la vallée du Neckar et de la Forêt-Noire, mais de gigantesques masses abruptes de rocs gris, hérissées de pics et crevassées, encore encapuchonnées de neige par endroits, des montagnes comme il n'en avait vu qu'en image jusqu'à maintenant. L'aube jetait sur leurs flancs des reflets rosés qui s'éteignirent peu à peu tandis que, appuyé sur ses coudes, il contemplait le spectacle avec émerveillement. Le rêve qu'il avait fait tant de fois dans son enfance s'était enfin réalisé, un rêve de voyage ou d'exploration qui se déroulait le plus naturellement du monde, dans des conditions idéales. Combien de fois, avant de sombrer dans le sommeil, n'avait-il pas transformé en imagination son lit en quelque fantastique véhicule avant-gardiste – un véhicule bas, aérodynamique, monté sur des chenilles, indestructible, invincible, insensible aux extrêmes climatiques – et ne l'avait-il pas lancé à travers de vastes déserts et des steppes glacées, installé confortablement aux commandes, et regardant par le pare-brise le paysage hostile mais inoffensif, avalant les kilomètres en un interminable voyage héroïque et néanmoins luxueusement confortable.

On frappa à la porte du compartiment et un steward entra, apportant du café fumant. Il alluma la lumière et annonça :

« Garmisch-Partenkirchen dans trente minutes ! »

Les hommes bâillèrent et s'étirèrent.

« On traverse des montagnes fantastiques, dit Timothy. Vous devriez jeter un coup d'œil.

– Les Alpes, petit », dit Greg.

Les Alpes encerclaient de tous côtés le centre de repos, vaste hôtel aux poutres apparentes et à balcons construit au bord d'un grand lac appelé l'Eibsee et situé à une demi-heure de route de Garmisch. Timothy avait une chambre pour lui tout seul, à côté de celle de Kate, et du balcon qui reliait les deux chambres elle lui montra le Zugspitze, la plus haute montagne d'Allemagne. Tandis qu'ils regardaient, la surface tranquille du lac fut troublée par un bateau à moteur qui apparaissait au loin, traînant derrière un homme équipé de skis.

« C'est ça le ski nautique ? s'exclama-t-il. Je n'en avais vu qu'en photo avant. C'est difficile ?

– Une fois qu'on est parti, c'est facile, d'après ce qu'on me dit du moins. Je n'ai jamais réussi à me lancer.

– Comment est l'eau ?

– Froide, elle sort d'un glacier. Mais elle est bonne et rafraîchissante. »

Il put le vérifier par lui-même plus tard. Après le petit déjeuner, ils firent tous à pied le tour du lac jusqu'à une petite plage où, à quelques mètres du rivage, était amarrée une plate-forme de plongée sur laquelle un maître-nageur était installé. Timothy fut le premier dans l'eau avec Kate. Le froid lui coupa presque le souffle, mais, après, en se séchant sous le soleil brûlant, une délicieuse sensation de bien-être envahit tout son corps.

« Quel coin fantastique, Kate », murmura-t-il.

Au déjeuner, Ruth dit soudain :

« Kate, c'est pas ton G.I. là-bas ?

– Mon G.I. ?

– À la table près de la fenêtre. Ce type qui a l'air juif et qu'on a rencontré à la piscine l'autre jour.

– Don! s'exclama Timothy. Qu'est-ce qu'il fait ici ? »

Kate rougit et fronça les sourcils.

« Il en a du toupet.

– Que veux-tu dire par là ? demanda Ruth. Il savait qu'on venait ici ? »

Kate hocha la tête.

« Il a fait tout ce qu'il a pu pour qu'on l'invite à venir avec nous.

– Que c'est excitant ! Il doit avoir drôlement le béguin.

– Ne t'en fais pas, surtout, Kate, dit Vince. Tu n'es pas obligée de faire attention à lui.

– Bon, je ne peux tout de même pas faire comme si je ne l'avais pas vu, non ?

– Et pourquoi pas ? »

Kate se tourna vers Timothy.

« Tu savais qu'il allait venir ici, Timothy ?

– Non, sincèrement », répliqua-t-il. Mais il se sentait étrangement responsable de cette intrusion.

« Il nous a vus, dit Ruth, et elle fit un geste de la main.

– Ruth, par pitié, arrête », lui dit Kate sévèrement. Mais Don s'approcha d'eux avec aplomb et vint les saluer.

« Eh bien, salut tout le monde ! dit-il d'un air faussement décontracté.

– Salut, dit Kate, froidement.

– Ça te plaît ici, Timothy ?

– C'est très joli », parvint-il à dire avec un petit sourire gêné.

Puis il y eut un silence glacial que brisa Ruth :

« Vous êtes arrivé par le train de nuit, Don ?

– Non, je suis venu en stop hier. Deux types que je connaissais allaient en voiture jusqu'à Munich.

– Comment allez-vous repartir ?

– Oh, j'ai l'intention de rester un peu. Vous comprenez, je me suis fait renvoyer de mon boulot.

– Renvoyer ? s'empressa de dire Kate. Pourquoi ?

– Eh bien, ce n'est pas le mot qu'ils ont utilisé mais c'est ce que ça voulait dire. Quelqu'un a apparemment fait courir le bruit que j'ai été autrefois objecteur de conscience. Ils ont pensé, j'imagine, que je risquais de pervertir les gosses. On ne prend jamais assez de précautions avec les gauchos de nos jours, vous ne trouvez pas ? »

Il les regarda tous à tour de rôle avec un grand sourire sardonique puis jeta un coup d'œil à sa montre.

« Il y a une excursion en bus au château de Linderhof, cet après-midi, quelqu'un y va ? Non ? Eh bien, je vous reverrai par là, sans doute. »

Quand il fut parti, Kate se tourna vers Vince, l'air en colère.

« Vince, as-tu dit quelque chose à quelqu'un ?

– Que veux-tu dire, chérie ?

– Au sujet de Don. Greg et toi, vous êtes les deux seules personnes à qui j'en ai parlé.

– Je plaide non coupable, dit Greg, en faisant le geste de se rendre.

– Qu'est-ce que ça veut dire, tout ça ? supplia Ruth.

– Demande à Vince », dit Kate, d'un air soucieux en regardant la silhouette de Don qui s'éloignait.

Vince expliqua :

« Notre ami a dit à Timothy, ici présent, qu'il avait été autrefois objecteur de conscience. Timothy l'a dit à Kate et Kate nous l'a dit. Et maintenant, il croit qu'on a refilé le renseignement au département de l'éducation. Comme si les fichiers personnels, ça n'existait pas.

– Eh bien, on ne peut tout de même pas lui en vouloir, non ? » dit Kate. Elle se leva brusquement et rejoignit Don dans le hall. Elle revint quelques minutes plus tard.

« Je lui ai dit que s'il avait perdu son boulot, on n'y était vraiment pour rien, déclara-t-elle. Et je lui ai demandé de se joindre à nous ce soir. Pour lui prouver qu'on n'avait rien contre lui. »

Elle croisa le regard de Vince d'un air de défi. Il haussa les épaules.

« C'est parfait, mon chou, si tu y tiens. »

Timothy attendit la soirée avec beaucoup d'appréhension. Il se trouvait dans la situation gênante de ces pays neutres qui, pris entre deux ennemis, ont de bonnes raisons d'être amis avec les deux mais se voient contraints de prendre parti d'un côté ou de l'autre. En réalité, tout se passa beaucoup mieux qu'il n'avait osé l'espérer, et ce fut Mel, et non Vince, qui se heurta à Don. À la grande surprise de Timothy, ni Vince ni Greg ne cherchèrent à faire prévaloir leurs droits sur Kate. Et Kate elle-même, visiblement désireuse de réparer quelque offense, réelle ou imaginaire, accorda toute son attention à Don et dansa beaucoup avec lui, tandis que Vince se consacra entièrement à Maria qui avait l'air de s'épanouir sous l'effet de son charme. Greg fit semblant de flirter avec Ruth, tandis que Mel, qui détestait danser, passa son temps à s'enivrer.

Ce nouveau brassage de couples fit que Timothy se retrouva souvent seul à table avec Mel. Celui-ci ne savait parler que d'une chose, la guerre, un sujet passionnant en soi, sauf qu'il ne cessait de vanter la supériorité des armées américaines avec une insistance que Timothy trouva assez ennuyeuse. Ses convictions personnelles, acquises petit à petit pendant son enfance, l'incitaient à croire que les soldats britanniques étaient les plus coriaces, alors que les Américains, eux, exigeaient d'être réapprovisionnés constamment au front en commodités de la vie moderne et réclamaient de fréquentes périodes de repos. Les autres revinrent de la piste de danse au moment où Mel pérorait sur l'excès de prudence de Montgomery après le débarquement, et Don le mit tout de suite hors de lui en disant que, bien sûr, la guerre avait été gagnée et perdue en Russie.

« Peut-être que c'était pas si stupide que ça de la part de ton école de te renvoyer, dit Mel avec grossièreté.

– Arrête ton char, Mel, dit Ruth.

– Don a raison, vous savez, dit Vince, à la surprise générale. Vous n'avez qu'à regarder le nombre des pertes sur le Front Est. Il n'y a jamais eu de bataille comme Stalingrad à l'Ouest.

– J'étais dans la IIIe armée, je sais de quoi je parle! dit Mel en hurlant presque.

– Tu étais intendant dans un dépôt de ravitaillement, mon chou, dit Ruth. Tu as vu plus de boîtes de lait condensé que d'obus, alors ferme ta grande gueule. »

Mel donna l'impression un instant qu'il allait la frapper. Kate tenta désespérément de changer de sujet.

« Qu'en est-il de cette affaire Burgess et Maclean? Il n'y a rien eu de nouveau récemment? »

Le choix du sujet n'était pas des plus judicieux. Don, par provocation, prit la défense des services de sécurité britanniques malgré leur ineptie :

« Les pays qui ont les services secrets les plus efficaces sont les plus répressifs. Il n'y a qu'à voir la Russie. L'Amérique est davantage obnubilée par la sécurité que la Grande-Bretagne et le prix qu'on paie c'est McCarthy et J. Edgar Hoover.

– Joe McCarthy est un grand Américain, grommela Mel.

– McCarthy est un pauvre type, dit Vince froidement, et il se révélera comme tel en temps utile.

– Bon Dieu, de quel côté tu es, Vince? se lamenta Mel.

– Du tien, bien sûr, dit Vince avec son imperturbable sourire. Mais ne nous cachons pas la vérité, McCarthy ne fait pas de bien à l'Amérique. Il ne réussit en fait qu'à donner aux gens de gauche, comme Don ici, un complexe de persécution.

– Évidemment, c'est pour *elle* que je suis désolée, dit Ruth.

– De quoi diable parles-tu? demanda Mel.

– De Mrs. Maclean.

– C'est pas de Maclean qu'on parle, mais de McCarthy.

– Vous peut-être, mais moi pas. Quand on pense qu'il l'a abandonnée alors qu'elle était enceinte de huit mois.

– Je me demande si elle était au courant, dit Kate.

– Bien sûr que oui. Tu crois peut-être que je ne le saurais pas si Mel passait des secrets aux Russes?»

Sur ce, la conversation reprit un ton plus badin; on commanda d'autres boissons et Mel se mit à bouder dans son coin. Ce ne fut que quand il se retrouva seul avec Timothy qu'il se laissa aller aux confidences.

«C'est vrai ce que ma garce de bonne femme a dit, je n'ai personnellement jamais participé au moindre combat, mais j'en ai été bigrement plus proche que ton copain Kowalski, et j'étais fier – je n'ai pas honte d'utiliser le mot – j'étais fier de faire partie de la IIIe armée. Patton était un salaud à bien des égards, mais c'était aussi une sorte de génie et il a fait faire l'impossible à ses hommes. Jamais dans toute l'histoire de la guerre, petit, on a vu une chose pareille, cette façon qu'il a eue de faire avancer ses blindés... Ces types pilotaient leurs Shermans comme des bolides sur l'autoroute. Ces machins-là allaient si vite que les Boches en étaient paralysés. Les Boches et les Russes en étaient encore à utiliser les chevaux et les charrettes, tu sais. Nos gars à nous étaient les seuls soldats en Europe qui avaient grandi avec l'automobile, qui la considéraient comme une chose totalement banale et savaient l'utiliser. Et ils l'utilisèrent d'une manière... eh bien, c'est difficile à expliquer, mais c'était comme s'ils étaient tous dans un putain de film et qu'ils savaient à l'avance qu'ils allaient gagner et que les blessures n'étaient pas réelles. Elles l'étaient, bien sûr. »

Ses yeux larmoyants, injectés de sang, étaient rivés sur son verre qu'il tournait lentement en faisant tinter les glaçons contre les bords. Il ajouta : « Mais ils en tirèrent une sorte de courage qui était admirable ».

Timothy garda un silence respectueux. Il était étrangement ému.

Le lendemain matin, après un petit déjeuner tardif, tout le monde, sauf Timothy, se rendit à la jetée de ski nautique, au bord du lac. Il devait les rejoindre plus tard, après avoir assisté à la messe qu'il avait vue annoncée pour dix heures au centre de repos. La célébration eut lieu dans le salon principal, et les fidèles, assis dans des fauteuils confortables et non sur des bancs, prirent leurs aises en allongeant leurs jambes pendant le sermon que le prêtre donna d'une voix traînante et décontractée en l'illustrant abondamment de plaisanteries. Ce n'était pas tout à fait de la religion mais, comme tout ce qui était américain, c'était drôle.

Il n'avait pas particulièrement hâte de s'essayer au ski nautique, mais si Kate avait le cran de s'y frotter, comment pouvait-il honorablement y échapper? En l'occurrence, il arriva trop tard. En sortant sur la terrasse, aveuglé par la lumière vive du soleil, il rencontra Kate qui était portée par Vince et Don. Ils avaient tous sur eux leurs maillots de bain mouillés. Kate essaya de lui sourire mais son visage était livide de douleur. Ruth, gloussant comme à son habitude, grimpait les marches derrière eux, suivie de Maria et de Mel.

« Je m'suis simplement tordu un peu la cheville, Timothy, dit Kate. Pas de quoi s'inquiéter.

– Vous devriez la faire voir à un médecin, dit Don, ça commence déjà à enfler.

– Je vais m'en occuper, dit Ruth, comme les deux hommes transportaient Kate à l'intérieur.

– Elle a apparemment mis ses skis de travers, dit Mel. C'est bien la première fois que je vois ça.

– Quel dommage! J'espère qu'elle n'a rien de cassé, dit Maria. Je lui ai dit de renoncer mais elle a voulu essayer une autre fois.

– On pensait qu'elle riait parce qu'elle avait encore pris son départ en piqué, dit Mel. Puis, on a compris qu'elle était en difficulté. Vince et Kowalski se sont jetés à l'eau et l'ont soutenue jusqu'à ce que le bateau revienne la prendre. Elle a hurlé quand ils l'ont sortie de l'eau. Seigneur! Je pensais qu'elle s'était vraiment cassé la jambe. Mais ça semble n'être qu'une entorse. »

Le médecin confirma ce diagnostic. Kate allait devoir garder sa cheville complètement immobilisée. Il lui conseilla d'attendre au moins jusqu'à la fin de la semaine avant de voyager.

« Eh bien, leur dit Kate avec un petit sourire forcé comme ils se retrouvaient tous ensuite autour de son lit, il semblerait que j'aie trouvé le moyen de prolonger mes vacances. Et toi aussi, Timothy, à moins que tu veuilles retourner à Heidelberg avec les autres.

– J'aimerais mieux rester avec toi, dit-il. Mais il y a papa et maman! Ils m'attendent mercredi.

– On peut leur envoyer un télégramme.

– Je resterais volontiers si je pouvais, mon chou, dit Vince. Mais Greg et moi, on a une réunion demain à Francfort.

– Oh, ça ira, dit Kate. Timothy va s'occuper de moi.

– Et Don reste aussi, si j'ai bien compris? » dit Ruth.

Don, qui avait disparu, réapparut alors en portant une chose qui ressemblait à un antique pare-feu.

« J'ai pensé que ceci pourrait vous rendre service, dit-il à Kate.

– Au nom du ciel, à quoi ça sert ce machin... à ce que les mouches ne lui viennent pas sur la figure? dit Ruth de sa voix rauque.

– Non, c'est pour que les couvertures n'appuient pas sur son pied. »

Don souleva les couvertures au bout du lit et glissa le pare-feu qui fit une bosse au-dessus du pied blessé.

« Eh bien, dit Ruth avec son petit rire pointu, on te laisse dans de bonnes mains, il n'y a pas de doute, chérie. » Elle donna un coup de coude à Don en ajoutant : « Je parie que vous êtes aussi un excellent kinésithérapeute, hein? »

Suivirent alors des jours idylliques. Beaucoup de clients quittèrent le centre de repos à la fin du week-end. L'immense bâtiment se vida de la moitié de ses occupants et les rives du lac se dépeuplèrent. Le temps demeura beau. Au bout d'un jour ou deux, Kate fut autorisée à marcher avec des béquilles et la direction de l'établissement prêta un fauteuil roulant dans lequel Don et Timothy purent lui faire faire des balades aux alentours. Le soir, ils jouaient ensemble aux cartes ou écoutaient des disques dans la salle de musique, des disques classiques choisis par Don. Il y en avait un qui s'appelait *Tapiola* de Sibelius, qu'ils adoraient écouter, assis près de la fenêtre, tandis que la lumière pâlissait sur les montagnes et qu'une brume montait de la surface du lac.

Le mercredi, Timothy partit en bus pour faire l'excursion que Don avait déjà faite à Linderhof où il y avait un château extraordinaire construit par le roi fou, Louis II de Bavière, et qui possédait une galerie des glaces, d'immenses bassins et une grotte en papier mâché. L'expédition lui plut tellement qu'il repartit dès le lendemain voir un autre château de Louis II, à Neuschwanstein. C'était bien plus loin que Linderhof et le voyage allait prendre toute la journée. Cependant, alors qu'ils étaient environ à mi-chemin, le bus fut pris dans un violent orage. Le chauffeur arrêta le bus en pleine route de montagne et ils subirent, tout recroquevillés sur eux-mêmes, le bombardement assourdissant d'un orage de grêle qui plongea la vallée en dessous dans une obscurité complète. Quinze minutes plus tard, l'orage était passé et le soleil brillait à nouveau, mais un éboulement plus loin sur la route bloqua le passage et ils durent rebrousser chemin. Le chauffeur dut faire marche arrière avec le bus sur trois kilomètres, en négociant les virages en lacets avec le précipice d'un côté, avant de trouver un endroit pour faire demi-tour.

Tout excité par cette aventure, Timothy regagna bien vite sa chambre au centre de repos, jeta ses affaires sur le lit et alla sur le balcon où Kate et Don étaient souvent assis à contempler le lac. Le balcon était désert mais la porte-fenêtre de la chambre de Kate était grande ouverte. Il avança sur le balcon et regarda dans la chambre.

Kate et Don étaient étendus sur le lit. Ils étaient nus, sauf que la cheville de Kate avait toujours son bandage et était recouverte, de manière incongrue, par le pare-feu. Don avait la tête appuyée sur l'un des énormes seins blancs laiteux, tandis que sa main serrait l'autre sein dont le mamelon rosé pointait entre ses doigts écartés. Kate était couchée sur le dos, les yeux fermés, le bras jeté autour du cou et des épaules de Don. Elle souriait dans son sommeil comme si elle rêvait à quelque chose d'agréable. Son ventre se soulevait et s'abaissait au rythme de sa respiration. Sur son pubis, il y avait une touffe épaisse de poils noirs frisés.

Il revint doucement sur ses pas en longeant le balcon, traversa sa chambre et descendit l'escalier. Il sortit du hall, franchit la terrasse et prit la route qui menait au bord du lac. Il n'avait qu'une chose en tête : s'éloigner le plus possible de la chambre de Kate.

Le long de la jetée d'où l'on prenait le départ pour faire du ski nautique, une vedette chargeait des passagers pour une croisière sur le lac. Comme un somnambule, il se mit dans la queue, acheta un ticket et prit place à bord. Il n'y avait pas tellement de passagers et il se demanda avec agacement pourquoi un gros G.I. à la tignasse roussâtre avait choisi de s'asseoir à côté de lui. Le jeune homme arborait toute une panoplie d'étuis en cuir de toutes formes, de toutes tailles, suspendus par des lanières à son cou et à ses épaules. Il ouvrit le plus grand de ces étuis et sortit une caméra. Tandis que la vedette partait en hoquetant vers la rive opposée du lac, il se mit à filmer le rivage qui s'éloignait.

« Sensas comme endroit, commenta-t-il. Très pittoresque. Mais ça manque terriblement de gonzesses. Tu vois ce que je veux dire ? »

Timothy crut comprendre en effet, mais ne trouva aucun commentaire utile à faire.

« T'as trouvé une gonzesse depuis que t'es là ? »

Timothy lui dit que non.

« T'es peut-être trop jeune pour t'intéresser aux gonzesses ? »

Timothy se contenta de lui adresser un regard louche, plein d'ambiguïté.

« Bon sang, qu'est-ce qu'une perme sans gonzesse ? »

Timothy répondit en murmurant que ça allait en effet de soi.

« Ma seule chance d'en voir, c'est cette foutue excursion en bateau. »

Timothy manifesta son étonnement.

« Tu vois cette plage là-bas, de l'autre côté du lac? C'est là que les Boches se bronzent tout nus au soleil. Si on a un peu de chance. »

Il ouvrit d'un coup sec un autre de ses étuis en cuir et en sortit des jumelles qu'il braqua en direction du rivage. Il siffla entre ses dents.

« On est vernis aujourd'hui. Il y a de quoi se rincer l'œil. »

Il tendit les jumelles à Timothy qui déclina l'offre poliment. Le spectacle ne présentait plus pour lui l'intérêt qu'il aurait pu avoir en d'autres temps. Comme le bateau approchait du rivage, des silhouettes blanches apparurent, se profilant contre le rideau sombre des arbres en arrière-plan. Le G.I. tourna dans tous les sens son objectif et pointa sa caméra comme un canon vers le rivage. L'appareil ronronna. Les gens sur la plage étaient indiscutablement nus mais nullement intimidés par l'intrusion du bateau. C'était surtout, semblait-il, des familles avec leurs enfants. Certaines personnes se levèrent et saluèrent. Timothy leur répondit.

Ainsi donc, toutes les femmes avaient des poils. Exactement comme les hommes, sauf que, chez les femmes, c'était beaucoup mieux délimité, comme une barbe bien taillée. C'était drôle cette petite barbe, mais finalement pas si surprenant que ça une fois qu'on s'y était fait. Ça l'avait choqué quand il avait vu la chose chez Jinx, sa fameuse voisine, mais, quand il avait vu Kate, il n'avait pas été choqué. Les femmes ressemblaient ainsi davantage aux hommes. Peut-être qu'elles ne trouveraient pas moche après tout la chose de l'homme, n'étant pas elles-mêmes vraiment belles dans cette partie de leur anatomie. Il y avait eu quelque chose de beau à voir Kate et Don étendus ainsi sur le lit si l'on considérait leurs deux corps ensemble. Le spectacle de leurs deux corps réunis avait paru plutôt beau, comme un tableau. Bien que tous les tableaux et toutes les photos de femmes nues qu'il avait vus eussent été terriblement trompeurs.

La plage s'éloigna et disparut peu à peu. Le G.I. soupira et rangea son équipement.

« Bon, voilà encore une bobine pour les archives, dit-il. Ils vont en faire une tête les copains chez moi en voyant ça. »

Timothy demanda où c'était chez lui.

« Friend, Nebraska.

– Vous voulez dire, un patelin nommé Friend? » Timothy étouffa un gloussement.

« Exact. Et un patelin très sympa, comme son nom l'indique. »

Timothy rit cette fois de bon cœur. Le G.I. ne parut pas s'en offusquer. Il souriait comme s'il venait de dire une bonne plaisanterie.

En remontant du lac pour regagner le centre de repos, Timothy aperçut Kate et Don, tout habillés, assis sur le balcon devant la chambre de Kate. Ils lui firent de grands saluts et il les salua aussi. Il repensa à leurs corps nus entrelacés et se demanda si c'était la première fois aujourd'hui ou s'ils l'avaient fait auparavant. Il se dit, avec ironie, que tout ce que sa mère avait soupçonné, tout ce qu'elle avait voulu savoir en l'envoyant ici pour enquêter, il l'avait en quelque sorte provoqué. Sans lui, Kate n'aurait jamais rencontré Don. Et qu'allaient-ils faire maintenant, se marier? Difficile de les imaginer mariés, à moins que Kate, bien sûr, soit enceinte... Il mit un frein à ses pensées vagabondes qui l'avaient, une fois déjà, lamentablement égaré. Ce que faisait Kate ne regardait qu'elle. Il n'allait tout de même pas cette fois encore mettre son nez dans ses affaires. Néanmoins, il ne se sentit pas mécontent du tout de ce qui arrivait à Kate, même si c'était un péché.

Comme il approchait de la terrasse, ils se penchèrent pardessus la rampe du balcon et l'appelèrent.

« Il était bien le château?

– J'en sais rien, répondit-il, en haussant les épaules. On a dû faire demi-tour à cause d'un éboulement. »

Kate prit un air compatissant.

« Quel dommage, dit-elle, quand il la rejoignit sur le balcon. Quand es-tu rentré?

– Il y a deux heures environ. J'ai été faire un tour en vedette sur le lac. J'ai pensé que vous étiez probablement en train de vous reposer.

– On se reposait, en effet. Je me reposais. »

Son visage s'empourpra violemment et elle essaya en vain de croiser le regard de Timothy. Il était amusé et embarrassé mais touché aussi.

« Tu ne trouves pas que ta sœur a une mine superbe? » dit Don.

Il le reconnut en effet.

« Le médecin dit que je peux retourner à Heidelberg demain, dit Kate.

– Quand est-ce que je vais rentrer à la maison, alors? demanda Timothy. Lundi prochain?

– Eh bien, j'ai reçu une lettre de Vince, ce matin. Le feu d'artifice de Heidelberg a lieu samedi la semaine prochaine et les garçons nous invitent tous à une soirée pour assister au spectacle de leur appartement. Qu'en penses-tu?

– Tu veux dire que je reste une semaine de plus?

– Ce serait un peu dommage de louper le feu d'artifice. C'est un spectacle grandiose. On pourrait envoyer un autre télégramme à papa et à maman.

– D'accord », dit-il. Puis, avec un grand sourire, il ajouta : « Ils vont penser que je suis devenu fou.

– Tu ne crois pas que Timothy devrait rester pour le feu d'artifice, Don? dit Kate.

– Oh si, mais ne compte pas sur moi pour me joindre au groupe. Je vous verrai au dîner.

– Oh, Seigneur, soupira Kate quand il fut parti. Si seulement Don et les garçons pouvaient mieux s'entendre. La situation va devenir un peu embarrassante quand on sera de retour à Heidelberg.

– Eh bien, il n'y sera pas bien longtemps, pas vrai? Don, je veux dire.

– Pourquoi? s'empressa de demander Kate.

– On lui a bien offert une place à l'École supérieure d'administration de Londres, non?

– Oui, mais je ne sais pas s'il a donné une réponse définitive... Décisions, décisions, soupira-t-elle, comme je déteste ça! Cette semaine a été un tel délice! Aucun autre souci en dehors de ma cheville.

– Tu devrais peut-être essayer de te tordre l'autre », dit Timothy qui s'esquiva prestement lorsqu'elle le menaça avec sa béquille.

Il pleuvait quand leur train entra en gare de Heidelberg, le lendemain soir : une petite pluie fine tombait des nuages bas qui enveloppaient le sommet des montagnes. La ville paraissait désolée et aveugle, avec sa ceinture de montagnes et de brume, dépouillée de toute couleur et tassée sur elle-même comme un escargot dans sa coquille. Mais il mesura mieux le temps qu'il avait passé loin de l'Angleterre lorsqu'en rentrant à Heidelberg, il eut comme l'impression de rentrer chez lui.

Le taxi s'arrêta devant *Fichte Haus*, juste derrière une voiture de sport blanche qui leur était familière et dont la capote était relevée et la carrosserie couverte de gouttelettes d'eau.

« Je me demande bien ce que Vince peut faire ici? s'exclama Kate. Peut-être que Greg et lui préparent un petit repas pour nous accueillir.

– Dans ce cas, dit Don, je vais vous aider à porter vos sacs et je vous quitte. »

Dans le hall d'entrée, Rudolf sortit précipitamment de son petit bureau pour les accueillir, une enveloppe à la main. Kate lui demanda si Vince se trouvait dans le bâtiment.

« Non, Miss Young. Il est parti avec Mr. Roche à Berlin pour le week-end. Ils reviennent demain.

– Mais sa voiture est dehors.

– C'est exact, Miss Young, il me l'a gentiment empruntée.

– Vous voulez dire que Vince vous a prêté sa voiture? »

Rudolf eut un petit geste d'agacement.

« J'aurais dû dire *prêter*, bien sûr. »

Kate n'essaya pas de cacher son étonnement.

« Vous voulez dire qu'il vous a autorisé à la conduire?

– Oui, je la prends ce soir pour aller chez mes parents. Ça va plus vite qu'à bicyclette, non? dit-il en adressant un sourire à Timothy. Voici un télégramme pour vous. Il est arrivé ce matin même d'Angleterre.

– Papa et maman doivent être dans tous leurs états, dit Timothy.

– Oh, Seigneur, peut-être qu'ils n'ont pas reçu mon télégramme, dit Kate. Qu'est-ce qu'ils disent? »

Il le lut à haute voix :

> « EXAMEN RÉUSSI. CINQ MENTIONS, TROIS CRÉDITS. STUBBINS GILLOW PROPOSE CINQ LIVRES DIX PENCE PAR SEMAINE. EXCELLENTES PERSPECTIVES D'AVENIR. EMBAUCHE IMMÉDIATE. DIRECTEUR DIT DE CONTINUER. FÉLICITATIONS. TENDREMENT. PAPA. »

Kate le prit dans ses bras et l'embrassa sur les deux joues.

« Timothy! Comme tu es doué! »

Don lui serra la main chaleureusement.

« Félicitations, Timothy. Toutes ces mentions, ça fait vraiment impressionnant.

– Il aurait dû me dire dans quelles matières j'avais eu ces mentions, dit Timothy, en scrutant le télégramme.

– Qu'importe les détails, s'écria Kate. Rudolf! Timothy a réussi son examen. Et même brillamment!

– Je n'appellerais pas ça brillamment, à dire vrai, marmonna Timothy en acceptant la poignée de main de Rudolf.

– Tu vas aller à l'université maintenant que tu es lancé, n'est-ce pas? » dit Don.

Il regarda ces visages tournés vers lui qui lui renvoyaient avec dévotion l'image de son succès et, pour la première fois de sa vie, il eut le sentiment que, peut-être, il n'appartenait pas tout à fait au commun des mortels. C'était une sensation merveilleuse, où la vanité n'avait toutefois pas sa place : il acceptait cela tout simplement avec humilité comme une grâce descendue du ciel. Mais la décision qu'il avait à prendre semblait évidente, lumineuse. Il voulait connaître d'autres moments comme celui-ci.

« Oui, dit-il. Je vais continuer mes études. Je vais envoyer un télégramme à papa ce soir.

– Bravo, Timothy! » Don lui donna une tape dans le dos.

« On peut très bien téléphoner de ma chambre, dit Kate. Allez, montez. »

Il fallut attendre que l'émotion provoquée par la nouvelle se fût dissipée pour que Kate songeât à nouveau au mystère de Rudolf et de la voiture de Vince.

« Je suis complètement ahurie. Je sais que Vince l'a prêtée de temps en temps à des amis, mais c'est à peine s'il a adressé deux mots à Rudolf.

– Une amitié s'est peut-être nouée entre eux en notre absence », dit Don sèchement.

Timothy avait là-dessus sa petite idée mais il la garda pour lui. Un peu plus tard, il descendit dans le hall prendre du coca-cola dans le distributeur de boissons glacées et rencontra Rudolf qui se préparait à partir. Il avait fière allure dans son coupe-vent à fermeture éclair apparemment tout neuf, un modèle que Timothy avait vu au P.X.

« J'ai parlé à Mr. Vernon, comme tu me l'avais suggéré, dit

Rudolf. Il pense pouvoir faire quelque chose pour la pension de mon père. Je te remercie infiniment de ta suggestion. »

Timothy suivit Rudolf dans la rue. On ne l'aurait pas pris pour un concierge à le voir debout à côté de la voiture, très grand, très fier, dans son élégant blouson.

« Elle est spendide, tu ne trouves pas? » dit-il en suivant presque voluptueusement du regard les lignes galbées de la voiture. « Tu viens faire un petit tour? Non? Alors, au revoir et encore merci. »

Rudolf se glissa sur le siège du chauffeur. Le moteur démarra et les essuie-glaces balayèrent comme une faux les gouttes de pluie qui s'étaient accumulées sur le pare-brise. La voiture avança lentement et Timothy vit Rudolf se pencher en avant sur son siège pour retenir le volant avec son bras handicapé tandis qu'il changeait de vitesse avec sa main valide. Puis la voiture partit à toute vitesse en un rugissement et disparut à un carrefour.

La nouvelle de sa réussite à l'examen avait soudain rendu Timothy impatient de rentrer chez lui et de se reconnecter avec la réalité. Il sentait qu'il avait fait une bêtise en acceptant de rester à Heidelberg une semaine supplémentaire, rien que pour assister à un feu d'artifice. Le week-end après leur retour de Garmisch fut maussade. La pluie tombait toujours. Kate n'était pas autorisée à se déplacer et Don n'avait pas de voiture, ils furent donc condamnés à rester dans la chambre de Kate, jouant à la Canasta et au Scrabble pour tuer le temps. Cela lui rappela les sempiternelles parties de Monopoly et de Cribbage qu'il faisait avec Jonesy et Blinker le samedi soir pendant ces années d'adolescence qui lui semblaient, rétrospectivement, si stériles et si vides.

Le lundi, Kate se rendit à l'hôpital militaire pour faire examiner sa cheville et Timothy prit un guide que Don lui avait prêté et partit faire un petit tour de la ville pour revoir quelques lieux touristiques plus en détail. Les jardins du château avaient un air mélancolique avec la pluie qui dégoulinait des arbres sur les allées de gravier. De la terrasse est, on apercevait les traces d'un labyrinthe qui avait été fait du temps d'Elisabeth Stuart sur le modèle de celui de Hampton Court. Selon son guide : *Les ambassadeurs en visite le considéraient comme une vraie mer-*

veille et, dans les rapports destinés à leurs Maîtres, il devint une allégorie de la politique de la période. Une malédiction pesait apparemment sur le château. Un prédicateur protestant y avait été brûlé vif comme hérétique et une sorcière avait maudit le prince régnant pour sa cruauté et supplié Dieu de brûler le château. Par la suite, les bâtiments avaient été endommagés par le feu à plusieurs reprises et le château avait été définitivement détruit par les armées françaises à la fin du XVIIe siècle. Le feu d'artifice commémorait cet événement.

Chaque fois que Timothy lisait dans un livre que des catholiques brûlaient des protestants, cela le mettait toujours mal à l'aise. Marie Tudor, par exemple : il était difficile d'éprouver les mêmes sentiments pour les martyrs catholiques sous le règne d'Elisabeth quand on découvrait que Marie avait tué presque autant, sinon plus, de protestants. C'était comme si on découvrait que les Alliés, pendant la guerre, avaient commis des atrocités tout comme les nazis.

Il revint en flânant vers la ville et déjeuna au snack où les fils Mercer l'avaient emmené. Les garçons n'étaient pas là mais Gloria, elle, y était et bavardait avec un groupe d'amis près du juke-box. Elle portait un sweat-shirt blanc avec les lettres U.S. imprimées sur le devant. Il se dit en son for intérieur que la reproduction de deux pièces de cinquante *cents*, une sur chaque sein, aurait été plus appropriée. Cette pensée lubrique ne réussit pas à lui faire oublier qu'il n'avait pas le courage de l'aborder. Elle semblait le reconnaître, se rappelant sans doute sa visite à la classe de Don, car elle lui adressa un petit sourire timide et néanmoins chaleureux tandis qu'elle quittait le snack avec ses amis, mais lui, tout penaud, n'eut pas la présence d'esprit de lui répondre. Il arpenta ensuite la ville sous la pluie, dans l'espoir secret mais déçu de la croiser de nouveau.

Dans la soirée, il dîna avec Don et Kate dans la chambre de sa sœur. L'hôpital avait dit que sa cheville allait bien et qu'elle pouvait retourner au travail à condition qu'elle évitât autant que possible de s'appuyer dessus.

« J'en ai parlé à mon patron et il va m'envoyer son chauffeur me prendre tous les matins avec une voiture de l'armée – si c'est pas gentil de sa part ! J'allais demander à l'un des garçons de venir me chercher mais je n'ai pas réussi à les joindre. »

Dans le courant de la soirée, Mel téléphona, apparemment

pour prendre des nouvelles de Vince et de Greg. Kate posa sa main sur le combiné et dit à Don et à Timothy :

« C'est vraiment un mystère, Vince et Greg devaient rentrer ce matin, mais personne ne les a vus, personne n'a eu de nouvelles d'eux... Un instant, Ruth va prendre l'appareil ; elle veut te parler, Timothy. »

Ce que Ruth avait à dire, c'était que la fille d'une de ses amies célébrait son anniversaire vendredi prochain et que Timothy était invité. Il déclina l'offre poliment mais fermement.

« Tu aurais dû dire oui, lui reprocha Kate aussitôt après. Ç'aurait pu être drôle.

– Je n'aurais connu personne. Cette fille ne me connaît ni d'Eve ni d'Adam. Je veux bien parier que c'est Ruth qui l'a forcée à m'inviter.

– Ne sois pas idiot, Timothy, tu sais combien les Américains sont accueillants. Et puis, d'abord, elle a dit qu'une des amies de cette fille te connaissait.

– Qui ? demanda-t-il, soupçonnant déjà, avec une pointe de regret amer, la réponse qu'on allait lui faire.

– Ruth l'a dit mais j'ai oublié. Quelqu'un de ta classe, Don. Rose quelque chose.

– C'était peut-être Gloria Rose. Tu te souviens de cette jolie brunette à la poitrine avantageuse au dernier rang, Timothy ?

– Non, dit Timothy. De toute façon, je n'aime pas les soirées.

– Bon, si tu ne veux pas y aller, tu n'y vas pas, dit Kate en haussant les épaules. Mais je pensais que tu allais finir par t'ennuyer un peu à force de rester tout seul, toute la journée, à Heidelberg.

– Je suis très bien comme ça, dit-il avec obstination.

– Hé, dit Don, pour calmer le jeu, je dois me rendre à Francfort mercredi. Tu n'aimerais pas venir avec moi, Timothy ? »

Timothy accepta, très reconnaissant envers Don d'avoir changé de sujet. Il retourna seul au foyer. La blessure de Kate avait rendu inopérant leur subterfuge habituel, et, de toute façon, son séjour à Heidelberg tirant à sa fin, il était devenu plus hardi. Il entrait avec assurance dans le foyer et, s'il lui arrivait de rencontrer quelqu'un, il regardait délibérément sa montre comme s'il était venu chercher sa petite amie.

Il n'avait pas revu Jinx Dobell ni entendu parler d'elle depuis son retour de Garmisch, et il supposa qu'elle était partie pour quelque temps, peut-être en vacances. Si c'était effectivement le cas, il ne savait pas s'il devait s'en réjouir ou non. Se retrouver face à face avec elle serait extrêmement embarrassant après cette fameuse nuit – qui, avec du recul, semblait comme un rêve – où elle avait proposé de faire l'amour avec lui ; mais il y avait des jours où, comme ce soir, son esprit indécis caressait l'idée de se voir donner une seconde chance. Il fit claquer délibérément la porte de Dolores en entrant dans la chambre et s'affaira bruyamment en se préparant à aller au lit. Au bout d'un moment, il se dirigea vers le placard, tourna la clé et, pour la première fois depuis qu'il s'y était enfermé, ouvrit la porte. Aucune lumière, aucun son ne parvenait de la chambre voisine par la fente du mur, mais il y avait un livre sur le sol du placard. Il le ramassa. C'était une édition de poche des *Feuilles d'herbe* de Walt Whitman. Il resta complètement pétrifié pendant quelques minutes, tenant le livre entre les mains comme s'il s'agissait d'un objet piégé. Puis, il l'ouvrit et lut la dédicace écrite sur la page de garde : *À Don Juan, tendrement, J.D.* Il ouvrit le livre au hasard et lut :

> *Je me rappelle ce matin si transparent où nous reposions*
> *Tu as posé ta tête en travers de mes hanches et, doucement,*
> *[tu t'es retourné sur moi,*
> *Tu as entrouvert la chemise sur ma poitrine et plongé ta*
> *[langue jusqu'à mon cœur à nu.*
> *Fouillé jusqu'à ce que tu trouves ma barbe, fouillé jusqu'à ce*
> *[que tu prennes mon pied.*

Il referma la porte du placard, alla au lit et se mit à lire le poème depuis le début. Mais c'était un très long poème et il eut du mal à poursuivre sa lecture. Il ne semblait pas y avoir d'histoire et pourtant, d'habitude, les longs poèmes racontent une histoire. Au bout d'une dizaine de pages, ses yeux devinrent lourds, il posa le livre et éteignit la lumière. Mais il n'arrivait pas à dormir. Il songea au livre, à son tic-tac dans l'obscurité du placard comme si c'était une bombe prête à exploser – et cela depuis combien de temps ? Qu'est-ce que ça voulait dire ? Pourquoi l'avait-elle laissé là pour lui? Ça semblait être une sorte de cadeau d'adieu, c'était sans doute aussi bien comme ça. Il pensa qu'elle devait être un peu toquée.

Il se retourna dans son lit et se mit à penser à Gloria. Elle lui avait paru très chouette au snack-bar avec son sweat-shirt U.S. Non seulement elle avait de jolis seins, mais aussi un joli visage. Une peau douce, un teint mat et hâlé, de lumineux cheveux châtain foncé, séparés au milieu par une raie. Gloria Rose. Il se retourna encore une fois dans son lit.

Une quinzaine de minutes plus tard, il se redressa brusquement dans son lit, alluma la lampe de chevet et décrocha le téléphone. Il ne s'en était jamais servi auparavant, pour la bonne raison qu'il fallait passer par le standard. L'homme du standard parut endormi et peu curieux et lui passa *Fichte Haus* où Rudolf appela Kate pour lui.

« Timothy! Il y a quelque chose qui ne va pas?

– Non, je voulais simplement te dire que j'avais changé d'avis à propos de la soirée. J'aimerais y aller. »

Elle rit, soulagée.

« Qu'est-ce qui t'a fait changer d'avis?

– Oh, j'en sais rien. J'ai pensé que Ruth pourrait se vexer.

– Eh bien, c'est très gentil, Timothy. Je lui passerai un coup de fil dès demain matin. C'est un peu tard, maintenant.

– J'espère que tu ne dormais pas?

– Euh... non, je ne dormais pas. »

Elle sembla étouffer un petit gloussement et il crut discerner la voix de Don tout près.

« Bonsoir, alors, dit-il.

– Bonne nuit, Timothy. Fais de beaux rêves. »

Le lendemain matin, alors qu'il était au P.X. en train d'acheter des cadeaux pour ramener à la maison, il rencontra Ruth par hasard. Elle portait un short qui lui arrivait aux genoux, un chapeau de coolie et des sandales à semelles de bois. Elle semblait plus excitée que d'habitude.

« Timothy! s'écria-t-elle, en le saisissant entre ses longues griffes peintes. Tu as entendu ce qui est arrivé à Vince et à Greg? J'ai appelé Kate dès que j'ai su la nouvelle.

– Quelle nouvelle?

– Eh bien, voilà, A.F.N. a annoncé ce matin que deux

Américains sont portés disparus à Berlin. On prétend qu'ils ont dû s'introduire par erreur dans la zone soviétique et ont été arrêtés, bien que les soldats ruskofs soutiennent qu'ils ne savent rien de cette histoire.

– Vince et Greg?

– On n'a évidemment pas donné de noms mais tout colle parfaitement. Mel et moi, on se fait beaucoup de souci. Tu imagines, rester enfermé derrière le rideau de fer! Seigneur Jésus, il arrive qu'on n'entende plus jamais parler de ces gens-là.

– Peut-être que ce n'est pas eux.

– Et où sont-ils, alors?» Elle jeta un coup d'œil à sa montre. «Il faut que je me dépêche.

– Est-ce que Kate vous a parlé de la soirée? demanda-t-il, inquiet.

– Tu veux parler du feu d'artifice? J'imagine que c'est annulé jusqu'à nouvel ordre.

– Non, je veux dire, la soirée d'anniversaire. Celle dont vous avez parlé au téléphone, hier soir.

– Oh, ouais. Kate a dit que tu aimerais y aller finalement, c'est bien ça?

– Oui, si ça marche toujours.

– Parfait. Je vais prévenir Lola Eastman, la mère de Cherry, la fille qui t'invite. C'est une gamine adorable, tu l'aimeras.

– Pourquoi m'a-t-elle invité? C'est bigrement sympa de sa part, mais...»

Ruth eut un sourire malicieux.

«Eh bien, à vrai dire, c'est Lola qui t'a invité. Elle jouait au bridge avec nous, hier soir, et je lui ai parlé de toi. Écoute, il faut vraiment que je file.»

Elle repartit clopin-clopant vers la sortie.

«Mais, protesta-t-il, en trottinant derrière elle, est-ce que la Cherry en question est au courant, au moins?

– Ne t'inquiète pas, Timothy, il y aura une ribambelle de gamins à cette fête. J'espère simplement que ce sacré bateau ne va pas couler.

– Quel bateau?

– J't'ai pas dit? Ils vont louer un de ces bateaux de plaisance qui naviguent sur le Neckar, pour une croisière au clair de lune. Vous allez faire des petits écarts sur le Neckar, comme a dit Mel. Une bonne plaisanterie de sa part, tu ne trouves pas?»

Elle le quitta en lui adressant un grand salut et un clin d'œil coquin.

En changeant d'avis à propos de cette fameuse soirée, Timothy s'était préparé à ce que Kate et Don le taquinent pour connaître ses motifs. Quand ils se retrouvèrent, cependant, la conversation tourna uniquement autour de la disparition de Vince et de Greg. Kate était tout excitée en même temps que bouleversée. Elle allait et venait en clopinant dans son appartement, fumait cigarette sur cigarette, passait son temps à donner des coups de fil ou à répondre au téléphone. Don, allongé tranquillement sur la banquette-lit, lui demanda si elle était au courant qu'ils devaient se rendre à Berlin.

« Non, mais ils sont toujours en route et en chemin pour leurs affaires ou leur plaisir.

– Et cette fois-ci, c'était pour quoi, à ton avis?

– Pour le plaisir, je suppose, c'était un week-end. Mais je ne pense pas qu'ils soient assez idiots pour aller se perdre par erreur en zone soviétique.

– Peut-être que ce n'était pas par erreur.

– Que veux-tu dire?

– Peut-être qu'ils y ont été exprès.

– Comment ça exprès?

– J'en sais rien, mais je ne serais pas du tout surpris si on découvrait que ces deux types font partie de la C.I.A. Les Russes les ont peut-être arrêtés pour espionnage.

– Pour espionnage! répéta Kate d'un ton méprisant.

– Tu les connais évidemment mieux que moi...

– Bien sûr, dit Kate en allumant une autre cigarette. Je n'ai jamais rien entendu d'aussi stupide.

– Mais es-tu bien certaine qu'ils n'avaient pas de secret pour toi?

– Non, mais on peut dire ça de tout le monde. De Timothy par exemple. »

Don se tourna vers lui avec un grand sourire.

« Tu as une vie secrète, Timothy?

– Pas que je sache.

– Qu'est-ce que tu en penses, toi, de tout ça? lui demanda Kate.

– Je pense qu'ils vont réapparaître dans peu de temps en se

demandant pourquoi on a fait tout ce tapage autour de cette histoire. Je crois qu'ils ont été retenus quelque part et qu'ils ont envoyé un télégramme qui n'est jamais arrivé ou quelque chose de ce genre-là. »

Kate éclata de rire.

« Tu as réponse à tout, comme toujours ! Et je parie que tu as raison. Sans qu'on le sache, ils sont peut-être déjà de retour. Je ne me suis même pas donné la peine de faire leur numéro aujourd'hui. »

Elle décrocha le téléphone et appela l'appartement des garçons.

« C'est toi, Vince ? » dit-elle avec empressement.

Timothy et Don se redressèrent sur leur siège et se regardèrent. Mais ce n'était pas Vince qui avait répondu au téléphone. C'était un sergent-chef de la police militaire qui était en train de noter tous les appels qui arrivaient. Kate dut décliner son nom et son numéro d'identité.

« Eh bien, eh bien, dit Don.

– L'armée a drôlement l'air de s'inquiéter de leur sort », dit Kate.

Timothy et Don partirent pour Francfort tôt le lendemain matin. En dehors des quelques images fugitives de Mannheim qu'il avait aperçues le matin de son arrivée, Timothy n'avait vu aucune ville allemande dévastée par la guerre. Les seules ruines de Heidelberg étaient les traces pittoresques laissées par d'antiques guerres historiques, et Baden-Baden et Garmisch ne possédaient même pas de tels vestiges. Francfort marqua un retour brutal à la réalité. C'était comme Londres ou plutôt ce à quoi aurait ressemblé Londres si l'Angleterre avait perdu la guerre. Des enfilades de rues tout simplement volatilisées. Les rues étaient bien là, les trottoirs aussi, les gens marchaient sur les trottoirs et les voitures circulaient dans les rues mais, de chaque côté, il n'y avait... rien. Des espaces plats, rectangulaires, un sol boueux, tassé, avec des briques qui sortaient de terre et des herbes sauvages qui poussaient un peu partout. Ici et là, la carcasse noircie d'une église ou de quelque autre bâtiment public, ou encore les contours raides et bruts d'un pâté de maisons tout neuf perdu au milieu des terrains vagues. Partout on construisait : les marteaux-piqueurs hoquetaient, les bulldozers rugissaient, la poussière des bâtiments démolis flottait dans l'air. Des hommes, au torse nu, à la peau brunie par le soleil, s'activaient fébrilement. Mais l'étendue des dégâts semblait rendre leurs efforts dérisoires. Timothy se rappela les réflexions de Don le matin de leur toute première rencontre, lorsqu'il avait dit que les Américains avaient établi leur quartier général à Heidelberg pour que rien ne vienne leur rappeler ce qu'ils avaient fait aux villes allemandes, et cette idée ne lui paraissait plus aussi saugrenue.

Par une sorte de miracle, quelques vieux bâtiments du centre-ville avaient apparemment résisté aux raids et se serraient maintenant les uns contre les autres au milieu de ces vastes espaces dégagés. D'après Don, cependant, ils avaient tous été détruits pendant la guerre et rebâtis depuis. Timothy avait du mal à le croire tant la restauration était parfaite, bien que, en regardant les choses de plus près, on pût voir que la peinture était trop vive, la pierre trop neuve, les angles un tout petit peu trop réguliers. La maison qui avait appartenu à un poète apparemment célèbre et dont le nom ressemblait à quelque chose comme Gœrtie, avait eu plus de chance. Elle avait été en grande partie détruite par les bombardements mais, en prévision de cette catastrophe, la plupart des meubles avaient été mis en sécurité ailleurs et, avec cette minutie si typiquement allemande, on avait noté la configuration exacte de toutes les pièces qu'on avait ainsi pu fidèlement restaurer sur le modèle original, même avec leurs planchers gondolés et les cadres biscornus de leurs fenêtres.

« Le Römer – c'est le nom qu'on donne au vieux quartier – et la Goethehaus ont été les premiers bâtiments de Francfort à être rebâtis après la guerre, dit Don, tandis qu'ils visitaient la chambre du poète. N'est-ce pas fantastique? Quand on se souvient que la moitié de la population vivait encore dans des caves et des bâtiments bombardés.

– C'est plutôt impressionnant, en effet, dit Timothy. Ce sens de l'histoire, de l'architecture.

– Je pense que c'est plus profond que ça, dit Don. Ou moins profond. Au lieu de considérer les bombardements comme une Némésis ou une atrocité, les Allemands ont tout simplement essayé de les oublier. Remettre les briques et le mortier à leur place primitive, c'était faire comme si la guerre, et toute cette histoire de nazis, n'avaient jamais existé. Comme un film qu'on repasse à l'envers, tu vois?

– Que veux-tu dire par atrocité?

– Je veux dire le bombardement systématique des bâtiments civils. »

Timothy allait lui faire remarquer que c'étaient les Allemands qui avaient commencé avec le Blitz, mais il s'arrêta, distrait par un air de musique qui leur parvenait d'une pièce juste en dessous. Il leva la main.

« Ma parole! Mais c'est le *God save the King*!

– On doit le jouer en ton honneur », dit Don avec un petit sourire.

Se laissant guider par le son, ils arrivèrent dans une pièce du premier étage où un employé du musée assez âgé se tenait devant un clavecin et jouait cet air familier pour un groupe de touristes graves. Il rabaissa le couvercle de l'instrument et se mit à parler en allemand. Timothy et Don s'éclipsèrent sur la pointe des pieds.

« C'est un vieil air qui réapparaît dans beaucoup de pays européens, dit Don. Je ne suis pas sûr qu'on sache très bien qui l'a composé à l'origine.

– C'était bizarre de l'entendre dans cet endroit, dit Timothy. Il est tellement lié pour moi à mon pays. »

Il se revit debout, tout gêné, au milieu de l'allée du cinéma de quartier, se retournant d'un air penaud face au drapeau national qui flottait sur l'écran tandis qu'il reboutonnait furtivement son manteau. Ou l'oreille collée au poste radio, le jour de la finale de la Coupe, à écouter les accents de la fanfare militaire qui flottait au-dessus du stade silencieux de Wembley. Ou encore, assis à la table de la salle à manger, le jour de Noël, la lumière jaune de décembre pâlissant derrière la fenêtre, et réclamant avec moult mimiques d'autres tartelettes et une deuxième part de pudding alors que la petite voix hésitante du roi ânonnait de vagues syllabes d'espoir et de courage : « En cette période de l'année... peuple de tous les pays... l'empire et le Commonwealth... espère et prie... unis dans l'effort... la paix. » Et, tandis que les accords de l'hymne national faiblissaient, la mère disait : « Je pensais qu'il allait mieux cette année. Le pauvre homme, ce doit être éprouvant. »

En sortant de la Goethehaus, ils retrouvèrent le grondement de la circulation et des marteaux-piqueurs et se mirent à errer dans les rues vides et désolées en quête d'un café. Timothy relança la conversation sur les bombardements, sujet qui, avec les persécutions des protestants par les catholiques au temps de la Réforme, le troublait profondément. Don ne se fit pas prier, ayant fait des recherches sur le sujet pour ce qu'il appela une « organisation pour la paix en Amérique ». Il décrivit la stratégie utilisée pour bombarder une zone et la technique pour déclencher des incendies dans les villes en lâchant des bombes incendiaires sur un tapis d'explosifs puissants. Il débita des statistiques déconcertantes : treize mille personnes par exemple furent tuées dans le Blitz de Londres, mais cent trente mille en un seul raid sur Dresde en 1945. Ou encore cinq cent mille Allemands périrent au cours des raids aériens contre cent soixante mille victimes parmi les équipages alliés.

« Cent soixante mille? répéta Timothy, incrédule.

– Incroyable, non? Et malgré ça, le moral des civils allemands n'a même pas été affecté par les bombardements. Il s'est renforcé, au contraire. Même la production des industries de guerre a continué de grimper jusqu'en août 1944. »

C'était déjà assez difficile d'admettre que le bombardement de l'Allemagne eût pu être excessif; mais qu'il ait été de surcroît un gâchis inefficace, c'était là quelque chose de presque insoutenable. Dans le train qui les ramenait vers Heidelberg, Timothy vit le pâle reflet de son visage s'inscrire de plus en plus nettement dans la vitre tandis que le ciel de l'Allemagne s'obscurcissait au-dessus du paysage allemand, et il songea à l'oncle Jack et à tous les aviateurs comme lui qui avaient eu rendez-vous avec la mort dans ce même ciel. Il essaya de reconstituer l'expérience en imagination : l'avion en flammes qui chutait dans le noir et se désintégrait, la vertigineuse descente en spirale des grandes ailes, la vie qui descendait vers le point zéro sur l'altimètre. Pour reconstituer la scène, il ne disposait que de l'imagerie empruntée aux actualités d'autrefois et aux films de guerre, moyens totalement dérisoires pour exprimer la terreur et la souffrance d'une telle mort. Et que pouvait-on ressentir en découvrant, avec cette lucidité totale qui vient après la mort, que cette terreur et cette souffrance avaient été totalement vaines? Il imagina des vagues venues de l'au-delà roulant leurs flots de reproches et venant se briser contre un monde indifférent. *L'histoire est le verdict que portent ceux qui ont eu de la chance sur ceux qui n'en ont pas eu...* C'était bien vrai. Mais que pouvait-on y faire, sinon aller son petit bonhomme de chemin en tremblant de peur, tout en souhaitant que la chance ne vous abandonnât pas? « Pénitence, dit Don, avec un sourire plein d'ironie. On peut faire pénitence, Timothy. Tu devrais en savoir un brin sur la question. » Il savait bien dire trois « Je vous salue, Marie » et un « Notre-Père » après la confession, renoncer aux bonbons pendant le Carême, mais il ne pensait pas que c'était cela que Don avait en tête.

Il avait été convenu qu'ils devaient retrouver Kate à *Fichte Haus* ce soir-là, mais elle était sur le quai de la gare à les attendre quand leur train arriva. Elle paraissait pâle et inquiète.

« Une chose terrible est arrivée, dit-elle. Rudolf a eu un accident avec la voiture de Vince.

– Je le savais, dit Don d'un air lugubre.

– Comment ça, tu le savais?

– Je trouvais que c'était une folie de le laisser conduire une voiture comme ça, avec un seul bras. Vernon ne devait pas avoir tous ses esprits.

– Est-ce que Rudolf va bien? demanda Timothy.

– Il est inconscient – grave commotion cérébrale. Il est à l'hôpital militaire. Apparemment, il a bien de la chance d'être encore en vie. Il semblerait que la police militaire l'ait pris en chasse sur l'autoroute et, au lieu de s'arrêter quand ils ont déclenché leur sirène, il a essayé de s'enfuir. La voiture a quitté la route et a heurté un arbre. Il a été éjecté. »

Ils repartirent vers *Fichte Haus* sous une petite pluie fine.

« Pourquoi l'ont-ils pris en chasse? Pourquoi ne s'est-il pas arrêté? » dit Timothy en pensant tout haut.

Kate haussa les épaules.

« J'imagine qu'il conduisait trop vite. Ou qu'il n'aurait peut-être pas dû conduire la voiture. Peut-être que Vince ne la lui avait pas prêtée, après tout.

– Il est possible qu'il n'ait le droit de conduire que des voitures à commandes spéciales, suggéra Don. Ou qu'il n'ait pas de permis du tout.

– Ça paraît plus vraisemblable, dit Timothy. Rudolf serait incapable de... de voler la voiture de Vince.

– Eh bien, je ne sais qu'en penser, dit Kate. Toute cette histoire a déclenché de folles rumeurs, je peux vous le dire.

– Quel genre de rumeurs? demanda Don.

– On dit par exemple que Vince et Greg espionnaient pour le compte des Russes et que Rudolf était leur contact, ce qui expliquerait que la police militaire l'ait pris en chasse. »

Don rejeta la tête en arrière et éclata de rire.

« C'est cette affaire Burgess et Maclean, dit-il. Les gens voient maintenant des espions partout.

– C'est bien à toi de parler, Don...

– J'ai simplement dit qu'ils pouvaient appartenir à la C.I.A., ce qui est tout à fait différent. Tu ne prends pas cette rumeur au sérieux, tout de même? »

Kate fronça les sourcils.

« Je ne sais que penser de tout ça. Ça tient du mystère. J'admets volontiers que Rudolf n'est pas le genre de type à prendre la voiture de Vince sans permission, mais j'ignorais qu'ils étaient assez intimes pour que Vince lui prête sa voiture.

– Euh... je crois savoir comment Rudolf et Vince ont réussi à lier connaissance, dit Timothy d'une voix hésitante.

– Toi, Timothy? »

Kate s'arrêta sur le trottoir et le dévisagea. Quand il eut fini d'évoquer les problèmes du père de Rudolf, elle dit avec un petit rire nerveux :

« Eh bien, tu as le chic pour te fourrer dans des situations impossibles, tu ne trouves pas? Mais ça n'explique toujours pas pourquoi Vernon aurait rendu un autre service à Rudolf et lui aurait prêté sa voiture.

– J'ai ma petite idée, dit Don. Mais je ferais mieux de la garder pour moi. »

Kate le regarda, parut vouloir dire quelque chose, puis changea d'avis.

Le lendemain, le jeudi, des nouvelles des garçons arrivèrent enfin, des nouvelles sérieuses cette fois qui mirent un terme à toutes les rumeurs et conjectures des jours précédents, lesquelles s'évaporèrent aussi vite que les flaques d'eau dans les rues de Heidelberg tandis que le soleil brillait à nouveau dans un ciel bleu complètement dégagé. Vince et Greg avaient été retrouvés sains et saufs à Berlin Ouest et se trouvaient en route vers Heidelberg. Ils avaient fait une promenade dans les bois à la périphérie de la ville, le dimanche précédent, s'étaient égarés à la frontière et étaient passés par mégarde en Allemagne de l'Est où ils avaient été arrêtés. Ils avaient été enfermés pendant trois jours, soumis à des interrogatoires, puis, sans explication, reconduits dans un camion fermé à l'endroit où on les avait trouvés et là, on les avait autorisés à repasser la frontière. Vince avait téléphoné à Kate de Berlin en lui disant qu'ils seraient de retour à Heidelberg samedi et il l'avait chargée de faire passer le mot que la soirée pour le feu d'artifice était maintenue.

« Il semble prendre tout ça à la légère, fit remarquer Don. Il sait tous les bruits qui ont couru?

– Il a dit qu'ils allaient s'arrêter à Francfort en rentrant pour faire une déposition et qu'il risquait d'y avoir une enquête plus tard. Il a traité ça sur le ton de la plaisanterie, mais je crois qu'il était plus secoué qu'il voulait bien l'admettre. Comme tu l'as dit, Don, les Russes les ont soupçonnés d'espionnage.

– Est-ce que Vernon est au courant de l'accident de Rudolf?

– Oui, il aurait apparemment demandé à Rudolf de conduire la voiture au garage pour une révision, mais Vince n'avait pas imaginé qu'il allait l'utiliser après.

– Comment va Rudolf? demanda Timothy.

– Il a repris connaissance, ce qui est déjà un soulagement mais il n'a pas encore droit aux visites. Et c'est aussi un soulagement de savoir que Vince et Greg vont bien. Ils vont en avoir des choses à nous raconter.

– Oui, dit Don, sèchement, j'aimerais bien les entendre.

– Eh bien, pourquoi ne viendrais-tu pas à leur soirée? Tu es invité. »

Don passa les doigts sur la fente de son menton en réfléchissant.

« Bon, je verrai. Je ne tiens pas particulièrement à m'associer à une démonstration de loyauté.

– Que veux-tu dire?

– C'est pour ça qu'ils maintiennent cette soirée, non? Pour montrer qu'ils n'ont rien à cacher? Pour que tous leurs amis présents manifestent leur solidarité.

– Tu vas chercher trop loin, Don, dit Kate, contrariée. Evidemment que tous leurs amis seront là, c'est en somme une fête pour célébrer leur retour. Et une fête pour le départ de Timothy, ajouta-t-elle, en se tournant vers celui-ci avec un grand sourire. Deux soirées en deux jours, tu vas vraiment terminer tes vacances en beauté! »

Le bateau de plaisance, amarré juste en amont du vieux pont, était le point de mire de tous les curieux avec son décor de fête et ses airs de musique enregistrée. Les spectateurs, des Allemands pour la plupart, étaient penchés dangereusement par-dessus le parapet du pont et se pressaient le long de la route qui longeait la rivière, gênant les automobiles gigantesques et néanmoins très maniables qui déposaient les jeunes invités, tels des paquets-cadeaux, sur le quai. Les filles se pavanaient sous les yeux du public, défroissaient les pans de leur robe de soirée en émergeant des profondeurs capitonnées des Buicks et des Chevrolets, adressaient un geste d'adieu à leurs parents et montaient la passerelle en poussant des petits cris apeurés chaque fois que le bateau tanguait un peu dans le remous des péniches qui passaient. Sur l'une de ces péniches, Timothy vit un jeune garçon hâlé aux pieds nus remonter en courant tout le long du bateau afin de rester le plus longtemps possible au niveau de cet étonnant spectacle et ensuite se pencher par-dessus la poupe, bouche bée, jusqu'à ce qu'il soit englouti par le soleil couchant et disparaisse.

Timothy arriva à pied. Il était heureux d'être assisté moralement par Kate et Don tandis qu'il essuyait le feu des spectateurs, étreignant gauchement une grosse boîte de chocolats entourée d'un énorme nœud en soie mauve que Kate avait achetée pour lui au P.X.

« Ma parole, Timothy, tu fais ta grande entrée dans le monde, ce soir, dit-elle pour le taquiner. Ils ont même fait venir un photographe.

– C'est incroyable, murmura Don. Il y a un pauvre bougre qui a dû dépenser une fortune pour tout ce cirque.

– Il peut se le permettre, dit Kate. Le père de Cherry est commandant.

– Je veux bien parier pourtant que c'est sa femme qui a eu l'idée du bateau. C'est elle là-bas avec les paillettes noires?

– Oui, et Cherry est à côté d'elle.

– La gamine a l'air terrorisée.

– Pas du tout, elle est très mignonne. »

Sur le pont, en haut de la passerelle, une femme aux cheveux bleutés, vêtue d'une scintillante robe de cocktail noire, était là pour accueillir les invités à leur arrivée et leur serrer la main. Son sourire éclatant était même visible de la berge où ils se trouvaient. À côté d'elle, se tenait une fille un peu lymphatique, à la chevelure châtain clair, vêtue d'une robe blanche évasée, qui triturait nerveusement un petit bouquet. Près d'elles, il y avait une table qui supportait une pile sans cesse grossissante de cadeaux superbement emballés. La passerelle commençait à se remplir.

« Le commandant a-t-il l'intention d'être candidat aux présidentielles ? demanda Don. Ça commence à ressembler à une file d'attente à la Maison-Blanche.

– Oh, arrête de faire du mauvais esprit, Don, sinon tu vas faire regretter à Timothy d'être venu », dit Kate.

C'était exactement ce que pensait déjà Timothy. Il ne s'attendait pas à quelque chose de si guindé, de si public ; et les perspectives alléchantes que Mel lui avait pourtant fait miroiter avec sa petite plaisanterie à propos « des écarts sur le Neckar » semblaient être totalement compromises par la présence intimidante de Mrs. Eastman, sans parler de celle du commandant Eastman qui faisait maintenant son apparition dans une tenue nautique des plus fringantes – pantalon bleu foncé, pull blanc à torsades et casquette à visière – montant à bord avec une grosse caisse de coca-cola, tout en serrant entre les dents une pipe jaune incurvée.

« Tu aimerais que je te présente aux Eastman, Timothy ? demanda Kate.

– Avec plaisir. »

Il la suivit sur la passerelle et, une fois à bord, serra la main de ses hôtesses et tendit avec soulagement son encombrant paquet.

« Mon Dieu, quel charmant ruban ! dit Mrs. Eastman en s'extasiant. Ça va tout à fait avec la ceinture de ta robe, ma chérie, tu vois ?

– Merci beaucoup », murmura Cherry d'une voix indolente. Sa main était molle et moite.

« C'est très gentil à vous d'avoir invité Timothy, je suis sûre qu'il va bien s'amuser, dit Kate.

– C'est un réel plaisir, dit Mrs. Eastman, rayonnante. On a tellement entendu parler de toi, Timothy. »

Il eut un petit sourire forcé.

« On devrait être de retour vers dix heures et demie, dit Mrs. Eastman à Kate. Ce sera suffisamment long comme ça pour moi, même si les gosses ne sont pas d'accord. » Elle rit en découvrant toutes ses dents blanches.

« Tu n'as pas besoin de venir me chercher, Kate, dit-il.

– D'accord, trésor. Amuse-toi bien. »

À sa grande gêne, elle lui fit une petite bise sur la joue avant de reprendre la passerelle et de redescendre en chancelant vers les berges de la rivière. Il la vit prendre Don par le bras et tous les deux disparurent dans la foule.

« Alors, dit Mrs. Eastman, j'imagine que tu ne connais personne ici, hein Timothy? » Elle l'observa d'un air soucieux, comme s'il constituait une énigme qu'il lui fallait résoudre sous peine de perdre la face.

« Non, je ne crois pas », dit-il, en regardant autour de lui. Il vit Gloria appuyée au bastingage arrière mais ne se sentit pas l'audace de se prévaloir de cette connaissance à ce stade précoce des choses.

« Baby! » Mrs. Eastman attrapa le bras d'une gamine qui tournait sur elle-même sur le pont pour admirer sa jupe, une réplique de Cherry en plus petit. « Timothy, voici la sœur de Cherry, on l'appelle Baby parce que c'est notre petite dernière. Baby, je te présente Timothy qui vient d'Angleterre. Tu veux bien lui donner un coca-cola ou autre chose, chérie, et le présenter à quelques gosses sympas? »

Baby fit une drôle de tête.

« Mais... m'man...

– Baby! dit Mrs. Eastman, d'un ton menaçant.

– Oh, bon, d'accord. Par ici. »

Elle fit comprendre à Timothy, d'un mouvement de tête, qu'il devait la suivre et le conduisit jusqu'à une pile de caisses pleines de boissons non alcoolisées.

« Coca-cola ou pepsi?

– Coca-cola, s'il te plaît.

– Sers-toi. »

Tandis qu'il se dépêtrait avec le décapsuleur, elle disparut. Il était presque content. Il partit avec son coca-cola de l'autre côté du bateau, hors du champ de vision de Mrs. Eastman, et s'appuya au bastingage, feignant d'être absorbé par le spectacle de la rivière et de la rive opposée. La sirène du bateau poussa un hurlement comique auquel les passagers répondirent par des cris d'excitation. Le moteur palpita et le bateau commença à s'éloigner doucement des spectateurs qui, avec de grands sourires, saluaient de la rive. Le micro grésilla :

« Bien le bonjour à tous. C'est Harold Eastman qui vous parle, le paternel de Cherry, au cas où certains d'entre vous ne le sauraient pas. (Il y eut des hourras et quelques huées.) Je tiens à vous souhaiter à tous la bienvenue à bord à l'occasion de cette fête d'anniversaire... (Il s'interrompit pour laisser place à quelques rires polis) et à vous dire à quel point nous sommes heureux, la maman de Cherry et moi-même, de vous avoir tous ici pour célébrer ce jour très particulier dans la vie de notre fille. Bon, maintenant, on veut que vous vous amusiez bien. Il y a assez de coca et de pepsi à bord pour colorer en rose tout le Neckar. Il y a toutes sortes de choses à manger dans le bar sous le pont. Vous n'avez qu'à vous servir. Le pont supérieur a été aménagé en piste de danse. Mais trêve de plaisanterie cette fois : on ne veut pas que cette fête soit gâchée par un accident, alors, s'il vous plaît, ne vous asseyez pas sur le bastingage, ne vous penchez pas par-dessus bord. C'est tout. Amusez-vous bien! »

Des applaudissements fusèrent parmi les invités et la musique retentit à nouveau dans les haut-parleurs. Le bateau s'immobilisa pour négocier l'écluse en amont du vieux pont, puis il se mit à remonter à contre-courant la vallée du Neckar. Les montagnes s'élevaient en pente douce, au début, de chaque côté de la rivière mais, au fur et à mesure que le bateau avançait vers l'est, suivant un parcours sinueux, elles devenaient de plus en plus abruptes. Le sommet de certaines de ces montagnes était couronné de petits villages aux murs fortifiés à l'aspect moyenâgeux. Au milieu de ce vaste paysage grandiose, la petite embarcation avançait, déversant sa musique, son bavardage et ses rires dans le silence oppressant des forêts et des montagnes.

Quelques-uns parmi les plus âgés et les plus élégants des invités se mirent à danser sous la toile tendue au-dessus du pont supérieur; quant aux autres, ils se retrouvèrent pour la plupart à bavarder et à rire en petits groupes, les filles assises au coude à coude, tandis que les garçons, debout, faisaient cercle autour d'elles et se taquinaient gentiment en se donnant des bourrades, faisaient de l'épate, s'approchaient de la rangée compacte de filles, reculant aussitôt, et se lançaient des bouteilles de coca-cola en fanfaronnant comme des petits coqs. Il vit Gloria Rose, éclatante et épanouie dans une ample jupe rouge et un corsage blanc de paysanne serré au cou par un ruban rouge, ses longs cheveux bruns fraîchement lavés déployés sur ses épaules. Elle était en pleine conversation avec deux filles moins jolies, assises de chaque côté d'elle, et faisait semblant de ne pas remarquer les manœuvres de l'un des garçons de son groupe qui essayait de dénouer le ruban de son corsage, rejetant son épaule en arrière pour se protéger en un geste méprisant. Il suffisait à Timothy d'aller jusqu'à elle, de sourire et de dire : *Je ne vous ai pas vue l'autre jour dans la classe de Mr. Kowalski?* Et puis après? Si elle disait non? Et même si elle disait oui, il se voyait mal rejoindre le cercle des garçons qui s'ébattaient comme de jeunes chiots à ses pieds. Il se sentait exactement comme lorsqu'il s'était retrouvé avec les fils Mercer, fort d'une expérience qui ne lui servait à rien car elle était tout simplement inadaptée à la situation.

Et comme pour confirmer cette thèse, Larry apparut en personne, débouchant de l'escalier qui menait au bar, un hot-dog serré entre ses dents tel un énorme cigare, en tenant un autre dans sa main droite et un coca-cola dans sa gauche. Comme la plupart des garçons sur le bateau, il portait une veste à carreaux légère plutôt voyante, une chemise blanche et un nœud papillon à clip. Ses cheveux coupés en brosse très ras avaient des reflets duveteux. Ravi de pouvoir sortir de son isolement gênant, Timothy l'accueillit avec effusion.

« Je ne savais pas que tu connaissais Cherry Eastman, marmonna Larry avec son hot-dog dans la bouche.

– Je ne la connais pas.

– Qu'est-ce tu fais ici, alors? »

Timothy lui expliqua.

« J'avais pas envie de venir moi non plus, à vrai dire, dit Larry. J'déteste être pomponné. Je suis venu en fait pour faire râler Con parce qu'il n'était pas invité. Et ça l'a vraiment rendu fou de rage.

– Il pensait peut-être qu'il y aurait des ice-cream-sodas », dit Timothy.

Larry se tapa sur la cuisse et pouffa de rire.

« Nom d'un chien! J'suis pas près de l'oublier celle-là! On en a pris combien? C'était pas cinq?

– Quatre.

– J'croyais qu'c'était cinq. Voyons, on a commencé par le chocolat, et puis la fraise...

– Non, l'ananas.

– Tout juste, l'ananas, et cette fois la fraise, et ensuite...

– La pistache.

– On n'en a pas eu un autre après la pistache?

– Peut-être vous, mais pas moi. »

Larry lui donna un coup de coude dans les côtes.

« Je m'rappelle, t'as dû aller aux chiottes. Con a vomi dans le bus en revenant à la maison. Sapristi, le chauffeur était vachement en colère! J'ai vomi à la maison, dans le salon. J'ai pas eu le temps d'aller jusqu'à la salle de bains. »

Larry secoua la tête d'un air nostalgique. Et comme la conversation continuait ainsi sur sa lancée, une sorte d'engourdissement et de désespoir s'empara de l'esprit de Timothy. Il avait l'impression que Larry et lui étaient des caricatures juvéniles de deux vieux bonshommes assistant à un bal ou un mariage, deux vieux poivrots abandonnés qui se rappelaient leurs excès passés tandis que les jeunes dansaient et flirtaient effrontément sous leur nez. Il s'esquiva brusquement sous prétexte d'aller chercher quelque chose à manger.

« On s'reverra plus tard », dit Larry.

Le bar était envahi par une horde de jeunes invités en train de piller les tables couvertes de sandwichs, de condiments, de pâté en croûte, de chips. Au fond de la pièce, le commandant Eastman, en tablier à rayures et en toque de cuisinier, ouvrait des brioches et les garnissait de saucisses écarlates qu'il prenait dans une grande casserole avec des pinces. « Hot-dawgs! Hot-dawgs! baratinait-il, un *cent* de plus pour la moutarde! »

« Merci beaucoup, dit Timothy alors qu'on le servait.

– Ne serait-ce pas un accent britannique que je détecte là? interrogea le commandant Eastman avec un regard malicieux. Tu dois être le jeune garçon dont Ruth Fallert nous a tant parlé.

– Je suis Timothy Young. »

Le commandant Eastman essuya sa main sur son tablier et la tendit.

« Ravi de te connaître, Timothy. J'ai été en poste en Angleterre pendant la guerre. Dans un coin appelé Scarborough – tu connais?

– Non, je suis désolé.

– Dans le Yorkshire, là où l'on fait le pudding, c'est bien ça, Gloria ? »

La question était adressée à quelqu'un qui se trouvait derrière Timothy. Il se retourna et se retrouva soudain tout près de Gloria, dont le corps était chaud et vibrant.

« Que voulez-vous dire, commandant Eastman ? dit-elle.

– T'as jamais entendu parler du " Yorkshire pudding " ?

– Gloria n'a jamais entendu parler du Yorkshire tout simplement, monsieur, dit l'un des garçons derrière elle d'un ton moqueur.

– Mais si », dit-elle en faisant la moue. Elle montra Timothy. « Il nous en a parlé, dans la classe de Mr. Kowalski. C'est près de l'Écosse, n'est-ce pas ? »

Timothy hocha la tête, incapable de dire quoi que ce soit.

« Oh, tu as donc déjà rencontré Timothy ? » dit le commandant Eastman, en tendant à Gloria un hot-dog enveloppé dans une serviette en papier.

« Oui, il nous a dessiné une carte des îles Britanniques. Je l'ai recopiée. »

Elle sourit et, lui, parvint tout de même à dire : « J'espère que vous n'aurez pas à l'utiliser. Sinon vous êtes sûre de vous perdre. »

Ce n'était apparemment pas plus difficile que ça. Ce fut ainsi comme par magie qu'il fut intégré, sans le moindre effort, dans le groupe de Gloria. Quand ils eurent fini de manger, il remonta avec le groupe sur le pont où ils se répartirent autour du bastingage arrière selon une nouvelle disposition qui en disait long : garçon-fille-garçon-fille. À la faveur de la lumière qui déclinait, cette répartition s'était faite le plus discrètement du monde. Derrière eux, le ciel rougeoyait encore de l'éclat du couchant, mais la proue du bateau s'enfonçait dans un tunnel de ténèbres. Timothy se glissa avec un sang-froid qui le surprit au côté de Gloria. Elle frissonna légèrement sous un petit coup de vent qui montait de la rivière.

« Mince alors ! J'aurais dû apporter un châle. »

Le garçon de l'autre côté ricana.

« J'ai quelque chose pour te réchauffer. »

Il sortit une bouteille plate de sa poche intérieure. Les autres se pressèrent autour de lui en chuchotant et en gloussant.

« Qu'est-ce que t'as là, Ray?
– C'est du rhum?
– Hé, Ray a du rhum!
– La vache!
– Chut!
– Quelqu'un a une bouteille de coca?
– Rhum et coca, un vrai dé-li-ce!
– Taisez-vous, par pitié, tout le bateau va le savoir! »

Ils vidèrent la moitié d'une bouteille de coca-cola par-dessus bord et la re-remplirent de rhum. Les garçons la firent alors circuler entre eux avec solennité, les filles refusant de boire. Ils faisaient claquer leurs lèvres, s'essuyaient la bouche du revers de la main et murmuraient : *Nom d'un chien, ça vous chauffe les tripes!* Timothy avala une gorgée de cette concoction aromatique et sucrée et passa la bouteille à son voisin.

« Tu aimes vraiment ça? lui demanda Gloria.
– C'est pas mauvais. Mais je préfère les omelettes au rhum.
– Les omelettes au rhum? Je n'avais encore jamais entendu parler d'omelette au rhum.
– Ça vaut le pudding du Yorkshire », dit-il, et, pour toute réponse, il se vit gratifié d'un beau sourire.

« Allez, essaie, Gloria, lui dit Ray avec insistance.
– Je sais ce que tu cherches à faire, Ray Dillon, dit-elle d'un petit air malicieux.
– Hé, c'est pas ça qui va te soûler. » Il but une autre lampée et essuya galamment le goulot de la bouteille avec sa cravate.

« Bon, juste une goutte. »

Comme elle portait la bouteille à ses lèvres avec précaution, Ray donna un coup sec sur le fond. Elle avala trop vite et se mit à tousser.

« Pouah! Espèce de faux jeton...
– Chut! On veut pas que la mère Eastman débarque ici.
– C'est une horreur, ce machin-là, de toute façon.
– Attends un peu et tu vas voir comme ça te réchauffe à l'intérieur. Fais passer la bouteille. »

Elle la passa à Timothy.

« Je suis désolée, dit-elle, je n'ai pas de mouchoir.
– Ça ne fait rien », dit-il, en portant à sa bouche la bouteille mouillée de sa salive et qui gardait encore la chaleur de ses

lèvres. L'un des garçons toussa bruyamment et quelqu'un lui envoya un bon coup de pied dans le tibia. Mrs. Eastman venait de surgir de l'obscurité. Il avait la bouteille à la main.

« Salut! dit-elle d'un ton enjoué en les abordant. Les enfants, pourquoi êtes-vous en train de vous cacher dans ce petit coin?

– Oh, on admire tout simplement le paysage, Mrs. Eastman.

– C'est une soirée tellement charmante, Mrs. Eastman.

– Une soirée du tonnerre, Mrs. Eastman.

– Bon, du moment que vous vous amusez bien... mais j'aimerais bien voir davantage de jeunes sur la piste de danse. On dirait qu'il y a une drôle d'odeur par ici », dit-elle, en reniflant.

Ils se mirent tous à renifler comme des forcenés, inspirant et expirant bruyamment.

« Je ne sens rien, Mrs. Eastman.

– Il y a quelquefois de drôles d'odeurs sur la rivière, Mrs. Eastman.

– Ce n'est pas du tout ce genre d'odeur, dit-elle, en s'approchant de Timothy.

– C'est peut-être ma lotion capillaire, dit-il. Il y a du rhum dedans.

– Ah c'est donc ça! dit-elle en riant. Je ne savais pas que les petits Anglais étaient de tels dandys, Timothy. »

Ils partirent tous d'un gros éclat de rire, se défoulant bruyamment après ce moment de tension. Mrs. Eastman s'en alla avec l'air satisfait d'un humoriste qui vient de connaître le succès. Quand elle se trouva hors de portée, leur hilarité redoubla : les filles étaient secouées de rires nerveux, les garçons étaient en transe, ils dodelinaient de la tête, se bourraient de coups de poing, leurs yeux larmoyaient, ils haletaient et ahanaient. Seul Timothy gardait son calme, il souriait, acceptant leur hommage.

« Dis, t'as drôlement gardé ton sang-froid, dit l'un des garçons, quand le calme revint un peu. Comment ça t'est venu cette idée? Ce truc de lotion capillaire?

– J'sais pas, ça m'est venu comme ça à l'esprit, dit-il. Le coiffeur chez qui je vais à Londres a une bouteille de lotion capillaire appelée « Le Rhum de la Baie » sur son comptoir. J'ai toujours trouvé que c'était une drôle d'idée de mettre ça sur les cheveux. Ça m'est resté gravé dans l'esprit.

– Tu ne t'en mets pas vraiment, alors? lui demanda Gloria.

– Seigneur, sûrement pas.

– C'était sensas quand même d'avoir eu le réflexe de dire ça. »

Tandis qu'il savourait ce délicieux compliment, de nouvelles lumières jaillirent soudain sur le pont, jetant des reflets dorés sur l'eau. Des *Oh* et des *Ah* d'admiration retentirent mais, dans le petit groupe à la poupe du bateau, il n'y eut que des grognements sourds.

« C'est la mère Eastman qui essaie de nous déloger. »

« Allez, les garçons et les filles, je veux voir tout le monde danser! » l'entendirent-ils crier de loin.

« Tu parles! Qui veut danser sous le regard de chouette de cette bonne femme?

– Et les disques sont tellement merdiques.

– Je parie qu'elle les a achetés quand elle a fêté ses seize ans.

– On peut toujours trafiquer les lumières, dit Ray.

– Que vas-tu faire, Ray?

– Tu vas voir. » Il fit un clin d'œil et s'éloigna.

« Qu'est-ce qu'il a dit? demanda une fille.

– Il va trafiquer les lumières.

– Il est fou. Ray est fou.

– Il a pris trop de rhum.

– Trop de lotion capillaire. »

Ils se mirent à rigoler, à se donner des coups de coude, tout excités en attendant ce qui allait se passer. Qu'importait ce que Ray allait faire, Timothy espérait seulement que ça l'occuperait un certain temps. Après son départ, ils se retrouvèrent en nombre pair, ce qui permit à Timothy d'accaparer Gloria pour lui tout seul. Mais cet avantage fut de courte durée.

« Je veux voir tout le monde sur la piste pour un mixer! Allez, les garçons et les filles, en piste. »

« Oh, non! gémit Gloria.

– Qu'est-ce que c'est un “ mixer ”?

– Oh, c'est une espèce de danse un peu cucul, on se met en deux cercles et on marche jusqu'à ce que la musique s'arrête et alors on danse avec la personne qui se trouve en face.

– J'sais pas danser », dit Timothy, voyant qu'un choix dramatique allait se présenter à lui : ou bien, se ridiculiser sur la piste de danse, ou bien perdre Gloria à tout jamais.

« Ne t'en fais pas pour ça, la moitié des jeunes ici ne savent pas non plus. »

Le commandant Eastman apparut avec un grand sourire jovial.

« Allez, par ici tout le monde ! Sur la piste de danse – ordre du capitaine.

– J'sais pas danser, dit Timothy.

– Eh bien, c'est le moment d'apprendre, jeune homme », dit le commandant, en poussant son monde vers le centre du bateau.

Ils se trouvaient au milieu de l'escalier qui menait à la piste de danse quand les lumières s'éteignirent et que la musique dans les haut-parleurs expira en un gémissement. Il y eut des cris, des *ho là là*, des sifflements, et quelques éclats de rire ; puis un brouhaha au-dessus duquel s'éleva la voix du commandant Eastman lançant des ordres d'un ton militaire.

« O.K., tenez bon, tout le monde. Pas de panique ! Ne bougez pas. Restez à votre place. On va arranger ça très vite. »

Quelques allumettes et des briquets s'allumèrent brièvement dans l'obscurité. Une voix de fille lança d'un ton sec : « pas de ça » et des gloussements circulèrent dans la foule compacte. Timothy, qui se trouvait dans l'escalier juste audessous de Gloria, sentait sa jupe lui frôler la figure.

« Je vais perdre l'équilibre, dit-elle, en vacillant en arrière.

– Tiens-toi à moi, dit-il.

– Merci. »

Il n'aurait pas demandé mieux que de rester là jusqu'à la fin de la croisière, enveloppé dans les frous-frous soyeux et subtilement parfumés de Gloria qui avait la main posée légèrement sur son épaule ; mais, presque aussitôt, les lumières revinrent, le disque repartit en gémissant et accéléra. Quelques couples furent surpris enlacés et des sifflements et des huées retentirent comme ils se séparaient à la hâte. Timothy se demanda si Gloria aurait consenti à profiter ainsi de l'obscurité. Il pensa qu'elle aurait vraisemblablement consenti.

Le commandant Eastman arrivait derrière eux, tout affairé.

« Tout va bien, dit-il, un peu essoufflé. Il y a un petit plaisantin qui s'est mis en tête de couper l'électricité. Si je l'attrape, il passera en cour martiale. » Il y avait dans son ton jovial une pointe de colère évidente.

« Qui dit que c'est un mec? » murmura quelqu'un, et ceux qui entendirent cela pouffèrent de rire. Timothy sentit qu'il y avait de la mutinerie dans l'air. L'extinction des lumières avait réveillé la fibre de la rebellion chez les jeunes invités. Ils étaient tout rouges et excités, se faisaient des grimaces, se montrant peu dociles tandis que le commandant et Mrs. Eastman s'efforçaient d'organiser deux grands cercles sur la piste de danse, les filles à l'intérieur, les garçons à l'extérieur. Gloria, qui était en face de Timothy, souriait.

« Détends-toi, tu ne vas pas en mourir.

– Je ne sais pas ce qu'il faut faire, dit-il, je n'en ai pas la moindre idée.

– Oh, tu n'as qu'à tourner en rond au rythme de la musique. » Elle fit de petits glissements de pieds et balança des hanches sous sa jupe rouge.

Le commandant Eastman alla se placer au centre.

« Tout le monde est prêt? Vous savez tous comment faire. Les garçons marchent dans le sens des aiguilles d'une montre, les filles dans le sens contraire. Quand la musique s'arrête, la personne en face de vous est votre partenaire pour la danse suivante. O.K.? »

« J'espère que tu seras en face de moi, dit-il.

– Je crois qu'il y a peu de chances pour que ça arrive, dit-elle avec un sourire.

– C'est comme la roulette », dit-il, l'air misérable.

Le commandant Eastman commença le compte à rebours :

« Cinq, quatre, trois, deux, un, ZÉRO! »

Il y eut une petite explosion et les lumières s'éteignirent à nouveau. Des applaudissements et des gémissements déchirèrent le ciel. Timothy sentit des corps qui se cognaient contre lui tandis que le commandant Eastman écartait violemment la foule et se dirigeait vers l'escalier, jurant dans sa barbe. Timothy chercha à tâtons devant lui et toucha un bras doux, lisse.

« C'est toi, Gloria?

– Timothy? »

Elle chancela soudain contre lui.

« Hé, arrêtez de pousser! cria-t-elle à quelqu'un d'invisible derrière elle. Désolée, dit-elle à Timothy.

– C'est rien.

– Ça fait un peu peur, tous ces gens dans le noir. »

Un brusque mouvement de foule les fit à nouveau chanceler mais il s'accrocha à son bras. Quelque part résonnait la voix de Mrs. Eastman qui suppliait les gens de rester à leur place, et disait que la lumière allait être rétablie d'un instant à l'autre. Il y avait de l'hystérie dans sa voix. Là-haut, sur le pont, il y avait des Allemands qui poussaient des cris gutturaux.

« Et si on quittait ce pont? suggéra Timothy.

– Comment faire pour trouver notre chemin? Je n'y vois rien.

– Tu n'as qu'à t'accrocher à moi. »

De sa main libre, il chercha à tâtons le bastingage qu'il suivit jusqu'à l'escalier.

« Voilà l'escalier. Tiens-toi à la rampe, ici.

– Ho là là! dit-elle lorsqu'ils arrivèrent au bas des marches. J'sais pas comment t'as fait ça.

– J'imagine que j'ai appris à me repérer dans le noir pendant le couvre-feu.

– Quel couvre-feu? »

Il expliqua.

« Bon sang! Ç'a dû être effrayant.

– Oh, à la longue, on s'y fait.

– Je crois que je commence maintenant à m'y faire. Je te distingue vaguement.

– Je te vois, moi aussi. »

Ils se turent. Il la tenait toujours par la main.

« Il leur en faut du temps pour remettre la lumière, finitelle par dire.

– Il a dû faire sauter les plombs, la deuxième fois.

– Ray? Tu crois vraiment? Il est fou.

– Grâce à lui, en tout cas, j'ai échappé à la danse.

– C'est vrai que tu n'as jamais dansé avant, vraiment jamais?

– Jamais. » Il s'éclaircit la voix et ajouta : « Je n'ai jamais embrassé une fille, non plus. »

Il y eut un moment de silence. Puis elle murmura :

« Pourquoi tu m'as dit ça, Timothy? »

Il eut un petit rire nerveux.

« Eh bien, j'aimerais t'embrasser mais j'ai peur de ne pas savoir comment m'y prendre.

– Tu es un curieux garçon, dit-elle, non sans gentillesse. Est-ce que tous les jeunes Anglais sont comme toi? »

Il réfléchit un moment.

« Il y en a pas mal, je crois. »

Il y eut un autre silence. Le visage pâle et indistinct de Gloria était levé vers lui. Il se pencha vers elle et ferma les yeux. Le baiser atterrit trop haut sur la pommette de Gloria si bien que ses lunettes lui heurtèrent le front et glissèrent en travers de son nez.

« Tu vois? » dit-il.

En guise de réponse, elle lui enleva ses lunettes et l'embrassa gentiment sur les lèvres. Il la prit maladroitement par la taille. Elle se blottit contre lui et il sentit le doux coussinet de ses seins contre sa poitrine et la fraîcheur de ses doigts sur sa nuque. Il l'embrassa encore. Et encore. Et encore.

La sixième fois, elle lui écarta les lèvres et poussa sa langue entre ses dents; elle pénétra dans sa bouche comme quelque chose de vivant, long, chaud, humide, souple et fort.

« Pourquoi tu as fait ça? dit-il, affolé.

– Tu n'aimes pas ça?

– Oh si!

– Ça s'appelle un baiser à la française, murmura-t-elle. Il y a des jeunes qui appellent ça le baiser de l'âme. »

Parce qu'on perd son âme immortelle? se demanda-t-il; et il lui rendit son baiser, en prenant bien son temps.

« Hé! » dit-elle en haletant comme si elle refaisait surface.

« Baby! C'est toi, Baby? »

Mrs. Eastman approchait. Timothy attira Gloria dans l'obscurité encore plus dense d'un renfoncement sous l'escalier et ils l'entendirent passer, se cognant contre les transats, suivie par son mari qui marmonnait dans sa barbe de redoutables menaces.

« As-tu la bouée de sauvetage, Harold? dit Mrs. Eastman en pleurnichant.

– Elle n'est pas tombée par-dessus bord, bon Dieu, Lola!

– Alors, où est-elle? *Baby!* Fais quelque chose au moins!

– L'équipage s'occupe des fusibles. Je ne peux rien faire de plus. »

Mrs. Eastman sanglota.

« Pauvre Cherry! Sa fête est gâchée. Qui a bien pu faire ça?

– Si je le trouve, dit le commandant Eastman d'un ton sinistre, je lui ferai moi-même un nœud avec ses couilles. Et même un nœud plat. »

Gloria enfouit sa tête au creux de l'épaule de Timothy, secouée d'un fou rire qu'elle avait du mal à réprimer.

« Tu l'as entendu jurer? » murmura-t-elle en haletant, tandis que les Eastman s'éloignaient en se cognant partout. Qu'elle ait entendu ces mots vulgaires l'excitait terriblement, et il l'embrassa encore une fois, serrant passionnément son corps contre le sien.

« Oh, Timothy, gémit-elle.

– Oh, Gloria! »

Les lumières revinrent enfin, mais la soirée était irrémédiablement désorganisée. Les couples dansaient là où ils se trouvaient, dans l'obscurité des ponts inférieurs, en se tenant bien serrés par les épaules et en se balançant presque imperceptiblement au rythme de la musique. Dans des recoins obscurs, d'autres couples se pelotaient carrément sans même faire semblant de danser. Les Eastman s'étaient retirés, vaincus de toute évidence, après avoir retrouvé Baby endormie dans le bar. Timothy et Gloria restèrent blottis l'un contre l'autre dans leur renfoncement. Il ne songea pas à suggérer qu'ils se rasseyent, car il n'était pas sûr d'être vraiment en mesure de le faire.

« Ce doit être les lumières de Heidelberg, dit-il.

– Vraiment? Je ne savais même pas qu'on avait fait demi-tour. Il est tard? »

Il essaya de déchiffrer le cadran lumineux de sa montre.

« Presque dix heures et demie, si je vois bien.

– Dix heures et demie », répéta-t-elle.

Il se demandait s'il allait oser toucher sa poitrine. Il la toucha, du bout des doigts, en retenant son souffle.

« Je voudrais que ce bateau ne s'arrête jamais, dit-elle.

– Moi aussi », dit-il en caressant sa poitrine d'une main plus ferme. C'était agréable à toucher. « Gloria, où iras-tu quand on va arriver?

– À la maison, je suppose.

– On ne pourrait pas aller quelque part, d'abord?

– Je ne peux pas, il faut que je rentre chez moi. Où aller, de toute façon?

– On pourrait aller dans ma chambre. J'ai une chambre à moi. »

Il avait en tête une image bien nette, si nette qu'il aurait pu la dessiner : leurs deux corps nus sur le lit, dans la chambre de Dolores, sa tête reposant sur un sein, sa main étreignant l'autre, un mamelon rosé pointant entre ses doigts écartés.

« Tu es à l'hôtel ?

– Non, dans une sorte de foyer.

– On vous permet d'amener des filles ? Pourquoi tu ris ?

– C'est un foyer de jeunes filles », dit-il.

Ça semblait une bonne blague et ils rigolèrent pendant un petit moment.

« Ça ne te fait pas drôle de vivre dans un foyer de filles ?

– On s'y fait.

– Comme pour le couvre-feu ?

– Comme pour le couvre-feu.

– Tu sais quoi, Timothy ? T'es drôlement cool.

– Tu trouves ? Je n'ai pas vraiment cette impression.

– Eh bien, tu l'es pourtant, je peux te le dire.

– Alors, tu veux bien ? Tu viendras dans ma chambre ?

– Il faut que je rentre chez moi, il le faut absolument. Je suis avec ma copine Edith et son père me ramène. Mes parents en feront tout un foin si je ne rentre pas avec elle.

– Et demain, alors ? Je peux te voir demain ?

– Demain, c'est samedi. En principe, je dois aller voir le feu d'artifice avec mes parents.

– Moi aussi. Et dans la journée ? Demain après-midi ?

– J'ai dit que j'irais à la piscine avec Edith. Tu pourrais nous rejoindre à la piscine.

– Pas avec Edith. Retrouvons-nous seuls.

– Eh bien, peut-être.

– S'il te plaît », dit-il d'un ton pressant. Finalement, ils se fixèrent rendez-vous pour le lendemain après-midi, à une heure et demie, à l'extérieur du *Stadtgarten.* Tandis que le bateau accostait, Timothy emmena Gloria de l'autre côté du pont et ils joignirent leurs lèvres meurtries, endolories, en un long baiser d'adieu.

« À demain, alors », dit-il.

Elle hocha la tête, sourit et le quitta. Il se rendit aux toilettes. Dans la glace au-dessus du lavabo, il fut surpris de voir sa figure toute rouge et barbouillée de rouge à lèvres, comme si elle était couverte de sang après un combat. Il se passa de l'eau sur le visage. En sortant des toilettes, il rencontra Larry qui portait une bouteille de coca-cola à ses lèvres.

« La dernière! » Il brandit la bouteille fièrement et rota. « Dis donc, qu'est-ce qui t'est arrivé pendant toute cette soirée?

– Oh, tout! dit-il, d'un ton jovial, et il donna à Larry, étonné, une tape dans le dos. Bonne nuit! »

Enfin, presque tout, rectifia-t-il en lui-même. Tout, c'était pour le lendemain après-midi.

Le lendemain en fin d'après-midi, Timothy se trouvait dans un état proche du délire, un état qui dépassait en tout cas tout ce qu'il considérait comme du plaisir. Il avait progressé si loin vers l'accomplissement de son désir qu'il se trouvait allongé sur le lit avec Gloria, tous les deux à demi dévêtus; mais le processus pour en arriver là avait été long et épuisant et maintenant, au moment où il devait se trouver, pensait-il, au bord du plaisir suprême, il se demandait s'il était capable de maîtriser plus longtemps sa chair moite et tendue.

Tout était entièrement de sa faute. Il lui avait fallu du temps, beaucoup de temps avant de comprendre que Gloria était dans le même état d'esprit que lui et qu'elle ne repousserait aucune de ses avances. Quand, agacée sans nul doute par ses manœuvres inefficaces pour enlever les bretelles de son soutien-gorge, elle se redressa soudain, passa ses mains derrière son dos et défit prestement l'agrafe, ses seins retombant alors entre ses mains, il sentit qu'il avait atteint un palier ultime de bonheur sur lequel il ne demandait pas mieux que de se reposer à tout jamais, émerveillé qu'il était par leur lourdeur malléable et fasciné de les voir si différents une fois libérés des bonnets pointus et coniques du soutien-gorge, plus plats et plus ronds et plus écartés, retombant de chaque côté comme des bras qui s'ouvraient en un geste de soumission, avec au bout des mamelons plats qui durcissaient mystérieusement sous ses doigts.

Il avait alors commis une erreur presque fatale en racontant pour plaisanter comment Larry avait attiré son attention sur elle la première fois. Elle avait réagi avec indignation et remis avec détermination boutons et agrafes. Elle nia toute l'histoire et lui reprocha de l'avoir crue. Plus tard, bien plus tard, après lui avoir fait retrouver ses dispositions amoureuses à force de câlineries, elle reconnut qu'elle avait montré ses seins une fois, il y avait bien longtemps, pour relever un défi, mais qu'elle n'avait accepté aucun argent du garçon, seulement de la fille qui avait parié un dollar qu'elle ne le ferait pas. Alors, lentement, graduellement, il avait regagné le terrain perdu.

Tout cela lui paraissait déjà bien loin. Son soutien-gorge traînait maintenant par terre, à côté du lit, objet étrange qui semblait abandonné comme deux conques marines vides échouées sur la plage à côté de son corsage et de sa chemise à lui. Il avait la joue appuyée sur son sein gauche mais la nudité de ce sein, bien qu'agréable, ne semblait plus aussi extraordinaire. Ses esprits et ses nerfs vibraient un peu plus bas, là où ses doigts et ceux de Gloria s'activaient. Ses doigts à lui s'étaient glissés sous la ceinture lâche de son jean, sous l'élastique de sa culotte, sur la rondeur chaude de son ventre, tombant en arrêt finalement sur la touffe attendue mais néanmoins excitante de ses poils. Quant à ses doigts à elle, ils avaient dégagé son gilet de corps de ses amarres habituelles, trottiné sur son buste, défait la boucle de sa ceinture, ouvert sa braguette et étaient maintenant, Seigneur Jésus, en train de caresser par-dessus son slip le pilier dur comme un roc de sa chair tendue.

Il y avait peut-être vingt minutes qu'ils ne disaient rien, qu'ils étaient étendus là presque immobiles à s'explorer du bout des doigts, les yeux fermés. Lui, en tout cas, avait les yeux fermés ; elle, il n'en savait rien. Il avait toujours pensé qu'il aimerait regarder, mais maintenant, il aurait donné n'importe quoi pour qu'il fasse noir, complètement noir. Les rideaux verts étaient tirés, mais la chambre semblait encore affreusement lumineuse, les meubles et le décor trop nettement dessinés et se pressant autour du lit comme des témoins curieux et désapprobateurs.

Une escadrille d'avions à réaction passa soudain en hurlant au-dessus de leurs têtes et fit trembler les vitres. Sentant une certaine agitation à côté de lui, il ouvrit les yeux et vit Gloria qui pliait le dos et, d'un coup de pied, faisait voler son jean, libérant ses jambes bronzées. Il referma les yeux. Sa main se baladait maintenant librement sous le tissu distendu de la petite culotte légère. Il la laissa glisser sur le délicat nid de poils souples et atteignit une fissure moite. Il y eut un grondement au loin, tel un bruit de bombes ou de fusils. Le mur du son. Il l'entendit haleter à ses côtés. C'est à peine si lui-même osait respirer. Elle écarta ses jambes et l'index plongea comme un phoque dans un creux de rochers, se faufilant contre les parois glissantes, et rencontra quelque chose qui palpitait, se contractait et qui frétillait comme une crevette sous les pieds nus, à marée basse – il devait être en train de devenir fou, pensa-t-il, car il régnait dans la pièce une étrange odeur de crevette. Elle gémit et se mit à se frotter contre son doigt. Il sentit son cœur s'affoler, donner des coups presque terrifiants dans sa poitrine, tant il était effrayé par ce mouvement de va-et-vient si étrange, si puissant, qu'il avait déclenché en elle – c'était comme s'il tenait tout ce corps en équilibre, sans effort, sur le bout de son doigt et qu'elle était à sa merci, qu'il pouvait la faire s'ouvrir comme une gousse de petits pois ou se retourner comme un gant à la moindre pression supplémentaire; et il avait peur aussi pour lui-même, peur de bouger, bien que ce fût, de toute évidence, le moment de le faire, car s'il bougeait, si son corps tendu à l'extrême venait à se déséquilibrer ne serait-ce que d'un millimètre, il savait qu'il allait se répandre, éclater, se transformer en fontaine.

Elle glissa alors sa main sous l'élastique de son slip et, dès qu'elle l'eut touché du bout des doigts, il poussa un cri de désespoir et se répandit, éclata, se transforma en fontaine. Il essaya de s'arrêter, se mordit la lèvre, serra les poings et se retourna convulsivement sur le côté; mais il ne pouvait s'arrêter, ne le voulait pas, il n'avait qu'une envie, sombrer dans l'oubli, mourir, telle une guêpe qui agonise dans la confiture, empêtrée, poisseuse, épuisée.

Quand le dernier spasme fut passé, il se coucha sur le ventre et enfonça sa tête dans l'oreiller. Il avait honte de la regarder. Il espérait qu'elle allait vite s'habiller et partir. Mais elle ne bougea pas. Au bout de quelques minutes, il sentit sa main se glisser sous son gilet de corps et tracer une ligne le long de sa colonne vertébrale.

« Hé, dit-elle doucement.

– Je suis désolé, dit-il d'une voix rauque, refusant de la regarder en face.

– De quoi ?

– Je suis désolé, je... tu sais bien.

– C'est bien ce que tu voulais pourtant?
– Non. Enfin, pas comme ça.
– Comment alors?
– Allons, tu sais bien... en toi.
– T'es fou », dit-elle, en poussant un grognement mais elle n'avait pas l'air fâchée ni dégoûtée.

Il regarda par-dessus le rebord du lit et passa la pièce en revue : le lavabo, le placard et le fauteuil, les livres de Dolores et les rideaux verts tirés pour masquer le soleil, et une paire de chaussettes au-dessus du radiateur en train de sécher. Toutes ces choses étaient lestées d'une réalité insistante, comme les objets dans une nature morte, et il avait l'impression que cette réalité lui avait été arrachée de force. Il se sentait vidé, comme si on avait aspiré la moelle de ses os.

« Pourquoi je suis fou? » dit-il.

Elle soupira et vint frotter son nez contre son cou.

« T'es pas ignare à ce point? C'est comme ça que les filles tombent enceintes.
– Je sais, dit-il, mais pas à chaque fois, n'est-ce pas?
– Non. Mais qui prendrait le risque? De toute façon, je ne trouve pas que c'est bien. »

La remarque le surprit quelque peu.

« Qu'est-ce que tu trouves pas bien?
– D'aller jusqu'au bout avec un type, à moins qu'on soit sur le point de l'épouser. Et même alors...
– Même alors, quoi?
– Même alors, je trouve qu'on devrait attendre, pour que le mariage soit quelque chose de spécial, tu ne trouves pas? »

Il se retourna face à elle, la tête appuyée sur son coude. Elle avait l'air vulnérable d'une enfant abandonnée, avec ses seins blancs tout tendres, ses longues jambes nues bronzées et sa petite culotte bleue.

« Gloria...
– Oui?
– Est-ce que tu crois que c'est bien alors? Ce qu'on vient de faire?
– Toi, tu ne le crois pas?
– C'est un péché », dit-il.

Il se dit : il faut que j'aille à confesse demain avant de repartir pour la maison. Les trains pourraient dérailler, les bateaux couler. Gloria parut mal à l'aise et croisa les bras sur ses seins.

« Es-tu chrétien? demanda-t-elle.

– Je suis catholique.

– C'est-à-dire chrétien, pas vrai?

– Oui. Toi, qu'est-ce que tu es?

– Pas vraiment grand-chose. On est vaguement juif mais on ne va pas au temple ou je ne sais où. »

Il se rallongea sur le lit, les mains derrière la tête.

« Je n'ai jamais rencontré de Juifs avant de venir ici, dit-il d'un ton songeur.

– Il n'y a pas de Juifs en Angleterre?

– Oh si, tout un tas. Dans Petticoat Lane, par exemple. Mais je n'ai jamais discuté avec aucun Juif.

– Petticoat Lane, c'est chou comme nom.

– C'est un marché juif de Londres – ils ont droit d'ouvrir le dimanche.

– Ils ne vendent donc que des jupons?

– Oh non, de tout. Surtout de la brocante. Mon père m'y a emmené un jour pour m'acheter ma première bicyclette. »

Elle prit un air attendri.

« Tes parents sont assez pauvres, hein?

– Eh bien, ils ne sont pas vraiment riches, mais...

– Tu as dit que tu avais eu une bicyclette d'occasion.

– Oh, on ne trouvait pas de bicyclettes neuves à cette époque-là, dit-il en riant. C'était juste après la guerre.

– On ignorait tout de la guerre, je crois, aux États-Unis quand j'étais gamine.

– Qu'est-ce que ça te fait d'habiter en Allemagne maintenant?

– Qu'est-ce que tu veux dire?

– Eh bien... après ce qui est arrivé aux Juifs.

– J'y pense pas beaucoup. J'aime pas y penser.

– Oh, mais tu devrais, dit-il.

– Ça ne paraît pas vrai. Je n'arrive pas à croire qu'une telle chose ait pu se passer.

– C'est pour ça que les gens devraient y penser, dit-il. Et d'abord, c'est pour ça que tout est arrivé, parce que les gens ne pouvaient pas croire que de telles choses se passaient. Les Juifs ne croyaient pas que c'était vrai. Ils faisaient la queue pour aller dans les chambres à gaz.

– Arrête, dit-elle en grimaçant.

– Tu vois, je crois personnellement que les choses les plus moches qui arrivent sont celles dont on n'aurait jamais songé qu'elles puissent arriver.

– Oh non! Les choses les plus belles arrivent toujours de façon inattendue. Comme notre rencontre sur le bateau. Je ne m'y attendais pas.

– Moi, si – je te l'ai dit. C'est pour ça que je suis allé à cette soirée.

– Raconte-moi encore, dit-elle, en se tortillant douillettement contre lui.

– Une minute. »

Il tenait une idée, comme un fil entre ses doigts, et il ne voulait pas la lâcher. C'était quelque chose qu'il n'avait encore jamais mis en mots auparavant.

« Tu ne trouves pas que quand quelque chose de vraiment moche arrive, c'est encore pire si on ne s'y attend pas – si c'est une mauvaise surprise?

– Hum... j'imagine que oui, admit-elle.

– Et toi, tu n'essaies jamais d'empêcher les choses moches d'arriver en pensant à l'avance qu'elles pourraient arriver?

– Et comment ça pourrait les empêcher d'arriver? Si quelque chose doit arriver, ça doit arriver.

– Je ne sais pas, mais j'ai toujours l'impression qu'on y peut quelque chose. Par exemple, les examens. Je me dis toujours que je n'ai pas très bien réussi et puis, la plupart du temps, je m'en tire très bien. »

Elle se mit à rire.

« Moi, je pense toujours que j'ai été O.K. et, la plupart du temps, j'échoue.

– Essaie mon système la prochaine fois, lui conseilla-t-il d'un air sérieux.

– C'est pas la peine si t'as pas la cervelle qu'il faut! » Elle rit encore une fois. « Je trouve ton système complètement loufoque.

– Il n'est pas loufoque.

– Si, tout à fait. Es-tu en train de me dire que si on pouvait penser à tous les sales coups qui peuvent arriver dans le monde, aucun n'arriverait jamais?

– Si on savait assez de choses pour les envisager tous...

Bon, je ne suis pas en train de dire qu'aucun d'eux n'arriverait jamais, mais, tout de même, je crois qu'on peut en éviter pas mal. »

Elle gloussa.

« Par exemple, ce matin, poursuivit-il. Je ne cessais de me dire que tu ne viendrais pas. Et puis, tu es venue.

– J'avais envie de venir.

– Mais tu aurais pu ne pas venir.

– Ça n'aurait rien eu à voir avec ce que tu étais en train de te dire.

– Comment peux-tu le prouver ? »

Elle retint sa respiration un instant tandis qu'elle cherchait une réponse puis éclata d'un gros rire en expirant :

« C'est évident. *Che serà, serà.*

– C'est quoi, ça ?

– De l'italien. Ce qui arrivera arrivera.

– Tu es fataliste.

– Tu es superstitieux.

– Non. Je ne crois pas aux chiffres porte-bonheur. Je passe toujours exprès sous les échelles.

– Ton système est bourré de superstitions.

– Non, il est basé sur la raison. On doit être capable de réfléchir aux choses.

– Tu penses donc tout le temps ?

– Bien sûr, on ne peut pas s'arrêter de penser. *Cogito, ergo sum.*

– C'est quoi, ça ?

– Du latin. Je pense donc je suis. » Il sourit et ajouta : « On est maintenant à égalité.

– Timothy...

– Oui ?

– Tu pensais pendant qu'on se caressait à l'instant ?

– Pas à la fin.

– Rien qu'à la fin ? C'est pour ça, je suppose, que tu t'es senti mal à l'aise après. Tu as peur de ne pas penser.

– Oui, j'en ai peur d'une certaine façon », reconnut-il.

Elle le fixa droit dans les yeux avec gravité.

« Mais c'est exactement de cela qu'il s'agit entre filles et garçons. Sentir et ne pas penser. C'est bon quelquefois.

– Oui, dit-il, déjà moins sûr de lui. Je comprends ça. Quand on est adulte. Marié.

– Oh, marié ! Qui peut attendre jusque-là ? On peut mourir avant. On peut tous se faire tuer par une bombe atomique.

– Tu le penses vraiment ?

– Quelquefois. Pas toi ?

– Non, pas vraiment, dit-il avec un grand sourire. C'est une chose à laquelle tout le monde a pensé. On est donc couverts. »

Elle lui donna un petit coup de poing dans les côtes.

« T'es fou. » Elle saisit sa main et retourna son poignet pour consulter sa montre. « Sapristi ! Il faut que je parte.

– Ne pars pas.

– Il le faut. Je peux me laver ici ? Ne regarde pas, promis ?

– Je promets. »

Il se retourna vers le mur et entendit les robinets couler. S'il lui était interdit de regarder, c'est qu'elle devait se laver tout le corps. Il l'imagina nue devant le lavabo et sa chair insatiable commença à se raidir de nouveau.

« O.K. », dit Gloria.

Il se retourna et la vit alors, toute propre et resplendissante, ses vêtements impeccablement rentrés, boutonnés, agrafés, en train de se peigner devant une glace murale. Il se sentit puant, crasseux, en sueur tandis qu'il se levait et arrangeait ses vêtements. Il se rendit au lavabo.

« Je suis désolée mais la moquette est un peu mouillée. Et j'ai utilisé ta serviette.

– C'est bien égal. »

Il se passa de l'eau sur la figure et les mains et s'essuya avec la serviette mouillée maintenant imprégnée de l'odeur de leurs deux corps.

« Bon », dit-elle, en donnant une dernière petite touche à ses cheveux et en glissant le peigne dans la poche arrière de son jean.

« Je vais t'accompagner jusqu'au bus, dit-il, en mettant ses chaussures.

– Non, laisse tomber.

– Ça me ferait plaisir.

– Non, il y aura plein de gosses dans le coin. J'aimerais mieux te quitter ici. »

Elle se retourna vers la glace et tripota ses cheveux encore une fois. Il la rejoignit et lui passa gauchement le bras autour de la taille, observant dans la glace leurs deux images côte à côte, deux personnages bien étranges.

« Je peux te voir demain ? dit-il.

– Ça me semble difficile. On va pique-niquer dans la Forêt-Noire. À moins que ça te dise de venir ?

– J'aimerais bien, dit-il, mais je dois prendre mon train dans la soirée. »

Elle hocha la tête sans dire un mot.

« Je ne te reverrai pas, alors ? dit-il.

– Ça en a tout l'air, n'est-ce pas ?

– Je n'avais pas pensé à ça, dit-il d'un air triste.

– Te voilà reparti, dit-elle, avec un petit rire qui s'étranglait.

– Je ne sais pas quoi dire, Gloria », bredouilla-t-il, cessant de regarder leur image dans la glace et baissant les yeux, assailli par des émotions qu'il aurait été en peine de mettre en mots.

« Ne dis rien sinon je vais me mettre à chialer, dit-elle, en se dirigeant vers la porte.

– Attends un peu ! Donne-moi ton adresse. J'écrirai. »

L'échange des adresses les calma un peu.

« J'écrirai dès que je serai rentré chez moi, promit-il.

– Je serai impatiente d'avoir de tes nouvelles.

– Et tu écriras toi aussi ?

– J'essaierai. Je ne suis pas une très bonne correspondante, à vrai dire.

– Peut-être que tu viendras en Angleterre passer des vacances, un de ces jours.

– Peut-être. Est-ce que tu reviendras à Heidelberg ?

– Oui, si ma sœur y est toujours. »

Ils restèrent un moment sans rien dire, en se tenant les mains, sans vraiment croire à ces lointaines perspectives.

« Je pense que tu ferais bien de partir, alors, dit-il.

– Oui.

– Je ne veux pas que tu... »

Elle l'embrassa sur les lèvres une seule fois et quitta la pièce doucement, fermant la porte derrière elle. La pièce semblait morte, vide. Il alla jusqu'au lit et se jeta dessus.

Il se réveilla soudain, n'ayant pas le souvenir de s'être endormi. La pièce était sombre alors il pensa, tout d'abord, qu'il avait dû trop dormir et laissé passer le feu d'artifice et la fête. Mais, quand il tira les rideaux, il vit qu'il était encore tôt dans la soirée. Il n'était pas pressé de se rendre à la fête, sauf qu'il avait une faim de loup. Il fit une grande toilette au lavabo, se sécha énergiquement et se brossa les dents. Il changea de sous-vêtements et mit aussi une chemise propre. Les vêtements étaient frais sur sa peau. Physiquement, il éprouvait une merveilleuse sensation de bien-être. En son for intérieur, il se sentait, pas triste exactement, ni heureux non plus, mais... solennel. Et vieux. Vieux et sage et plein d'expérience. Il se regarda avec gravité dans la glace et se demanda s'il n'y avait pas quelque chose de changé dans sa physionomie.

Il consulta sa montre. Il était temps de partir mais il n'avait pas envie de rompre le silence et la solitude qui régnaient maintenant dans son esprit et qui l'apaisaient comme s'il se trouvait dans une église déserte. Il parcourut la pièce du regard et fut surpris de constater soudain à quel point elle était sale et sordide. Dans un accès d'énergie et d'efficacité, il se mit à mettre de l'ordre, arrangea le lit tout défait, ramassa son linge sale, jeta dans la poubelle les papiers qui traînaient, ouvrit toutes grandes les fenêtres pour aérer la pièce.

Une clé tourna dans la serrure, il fit volte-face, s'attendant à voir Jinx Dobell. Mais c'était Dolores qui, une valise dans chaque main, entrait dans la pièce en jouant des coudes. Elle resta bouche bée quand elle le vit.

« Oh! dit-elle, suffoquée, en laissant tomber ses valises.

– Vous êtes revenue? dit-il.

– Tu es le frère de Kate Young, c'est ça? Timothy? Je t'avais complètement oublié. »

Elle paraissait fatiguée et avait les traits tirés sous son hâle. Abandonnant ses valises là où elles étaient tombées, elle s'affala dans un fauteuil et ferma les yeux.

« Oui. J'ai décidé d'accepter votre offre, finalement.

– C'est ce que je vois. Je ne savais pas que tu restais si longtemps.

– Ce n'était pas dans mes intentions. Je rentre chez moi demain.

– Demain.

– Je... nous... pensions que vous rentriez la semaine prochaine.

– Je devais. Mais j'ai dû fuir pour cause de dysenterie ou par la faute d'une foutue saleté de ce genre.

– Vous voulez dire que vous êtes malade? »

Elle hocha la tête sans ouvrir les yeux.

« Eh bien, dit-il, je peux sans doute trouver quelque chose d'autre pour coucher ce soir. »

Elle hocha la tête à nouveau.

« Oui, par pitié, Timothy.

– Je vais juste préparer mon sac; je repasserai le prendre demain. »

Il fit rapidement le tour de la pièce, vidant tiroirs et placards. Dolores, assise dans son fauteuil, resta immobile pendant tout ce temps-là. Elle ouvrit tout de même la bouche pour demander :

« Comment tu t'en es tiré, ici?

– Oh, très bien. Je vous suis bigrement reconnaissant... »

Il mit une brosse à dents et un pyjama dans un sac en papier pour les prendre avec lui.

« Bon, je suis prêt maintenant. Est-ce que ça va aller pour vous?

– Si tu pouvais juste aller frapper chez ma voisine. Elle s'appelle Jinx, Jinx Dobell. Demande-lui si elle pourrait passer me voir.

– Je ne crois pas qu'elle soit là. »

Dolores ouvrit les yeux avec une lueur de curiosité dans le regard.

« Tout a été très calme à côté pendant toute la semaine, dit-il.

– Oh, ouais, je me souviens qu'elle devait prendre ses vacances à peu près maintenant. Bon, j'appellerai quelqu'un d'autre, ne t'inquiète pas. »

Il l'abandonna là, assise dans son fauteuil, les yeux toujours fermés.

Compte tenu de l'heure, les rues semblaient étrangement silencieuses et désertes mais, tout absorbé dans ses pensées, Timothy ne prit que vaguement conscience de la chose. Bien qu'il fût maintenant en retard pour la fête, il ne se pressa pas. Il songea avec stupeur à la catastrophe à laquelle il venait d'échapper. Si Dolores était revenue une heure plus tôt, si la porte s'était ouverte tandis que lui et Gloria... Il préférait ne pas imaginer la situation. Et si elle était revenue plus tôt encore, il ne se serait jamais retrouvé seul avec Gloria, il n'aurait pas eu de chambre pour l'inviter, il serait en train de marcher dans les rues de Heidelberg maintenant aussi ignorant, aussi innocent qu'il l'était encore hier. C'était une chance incroyable. Le mot de chance semblait d'ailleurs trop banal dans la circonstance. Il ressentait la chose plutôt comme une sorte de grâce obscure dont bénéficient ceux qui se lancent à corps perdu dans l'aventure.

Il essaya de mieux cerner ce qu'il ressentait vraiment à propos de ce qui s'était passé. Il éprouvait une certaine culpabilité mais une culpabilité dénuée toutefois de cette honte et de ce désespoir qu'il avait ressentis aussitôt après avoir éjaculé. Les paroles qu'ils avaient échangées avaient tout transformé. Une bouffée de tendresse le submergea, si forte qu'elle l'immobilisa presque sur le trottoir, tandis qu'il la revoyait allongée à ses côtés avec sa petite culotte bleue et ses bras croisés sur ses seins. Je n'irai pas à confesse demain, décida-t-il soudain, j'attendrai d'être de retour en Angleterre. Et, bien que l'idée parût totalement dénuée de sens, il prit le risque de garder une âme souillée et de déposer ce don aux pieds de Gloria.

Il se rendit compte soudain que le bourdonnement sourd dont il avait été vaguement conscient en marchant dans les rues désertes était en fait le bruit d'une énorme foule en liesse et, comme il approchait du pont neuf, il se heurta à cette foule. Des gens étaient alignés, debout ou assis sur cinq ou six rangées le long du trottoir d'un côté du pont, de même que sur les deux rives de la rivière qui s'étiraient en direction du vieux pont. La rivière elle-même était envahie d'embarcations de toutes sortes, bateaux de plaisance, péniches, remorqueurs et canoës, et, parmi ces derniers, beaucoup avaient des lanternes vénitiennes qui, accrochées au bout de fines baguettes, pendaient en grappes au-dessus des poupes et faisaient de jolis reflets sur l'eau. Les fenêtres de toutes les maisons qui donnaient sur la rivière étaient ouvertes et noires de monde. Les gens étaient grimpés sur des bancs, sur des rebords de fenêtres, sur des socles de statues, ou perchés sur les toits des voitures en stationnement. Et tous les visages étaient tournés vers l'est où l'obscurité des montagnes se fondait déjà dans l'obscurité du ciel. Au fur et à mesure que la lumière baissait, les murmures d'impatience, les rires et les conversations redoublaient de manière subtile.

Il avança lentement le long de la foule massée, traversa le pont et longea la rive nord en direction de l'appartement de Vince et de Greg. Tandis qu'il remontait à travers le jardin mouillé, il entendit des accords de jazz et il vit des lumières briller aux fenêtres du dernier étage dont on avait tiré les rideaux. La porte d'entrée du bâtiment était ouverte et portait cette inscription écrite à la main : *Montez.* Il grimpa l'escalier de bois bien ciré. La porte de l'appartement était entrouverte et il entra.

Il déposa son sac en papier dans le vestibule et s'arrêta à l'entrée de la pièce principale. Les invités se tenaient debout en petits groupes, parlaient, gesticulaient, rejetaient en l'air leur fumée de cigarettes et faisaient tournoyer leurs glaçons dans leurs verres. Kate, qui tripotait nerveusement le décolleté de sa robe, discutait avec Maria dans un coin. Mel et Ruth étaient là, ainsi que Dot, et la plupart des autres visages avaient un petit air familier. Il ne vit pas Don. Vince et Greg circulaient parmi les invités, l'un avec un shaker à cocktails à la main, l'autre avec un plateau de nourriture. Il fallut un certain temps avant que quelqu'un ne remarquât sa présence si bien qu'il se sentit étrangement en marge de la compagnie, comme s'il était invisible, observant sans être observé et obtenant en quelque sorte une image plus piquée et plus lucide que jamais auparavant de tous ces gens. Ils avaient l'air tellement mûrs pour ne pas dire totalement vieux. Il remarqua les crânes clairsemés, les bourrelets horribles de graisse excédentaire, les rides et les ridules sous le plâtrage du maquillage. Les sourires semblaient forcés, les yeux vides et désespérés, les mimiques et les gestes ressemblaient à des tics nerveux. Que faisait-il ici ? Il regrettait de ne pas se trouver en bas parmi la foule, tenant Gloria par la main dans le crépuscule en attendant que le feu d'artifice ne commence. C'est alors que Kate l'aperçut, traversa la pièce et vint vers lui en toute hâte.

« Timothy ! Où étais-tu passé ? Je commençais à m'inquiéter... »

Elle l'embrassa – un baiser de grande sœur, de tante presque, un baiser qui fleurait bon la poudre et le parfum.

« Un petit ennui », dit-il.

Il lui parla de l'indisposition de Dolores et de son retour inopiné.

« Quelle déveine, dit-elle.
– Ç'aurait pu être pire.
– Tu n'as pas l'air d'en faire un drame en tout cas, dit-elle avec un sourire, en repoussant sa mèche rebelle d'un geste de la main. Comment était la soirée, hier soir?
– C'était O.K. »
Il parcourut la pièce du regard, cherchant à détourner la conversation. Ruth le vit et lui envoya de loin un baiser. Il lui répondit d'un signe de la main. Vince s'approcha.
« Salut, Timothy, comment va?
– Très bien, merci. Et toi? Tu n'as pas eu peur que les Russes refusent de te laisser partir?
– Pas vraiment. Prends un Manhattan.
– Tu as un coca-cola?
– Il y en a peut-être dans la cuisine, mais pourquoi ne pas profiter un peu de la vie? C'est ton dernier soir, pas vrai?
– Oui, et c'est aussi bien car Dolores est rentrée de vacances.
– Dolores? Oh, Dolores ! Diable, où vas-tu dormir cette nuit, alors?
– Je vais lui trouver une chambre quelque part, dit Kate. C'est juste pour une nuit.
– Une chambre? Tu veux dire dans un hôtel? Le soir du feu d'artifice? »
Kate se mordit la lèvre.
« J'imagine qu'ils vont tous être complets.
– Ça, c'est sûr. Mais Timothy peut très bien rester ici, c'est sans problème.
– C'est bigrement gentil de ta part », dit Timothy, soulagé.
Kate parut hésiter.
« Eh bien, je ne sais pas. Votre divan est ici et qui sait quand cette soirée va finir?
– Ne t'inquiète pas, chérie, je veillerai à ce qu'il soit frais et dispos demain matin. Ecoute, il n'a qu'à prendre mon lit et moi, je coucherai sur le divan. Je n'ai pas l'intention de me coucher cette nuit, de toute façon. N'en parlons plus. Prenons un autre verre.
– Non, merci, Vince, ça suffit pour moi comme ça. » Kate mit la main sur son verre.
« Oh, allez, mon chou, fais un petit effort, on va tous se

défoncer ce soir. C'est une soirée de célébration et d'adieu : vive nous et adieu Timothy. »

Vince tenta de remplir le verre de Kate, renversa l'alcool sur sa main et aussi sur le tapis.

« Regarde ce que tu as fait! dit-elle, contrariée.

– Ne t'en fais pas, c'est excellent pour tuer les mites, dit Greg, qui s'approchait pour nettoyer le tapis avec un chiffon. D'abord, les mites se soûlent, puis elles sortent et se font renverser par les voitures. Salut, Timothy! Tu es content de retourner à Blighty?

– Oui et non.

– Excellente réponse, il faut que je m'en souvienne le jour où je me marierai. » Il se planta tout droit contre l'épaule de Kate. « Acceptez-vous de prendre cette femme pour légitime épouse? Eh bien, oui et non. »

Timothy se mit à rire. Encouragé par son succès, Greg rapprocha son visage de celui de Kate et effleura du bout du doigt sa poitrine. Il murmura : « Mon chou, allons-nous nous enfuir tous les deux ce soir ou bien préfères-tu mourir dans l'ignorance? »

Kate n'apprécia pas du tout la plaisanterie. Elle sursauta et s'esquiva.

« Viens, Timothy, dit-elle. Je vais te donner un coca. »

Kate ferma derrière eux la porte de la cuisine avant d'ouvrir l'énorme réfrigérateur.

« Je n'aime pas la façon dont les garçons se comportent ce soir. Je les ai déjà vus dans cet état. Ils ne s'enivrent pas très souvent mais quand ils le font... J'aimerais mieux que tu ne restes pas ici, je t'assure.

– Tout se passera bien.

– C'est normal, j'imagine, qu'ils veuillent se défouler un peu après Berlin. Greg a dit qu'il y avait des puces dans leur cellule et la nourriture était immangeable.

– Est-ce que Don vient ce soir?

– Je ne crois pas. Il a dit qu'il passerait à l'hôpital pour voir comment va Rudolf. Notre ami est hors de danger en tout cas, c'est un grand soulagement.

– Parfait. Oh là là, j'ai affreusement faim, Kate...

– Retournons à la salle à manger... Greg a fait une merveilleuse terrine. »

Elle le conduisit vers une table garnie d'un buffet froid. Ruth était là, en train de picorer avidement toutes ces bonnes choses.

« Salut, Timothy. Tu veux des fourmis au chocolat ? »

Il ouvrit de grands yeux, incrédule, puis blêmit.

« Non, merci.

– Hum, c'est délicieux. »

Elle ramassa avec ses longues griffes les insectes enrobés de chocolat et les porta à sa bouche. Il y eut un léger craquement entre ses mâchoires tandis qu'elle mastiquait. Timothy en eut une sorte de haut-le-cœur mais, mordant à belles dents dans un canapé au fromage blanc et au jambon haché, il sentit immédiatement que son appétit revenait.

« Hé ! dit Ruth avec un éclat dans ses yeux noirs. C'est toi qui as éteint les lumières sur le bateau, hier soir ?

– Qu'est-ce que tu racontes là ? » Kate tendit l'oreille.

« T'as pas entendu parler de la soirée d'anniversaire, Kate ? Des gamins ont fait sauter les plombs et la fête a dégénéré en une sorte d'orgie d'adolescents.

– C'est vrai ?

– Non, pas vraiment, dit Timothy, occupé à se servir en pâté.

– En tout cas, Lola Eastman a fait une vraie crise d'hystérie quand ils sont rentrés. Elle n'en pouvait plus à force de vouloir empêcher les jeunes de se peloter ou de tomber dans la rivière... Plus jamais ça, a-t-elle dit.

– Eh bien ! s'exclama Kate, les sourcils dressés. Je veux que tu me racontes tout ça en détail, Timothy. »

Il fut soudain tiré de ce mauvais pas par un grondement sourd venu du dehors et par un roulement d'acclamations qui parcourait toute la vallée. Ils se dirigèrent tous vers les fenêtres et constatèrent que, le long des deux rives, on avait éteint les lumières. Vince frappa dans ses mains.

« Remplissez vos verres, les copains ! Les lumières de Heidelberg sont en train de s'éteindre. Tout le monde au balcon. »

Il fit le tour de la pièce et éteignit toutes les lumières sauf une petite lampe de chevet basse qui avait un abat-jour rouge presque opaque. Ils sortirent et se massèrent sur le balcon mais, celui-ci étant trop exigu, quelques invités durent grimper sur des chaises un peu en retrait dans la pièce. Timothy, lui, avait une place au bord de la balustrade. Tout était très noir à part les phares des voitures qui traversaient le pont neuf et les quelques lumières sur les embarcations de la rivière. Les formes de la ville et des montagnes disparaissaient dans l'obscurité et les projecteurs s'étaient éteints au château. Un grand silence s'était fait parmi la foule impatiente au-dessous et avait gagné les membres de leur groupe, tous serrés les uns contre les autres. Un avion bourdonna quelque part dans le ciel.

« Alors, qu'est-ce qu'on attend? grogna Mel dans l'obscurité.

– Quelqu'un a oublié d'apporter les allumettes », plaisanta Greg et ils partirent tous d'un grand fou rire.

« C'est comme si on attendait le déclenchement d'un tir de barrage », se lamenta Mel.

Trois fusées s'élevèrent dans un ciel de velours tout noir et explosèrent en étoiles rouges, vertes, bleues, en faisant un bruit énorme. Un long *Ooh!* s'échappa de la foule en dessous.

« C'est le signal de départ », dit Kate.

Les particules incandescentes des fusées s'éteignirent en retombant et l'obscurité revint. Puis, comme par magie, le château surgit juste en face d'eux, semblant flotter dans le ciel nocturne et se consumer comme un dirigeable en feu. Il avait l'air d'être enveloppé de flammes rouges qui léchaient tout le tour des murs et des remparts et il y avait une lumière incandescente à l'intérieur des bâtiments qui donnait aux façades en ruine des allures d'ombres chinoises se découpant entre les fenêtres violemment éclairées où l'on pouvait facilement imaginer des silhouettes luttant désespérément pour s'enfuir.

« Bigre! entendit-on Vince murmurer quelque part en arrière, je ne me lasse pas de ça. » Timothy se souvint de la phrase qu'il avait citée dans la Mercedes en allant à Baden : *On entraînera avec nous tout un monde, un monde en flammes.*

Le spectacle dura environ dix minutes au bout desquelles la rougeur incandescente se mit à pâlir et le château se fondit doucement à nouveau dans l'obscurité de la nuit. Puis, tandis que de la foule ébahie montait un immense soupir, le vieux pont apparut, ses tours jumelles, ses arches et son parapet bordés de traînées d'or et d'argent en fusion qui tombaient en cascades dans la rivière sombre et faisaient des reflets qui rebondissaient et tournoyaient comme des pièces neuves sur toute la surface de l'eau. Et, tandis que se déroulait ce spectacle, un fantastique tir de fusées commença dans la vallée au-delà du pont. Les fusées, en éclatant, illuminèrent toute la ville, dispersant leurs semences de feu, telles des étoiles aux couleurs de gemmes qui explosaient encore et encore, projetant de nouvelles galaxies de couleurs au fur et à mesure que s'éteignaient les précédentes. Chaque bouquet de fusées semblait surpasser en splendeur celui qui le précédait. La vallée grondait et résonnait sous les coups de ces fracassantes explosions. On sentait bien que ça ne pouvait pas durer et, pourtant, on voulait que ça dure, que l'escalade ne s'arrête pas. Et, quand ce fut manifestement le bouquet final, quand un grand collier de diamants, de rubis et de saphirs fut jeté en travers du décolleté de la vallée et resta suspendu là dans une symétrie exquise pendant quelques fragiles petites secondes et puis se mit doucement, pathétiquement, à vaciller, à se dissoudre, à se désintégrer, à tomber, pour enfin s'éteindre, étoile après étoile, laissant l'obscure toile de fond immobile et vide, les spectateurs ne purent se résigner à ce que ce fût la fin, mais attendirent, haletants, jusqu'au moment où les lumières de la ville revinrent. Puis il y eut un immense soupir collectif fait à la fois de contentement et de regret; des bravos et des vivats retentirent, et la foule commença à se séparer et à se disperser, les voitures démarrèrent et les bateaux sur la rivière se mirent à battre l'eau. Quant à eux, sur le balcon, ils s'agitèrent et regagnèrent l'intérieur de la pièce en traînant les pieds.

« Alors, dit Kate à Timothy, qu'as-tu... »

Sa question fut interrompue par le cri perçant d'une femme qui se trouvait devant. Les personnes qui faisaient écran devant eux eurent un mouvement de recul qui les repoussa dangereusement tous les deux contre la balustrade, puis elles firent une nouvelle embardée en avant, et tout le monde fut précipité dans la pièce. On devinait aisément ce qui avait provoqué ce cri et Timothy lui-même eut un moment de peur panique quand il vit, debout, immobile, à l'autre bout de la pièce, leur tournant le dos, les mains croisées derrière lui et son ombre sinistre projetée contre le mur par la lumière blafarde de la lampe rouge, un officier de l'armée allemande vêtu de l'inoubliable uniforme de la Seconde Guerre mondiale – la capote à longs pans, la haute casquette à visière, les bottes à l'écuyère noires et brillantes.

« Qu'est-ce que c'est que ce cirque? » s'exclama Mel, surpris.

Vince se retourna face à eux, claqua des talons et tendit le bras.

« *Heil Hitler!* »

Il abaissa ensuite légèrement le bras, pointant un doigt vers eux en un geste de dérision puis, faisant un grand mouvement circulaire avec son bras, rejeta la tête en arrière et partit d'un grand éclat de rire.

Les invités réagirent diversement. Certains furent amusés, d'autres firent semblant d'être amusés et quelques-uns désapprouvèrent ouvertement. Kate était de ceux-là.

« Je n'ai pas trouvé ça très drôle, Vince, dit-elle. Tu as bouleversé Maria. »

Maria était tapie dans un fauteuil, la tête entre les mains, toute tremblante.

« Oh Maria, dis-moi, tu n'es pas vraiment bouleversée? dit Vince d'un ton enjôleur. Ce n'était qu'une plaisanterie. »

Maria leva les yeux et sourit faiblement en secouant la tête.

« C'est peut-être une plaisanterie pour toi, dit Kate, mais Maria, elle, a de bonnes raisons d'avoir peur de cet uniforme. »

Timothy se souvint que Kate lui avait dit que Maria était en Hollande sous l'occupation nazie. Kate sollicita des yeux son appui mais Maria était, comme toujours, trop humble pour dire quoi que ce soit.

« Je suis désolé, Maria, dit Vince. Je m'excuse. Ça va comme ça? Je suis pardonné? »

Maria hocha la tête.

« C'est à boire qu'il te faut.

– Elle n'est pas la seule », dit Dot avec conviction.

Il y eut une ruée générale vers le bar. Greg mit un disque sur le tourne-disques et commença à rouler le tapis.

« Tu m'accordes la première danse, Kate? » lança-t-il.

Elle secoua la tête.

« Non, Greg, pas tout de suite.

– Voilà », dit Vince qui arrivait avec un verre pour Maria et un autre qu'il imposa de force à Kate.

« Dis donc, Vince, c'est un sacré tour que tu nous as joué là, dit Mel. Tu as dû t'éclipser pendant qu'on regardait le feu d'artifice.

– Exactement. » Vince fit un clin d'œil à Timothy. « Je t'ai fait peur, petit?

– Un tout petit peu. »

Dot vint les rejoindre.

« Où as-tu dégoté ces fringues, Vince?

– Oh, ici et là.

– J'espère que tu les as fait nettoyer. On ne sait jamais où elles ont traîné, comme on dit. » Elle gloussa.

« Bien sûr, mais ils n'ont pas réussi à faire partir les taches de sang, tu vois? C'est là que le type a été touché. »

Ils firent cercle autour de lui pour voir le trou, légèrement effiloché sur les bords, que la balle avait fait en pleine poitrine, et les vieilles taches brunâtres laissées par le sang. Encouragé par tant de curiosité, Vince exhiba toute sa panoplie de souvenirs nazis, panoplie qui se révéla extraordinairement riche : uniformes, couvre-chefs, casques, ceintures, bottes, armes, insignes et décorations qu'il sortit des tiroirs et des placards et étala par terre dans le salon. Les invités les manipulèrent avec un mélange de répulsion et de fascination; et puis, pris d'une lubie soudaine, certains se mirent à essayer eux-mêmes ces vêtements. Dans l'atmosphère émoustillée et surexcitée de la fête, les nerfs encore frémissants sous l'effet du feu d'artifice et du choc de la prestation de Vince, l'idée d'un déguisement se propagea rapidement et bientôt, ils se retrouvèrent tous en plein délire en train de farfouiller parmi les objets et les vêtements, se débattant pour enfiler divers éléments d'uniformes et d'équipement, posant devant les miroirs, se pavanant dans la pièce, claquant des talons et s'adressant le salut nazi. Greg les haranguait en bafouillant des recommandations dans un vieux porte-voix en fer-blanc : *« Achtung! Achtung!* Jusqu'à nouvel ordre, le Parti national socialiste s'appellera la Surprise-party nationale socialiste! » L'une des jeunes filles était enveloppée dans un drapeau à croix gammée et on l'acclama sous le nom de Miss Gestapo. Dot se baladait en exhibant une croix de fer.

« Mets-moi une décoration », demanda-t-elle à Timothy.

Tout penaud, il s'exécuta. Kate avait délibérément tourné le dos à cette pantomime et discutait avec Maria. Il l'entendit demander à la jeune Hollandaise si elle voulait partir et il espéra qu'on n'allait pas l'expédier tout droit au lit. Bien qu'il n'eût aucune envie de participer à cette mascarade, qu'il jugeait, sans trop savoir pourquoi, presque blasphématoire, une sorte de fascination morbide le retenait. Dans la lumière blafarde de la lampe rouge, laquelle aurait très bien pu passer pour la lumière réfléchie du château en feu de l'autre côté de la vallée, le spectacle avait un air sinistre et presque effrayant de réalité. Bien que, sous les casquettes à tête de mort, les visages eussent de grands sourires hébétés, que les brassards marqués de la croix gammée fussent accrochés aux manches des robes de cocktail et les tuniques froissées boutonnées par-dessus les cravates en soie fantaisie, l'incongruité n'arrivait pas à rendre totalement absurdes ces sinistres reliques. Tels des enfants qui flirtent malicieusement avec les vieux démons, les invités avaient fait renaître dans cette pièce le spectre du mal à l'état pur.

Mel s'approcha de Timothy en caressant un pistolet automatique.

« Regarde un peu ça, petit. »

Il fut si surpris par le poids de l'objet qu'il faillit le laisser tomber. Kate le lui arracha des mains.

« Donne-moi ça ! Tu es dingue, Mel, comment sais-tu qu'il n'est pas chargé ?

– Il n'est pas chargé, calme-toi. Aucune de ces armes n'est chargée », dit Vince en s'approchant d'eux. Il prit le pistolet des mains de Kate. Il avait toujours sur lui sa longue capote bien qu'il y eût des gouttes de sueur sur son front.

« Vince, je peux emmener Timothy dans ta chambre, s'il te plaît ?

– Tu n'envoies tout de même pas le gamin au lit déjà ?

– Je ramène Maria chez elle et je tiens à ce qu'il soit au lit avant que je m'en aille.

– Je ne suis pas obligée de partir tout de suite », s'empressa de dire Maria.

Kate parut contrariée.

« Timothy doit aller se coucher, de toute façon ; un long voyage l'attend demain. Et moi je veux partir aussi.

– Oh, allons, Kate ! Tu ne peux pas partir au moment où on commence à s'amuser. Mets-toi dans le bain, baby ! Bois encore un coup. Tu es devenue trop sérieuse avec nous. Tu as beaucoup trop fréquenté ce petit coco d'instit. »

Le visage de Kate était rouge de colère.

« Vince, je commence à croire qu'en fait tu l'as dénoncé aux autorités.

– Qu'est-ce que tu racontes là ? Tu sais ce qu'elle raconte, Greg ?

– Non, tout ce que j'sais c'est qu'elle a un air adorable quand elle est en colère, tu ne trouves pas? Allez, mon chou, viens danser le tango. »

Greg la prit par la taille mais elle le repoussa presque violemment.

« Je ne veux pas danser au milieu de tout ce charivari. C'est dégoûtant. » Elle se tourna vers Mel. « Je ne te comprends pas, Mel... pourquoi ne leur dis-tu pas d'arrêter? »

Elle paraissait bouleversée, presqu'au bord de l'hystérie. Mel paraissait simplement gêné.

« Eh là, doucement, Kate, tu sais bien que c'est seulement pour rire. On doit tellement prendre de gants avec les Boches ces temps-ci que c'est un soulagement de se laisser aller une fois de temps en temps.

– Ça donne quelque chose d'assez délirant pas vrai? » murmura Vince en contemplant la piste de danse avec une sorte d'effroi.

Serrés les uns contre les autres, dans la lumière blafarde de la lampe rouge, suant sous leurs chapeaux, leurs casques et leurs uniformes, les danseurs ondulaient et se bousculaient, se balançant au rythme de la musique, certains riant et bavardant tandis que d'autres, presque endormis, se soutenaient mutuellement.

« Je vais fumer une dernière cigarette, déclara Kate, et ensuite Timothy va aller au lit et je vais rentrer chez moi. »

Ses doigts tremblaient légèrement comme elle extrayait la cigarette de son étui. Vince lui présenta du feu avec son Ronson, sans donner l'impression de quitter des yeux les danseurs.

« Vous savez quoi, dit-il d'un air songeur, les choses ont dû être un peu comme ça la nuit où Adolf s'est tiré une balle, dans le bunker de Berlin.

– Ça n'a pas dû être aussi gai que ça tout de même? dit Mel.

– C'est ce qu'on pourrait croire, mais on raconte une étrange histoire à propos de cette nuit-là, peut-être l'histoire la plus étrange sur Hitler. (Il s'arrêta pour boire une gorgée.) Au point où ils en étaient, bien sûr, ils avaient tous perdu la tête. La plupart d'entre eux vivaient sous terre depuis des jours. Les Russes se rapprochaient, les obus tombaient dans les jardins de la chancellerie, tout Berlin était en flammes, Adolf piquait ponctuellement sa petite crise toutes les heures. Puis, il y eut le mariage avec Eva. »

Kate éteignit sa cigarette à demi consumée.

« Allez, viens, Timothy.

– Attends une minute, Kate. Je suis en train de raconter quelque chose au gamin. C'est un cours d'histoire.

– Ouais, attends un peu, Kate, dit Mel. C'est intéressant. Alors, comme ça, il a épousé Eva Braun, ouais?

– Il a donc épousé Eva Braun et... vous savez comment s'appelait le type qui les a mariés?

– Wagner, dit Timothy.

– Exactement! Tu as bien retenu ta leçon. » Vince lui adressa un large sourire. « Tu es doué, Timothy. Tu n'oublies pas ce qu'on te dit. Tu n'oublieras pas cette soirée de sitôt, hein?

– Vince, dit Kate, impatiente.

– O.K., O.K. Ainsi donc, Adolf et Eva convolèrent et célébrèrent la noce par un petit déjeuner au champagne et tout le bataclan, et pourtant ce fut un bide; pas étonnant puisque l'heureux couple avait fait part de son intention de se suicider dans les vingt-quatre heures. Ça jette un froid dans un mariage. Adolf n'est même pas allé au lit avec sa jeune épouse. Il a passé la nuit à rédiger son testament et ses dernières volontés. Le lendemain, voilà qu'on annonce que Mussolini et sa maîtresse ont été fusillés par les partisans et pendus la tête en bas. C'est ce qui a dû pousser Hitler à se décider s'il hésitait encore. Il a fait empoisonner son chien, Blondi. Il a remis des capsules de poison à ses deux secrétaires pour qu'ils ne tombent pas aux mains des Russes. Puis, il a fait passer le mot que personne n'aille se coucher jusqu'à nouvel ordre. Peu après minuit, tout le monde a été convoqué dans la salle à manger où il les a tous passés en revue, donnant une poignée de main aux femmes et marmonnant quelque chose d'incompréhensible sans les regarder, les yeux perdus dans le vide... »

Vince avait, lui aussi, les yeux perdus dans le vide. Son auditoire, y compris Kate, était muet, attentif, impassible, soucieux de ne perdre aucune de ses paroles dans le bruit que faisaient la musique et les danseurs.

« Puis une chose étrange est arrivée. Ils savaient tous que Hitler leur faisait ainsi ses adieux, qu'il allait se suicider, et n'oubliez pas que la plupart de ces gens lui étaient dévoués. La plupart s'étaient portés volontaires pour rester dans le bunker avec lui jusqu'à la fin. Eh bien, vous savez ce qu'ils ont fait? Un peu plus tard, après qu'il s'est retiré dans sa chambre? Ils se sont rendus à la cantine et ils ont fait la fête. La fête! Ils ont dansé. Je dis bien, dansé! Ils ont fait tant de bruit que Hitler a envoyé un message pour leur demander d'arrêter ce vacarme. Mais ils ont continué de danser. Vous vous rendez compte? Avec les Russes à moins d'un kilomètre de là, Berlin, ou du moins ce qu'il en restait, sur le point de tomber, et eux, sachant pourtant qu'ils allaient bientôt mourir s'ils ne foutaient pas le camp de là... ils dansaient. »

Il s'arrêta et but encore un peu.

« Et que faisait Hitler? demanda Timothy.

– Va savoir, dit Vince, d'un air absent. Peut-être qu'il attendait, le doigt sur la gâchette... » Vince souleva alors le pistolet et regarda dans le canon. « Peut-être qu'il espérait un miracle, un miracle qui n'est jamais venu. Alors... »

Vince colla le canon contre sa tête et appuya sur la gâchette.

« *Bang!* » dit une voix derrière qui les fit tous sursauter.

« Seigneur Jésus! dit Mel.

– Don! s'exclama Kate.

– Eh bien, eh bien, dit Vince, voilà que les Russes ont débarqué.

– La porte était ouverte, alors je suis entré », dit Don. Il jeta un coup d'œil autour de lui. « On a l'air de bien s'amuser ici.

– Tu as raté le feu d'artifice, dit Vince.

– Ouais, j'étais à l'hôpital en train de faire une visite à l'un de vos amis.

– Rudolf? Comment va ce pauvre gars?

– Beaucoup mieux. »

Vince hocha la tête.

« Tant mieux, je me sens un peu responsable. Il faudra que je passe demain. J'ignorais qu'il pouvait recevoir des visites.

– C'était la première fois ce soir. Les militaires, eux, n'ont pas attendu. J'ai cru comprendre qu'il avait vu pas mal de militaires. » D'un air provocant, il toisa Vince qui ne répondit pas mais alluma une cigarette. « J'ai comme l'impression que tu as de gros ennuis, Vernon. »

Vince poussa un étrange petit grognement de dérision.

« Que sais-tu des ennuis que j'ai? »

Don regarda Kate.

« Vous êtes prêts à partir, toi et Timothy?

– Oui, je le suis, mais Timothy passe la nuit ici. »

Don ouvrit de grands yeux.

« Ici?

– Oui, Dolores a débarqué à l'improviste et...

– Il faut vraiment que tu aies perdu la tête. Allez, partons. » Don prit Timothy par le bras.

« Hé, pas si vite! » Vince attrapa Timothy par l'autre bras. « Bon Dieu, pour qui tu te prends?

– Lâchez-le, tous les deux! »

Kate empoigna d'un air protecteur Timothy qui, pendant un instant, eut l'étonnante impression d'être tiré à hue et à dia entre tous les trois. Il n'opposa aucune résistance car il n'avait aucune idée de ce qui se passait et d'ailleurs personne ne semblait s'inquiéter de la chose. Mel s'était éclipsé en douce après l'arrivée de Don et les gens continuaient imperturbablement de danser.

« Je crois savoir quel genre de type tu es, Vernon, dit Don. Tu t'envoies en l'air avec des manchots, c'est ça? »

Timothy sentit la main de Vince desserrer son étreinte sur son bras et le lâcher.

« Ce sale Boche..., dit-il d'une voix pâteuse.

– Il n'a pas dit grand-chose, mais je sais lire entre les lignes, dit Don. Allons, Kate, partons d'ici. » Il les entraîna dehors.

« Kate! » appela Vince d'une voix basse mais suppliante comme ils partaient. Elle se retourna vers lui, le visage livide de peur, mais ne s'arrêta pas. Don, quant à lui, s'arrêta près de la porte. Il se baissa et, d'un geste sec et brutal, débrancha un fil électrique. La musique expira en gémissant. Il se redressa et alluma le lustre du plafond. Les danseurs s'arrêtèrent en titubant et regardèrent stupéfaits autour d'eux, clignant des yeux sous la lumière aveuglante. Les uniformes et les accessoires dont ils étaient affublés paraissaient soudain avoir perdu de leur éclat et de leur pouvoir terrifiant.

Épilogue

Le motel, l'un des plus agréables de tous ceux où ils avaient séjourné, était une construction de type néo-espagnol, occupant les trois côtés d'une cour intérieure, laquelle était fermée sur le dernier côté par une piscine. La plus grande des deux chambres (c'était un motel de long séjour pour vacanciers où chaque appartement comprenait deux chambres, une douche et une kitchenette) donnait sur une petite terrasse au-dessus de laquelle courait une sorte de plante grimpante en fleurs. Comme il sortait, il en respira le parfum délicieux, un verre de gin-tonic glacé dans chaque main, et il leva les yeux vers le ciel étoilé et vers les silhouettes noires des palmiers. Les cris et les ébats aquatiques d'un groupe de baigneurs tardifs leur parvenaient de l'autre extrémité de la cour.

« C'est une charmante idée, dit-il, de se baigner dans le noir. Il faut qu'on essaye. Il fait presque trop chaud dans la journée, même pour se baigner.

– Il faudra que tu fasses bien attention aux pieds des enfants sur le ciment.

– Oui, ils ont ces espèces de tongs en caoutchouc mais Michael refuse de les garder aux pieds. »

Il posa son verre sur une table basse et s'assit à côté d'elle. Elle était allongée sur une chaise longue en rotin, le visage dans l'ombre.

« Ils sont superbes, les enfants.

– Ils ne sont pas trop difficiles, à vrai dire. Ils ont tendance à être grognons dans la voiture mais ce n'est pas étonnant.

– En effet, vu la distance que vous avez parcourue. Je trouve qu'ils sont fantastiques.

– On a pris notre temps, rassure-toi. À peu près trois cents kilomètres par jour.

– Vous connaissez mieux les États-Unis que moi qui suis ici depuis – combien déjà? – quatorze ans?

– Je crois qu'on a vu plus de choses que la plupart des Américains eux-mêmes, pour tout te dire. Grâce à cette bourse.

– Quelle aubaine cette bourse! Et on t'a donné la voiture aussi? Je suppose qu'il faut être terriblement doué pour l'obtenir.

– Et avoir une chance terrible. Ils n'avaient pas tellement de candidats dans ma spécialité, je crois que ça a joué en ma faveur.

– Je sais, tu me l'as déjà expliqué dans tes lettres, Timothy, mais je n'arrive jamais à...

– Les sciences de l'environnement. C'est une discipline académique relativement nouvelle, en fait. Mon domaine à moi, c'est le réaménagement urbain. J'ai fait mon doctorat sur la restauration des zones sinistrées. »

Il parla un moment de sa recherche mais, voyant qu'elle restait silencieuse, il comprit qu'il avait plus que satisfait sa curiosité. Les problèmes de réaménagement urbain avaient peu de chances, se dit-il, de susciter beaucoup d'intérêt chez quelqu'un qui vivait dans une station touristique du désert californien où rien ne paraissait avoir plus de vingt ans, mis à part les résidents.

« Sheila ne vient pas dehors? demanda Kate.

– Tout à l'heure. Elle écrit une lettre à sa mère.

– C'est une fille ravissante, Timothy. Tu as beaucoup de chance.

– Oui, c'est vrai.

– Elle aussi, évidemment. Qu'est-ce qui te fait rire?

– Tu réagis exactement comme maman. Quand on lui a dit qu'on allait se fiancer, elle a regardé Sheila fixement comme si elle venait de gagner le gros lot dans une tombola. »

Kate gloussa dans l'obscurité.

« Tu ne peux pas savoir comme c'est bon de te voir, toi et ta petite famille, Timothy. Je n'arrive pas à croire que vous êtes vraiment ici.

– C'est pourtant la réalité. Et c'est aussi bigrement chouette. » Il se bascula en arrière sur son fauteuil et but tout doucement la boisson glacée et limpide. « J'adore rester assis dehors, le soir, il ne fait jamais assez chaud en Angleterre. Je me souviens que c'est une des choses que j'ai appréciées en Allemagne – tu te souviens de ma première soirée à Heidelberg? Quand on a dîné dehors dans ce restaurant à flanc de montagnes?

– Le *Molkenkur*. Tu avais pris du poulet frit, tu te souviens?

– Je ne suis pas près d'oublier!

– Qu'est-ce que tu as pu dévorer! »

Ils rirent tous les deux en se rappelant ce souvenir.

« J'ai commandé un poulet frit à Denver, il y a quinze jours, dit-il. Mais ce n'était pas la même chose.

– J'imagine qu'on peut acheter tout le poulet qu'on veut, aujourd'hui, en Angleterre. Ce doit être difficile de se rappeler ce qu'était le rationnement.

– Hum. Pourtant je ne crois pas qu'on puisse jamais l'oublier vraiment. Il y a un fossé qui se creuse, et qui s'agrandit constamment, entre ceux qui se souviennent de la guerre, du rationnement, de l'austérité et de tout le reste, et ceux qui étaient trop jeunes pour se souvenir, ou qui sont nés après.

– Tu parles comme un vieux, dit-elle en le taquinant.

– Eh bien, trente ans, c'est vieux de nos jours. Tu sais ce que disent les étudiants : ne jamais faire confiance à quelqu'un qui a plus de trente ans. Si tu calcules bien, trente ans, c'est à peu près l'âge qui marque la séparation entre ceux qui se souviennent de la guerre et ceux qui ne s'en souviennent pas.

– Ils ont l'air de provoquer pas mal de désordre, les étudiants, en ce moment.

– Ils prennent davantage les choses comme allant de soi, alors leurs rêves sont plus ambitieux. Pour ceux qui ont grandi pendant la guerre et juste après, les espérances n'étaient pas telles. On était heureux chaque fois qu'on voyait son sort s'améliorer un peu.

– Oui, soupira-t-elle, la jeune génération ne connaît pas son bonheur.

– En fait, on est si heureux d'être là où on se trouve qu'on ne tient pas à aller plus loin de peur que les choses ne se gâtent. Je reconnais bien cette tendance en moi.

– Toi, Timothy? Mais tu as fait tant de choses.

– Pas tant que ça. Et il faut constamment que je me force. Comme pour ce voyage à Heidelberg. Je ne tenais pas vraiment à y aller mais j'ai fait l'effort... et je n'ai pas regretté! Si je n'y étais pas allé, je me demande si je serais ici aujourd'hui.

– Vraiment?

– Vraiment. Ç'a été un tournant pour moi. Ça m'a permis de sortir de ma coquille, d'élargir mon horizon. J'ai appris une foule de choses pendant ces quelques semaines. »

Ils se turent, songeant au passé. Les baigneurs avaient quitté la piscine et on n'entendait plus que le sifflement cadencé des tourniquets d'arrosage qui s'activaient dans les massifs sous les palmiers.

« As-tu jamais eu des nouvelles de Vince et de Greg? demanda-t-il enfin.

– Jamais. Une de mes amies a prétendu qu'ils étaient allés en Amérique du Sud, mais je n'en sais rien.

– Est-ce que quelqu'un a jamais su la vérité sur cette affaire de Berlin?

– Je pense que non. Tout a été étouffé. Il y a eu une enquête de faite, bien sûr. D'après les bruits qui ont couru, ils auraient essayé d'entrer en contact avec des Allemands de l'Est pour leur vendre une liste d'anciens nazis occupant des postes importants dans le gouvernement fédéral, mais les Allemands de l'Est n'ont pas marché dans la combine.

– Mais ça n'a jamais été prouvé?

– Non, ça n'a jamais été prouvé. Mais ça sentait assez mauvais pour eux comme ça pour qu'ils soient obligés de démissionner. Puis il y a eu l'affaire Rudolf – cette histoire à elle seule suffisait à les rendre dangereux pour la sécurité. Tu sais de quoi il s'agissait, j'imagine?

– Une affaire d'homosexualité, je pense?

– Ils n'ont jamais... euh... essayé de drôles de choses avec toi, dis-moi?

– Non, jamais.

– Dieu merci, soupira-t-elle. Ça m'a souvent tracassée mais je n'ai jamais pu arriver à en parler dans une lettre.

– Tu savais qu'ils étaient pédés?

– Ça ne m'avait jamais effleuré l'esprit. C'est te dire à quel point j'étais innocente.

– Ils étaient assez discrets, je pense.

– Certaines personnes ont dû avoir des doutes. Don en avait, c'est certain. Mais comme ils sortaient toujours avec moi... Je leur servais d'alibi en quelque sorte. » Elle eut un petit rire nerveux.

« Pourquoi ont-ils essayé de traficoter avec les Allemands de l'Est? Ils n'étaient pas sympathisants communistes, que je sache?

– Non, je crois qu'ils avaient simplement besoin d'argent. Vince avait beaucoup perdu au jeu. Je pensais toujours à l'époque qu'ils avaient des fonds illimités mais j'imagine qu'ils vivaient constamment au-dessus de leurs moyens.

– Ça me donne mauvaise conscience d'une certaine façon, dit-il. Pendant que je les pompais en les laissant partout payer pour moi, ils devaient être désespérément à court d'argent.

– À ta place, je ne m'en inquièterais pas. Ils étaient comme ça. Ils mettaient leur point d'honneur à dépenser sans compter. Une attitude puérile, en fait.

– Tout de même...

– C'est terrible mais je n'arrive pas à être indulgente à leur égard. J'ai le sentiment qu'ils se sont moqués de moi.

– Ça ne veut pas dire qu'ils ne t'aimaient pas, Kate, dit-il gentiment. C'est la société qui les a amenés à jouer un double jeu. »

Dans le silence qui suivit, cette dernière remarque prit une résonance de plus en plus pompeuse et affectée. Il s'empressa alors d'ajouter :

« Et Don, dans tout ça? Tu sais qu'il est maintenant professeur titulaire à Ann Arbor, je suppose?

– Oui, on s'envoie une carte à Noël, mais c'est à peu près tout.

– Tu sais, Kate, je pensais que peut-être tous les deux...

– Quoi?

– Eh bien, je n'étais qu'un gamin, évidemment, mais j'ai eu l'impression que vous aviez un petit faible l'un pour l'autre.

– On a eu une petite aventure ensemble, en fait.

– Une aventure? » Il se demanda s'il avait suffisamment feint la surprise.

« Tout a commencé pendant la semaine à Garmisch. Tu te souviens? Quand je me suis foulé la cheville.

– Oh oui, je me souviens. »

Elle rit, quelque peu mal à l'aise.

« Je ne sais pas pourquoi je te dis ça après toutes ces années. Je ne l'ai jamais dit à qui que ce soit auparavant. Mais j'aimerais simplement qu'une personne au monde le sache. Ça paraît stupide ?

– Non, bien sûr que non.

– Don m'a demandé de l'épouser, en fait.

– Pas vrai ? » Cette fois, sa surprise était sincère.

« Oui, la semaine après ton retour à la maison.

– Et tu as dit non ?

– J'ai dit non.

– Tu ne pensais pas que ça pouvait marcher ?

– Je ne voyais pas comment ça pouvait marcher. Il était fermement décidé à suivre des études universitaires à Londres... Je ne me voyais pas mener la vie d'une femme d'étudiant, vivre dans une chambre meublée et travailler dans un petit bureau minable pour essayer de joindre les deux bouts. Et puis, je ne suis pas du genre intellectuel, je ne l'ai jamais été. Il lui arrivait parfois, quand je donnais mon avis sur un fait divers, sur un livre, ou un film, de jeter sur moi un regard curieux, comme s'il se demandait s'il devait me corriger ou laisser passer la chose. Je l'imaginais bien en train de me regarder comme ça le reste de notre vie.

– Je comprends ce que tu veux dire, dit-il. Don était un type intelligent et sincère. Il m'a beaucoup appris. Mais c'était au fond une sorte de petit tyran de l'ordre moral.

– Depuis, il s'est marié et a divorcé.

– Pas possible ?

– De qui parlez-vous ? dit Sheila en arrivant sur la terrasse.

– Oh, de quelqu'un que tu ne connais pas, chérie, dit-il. Tu veux boire quelque chose ?

– Non merci, pas tout de suite. »

Elle s'assit sur ses genoux.

« Les enfants vont bien ? dit Kate.

– Ils dorment à poings fermés, tous les deux. C'est un endroit très chouette, Kate. On te remercie infiniment de nous l'avoir trouvé.

– J'ai pensé que c'était le type d'endroit idéal pour vous, avec les enfants. Et comme la saison touristique vient de se terminer, c'est vraiment pas cher du tout.

– J'ai été très surpris », dit Timothy, en caressant la taille de Sheila. Il se disait en lui-même : deux chambres – ce soir, on va pouvoir faire l'amour.

« Ma parole, il fait encore si chaud, dit Sheila.

– Il y avait des gens qui se baignaient à l'instant.

– C'est tentant. Qu'en dis-tu, Tim?

– Je suis trop bien installé ici.

– Je vais juste faire une petite trempette, alors.

– Elle a une telle énergie, dit Kate, comme Sheila rentrait pour se changer.

– Ça me tue parfois, dit-il. Tu veux boire encore quelque chose?

– Non merci. Question religion, comment ça se passe entre vous, si je ne suis pas trop indiscrète?

– Oh, c'est sans problème. Sheila n'a aucune objection à ce que les enfants reçoivent une éducation catholique. Et moi, je n'ai aucune objection à ce qu'elle programme les naissances.

– Je me suis remise à fréquenter l'Église, tu sais.

– Vraiment?

– Quand on vieillit, on sent qu'on a besoin de quelque chose, surtout quand on vit seul. Il me semble que les choses ont bien changé, quand même.

– Il était grand temps.

– C'est un peu comme chez les protestants, maintenant, tu ne trouves pas? C'est drôle, la messe en latin me manque et pourtant je la trouvais autrefois bien ennuyeuse.

– Papa et maman seront heureux d'apprendre que tu pratiques encore.

– Ont-ils vraiment su que j'avais arrêté?

– Je crois qu'ils l'ont deviné. Est-ce que tu penses un jour revenir à la maison, Kate? Pas pour de bon, je veux dire, juste pour une visite.

– C'est toujours la même histoire, je remets constamment ça à plus tard. Il y a le voyage aussi qui me fait peur. Je me suis trouvé un jour à bord d'un avion qui a failli s'écraser, et ça m'a enlevé l'envie de voyager en avion. Mais depuis que vous êtes arrivés, je me suis dit que, peut-être, je devrais tout de même faire cet effort. J'aimerais vous revoir, toi et Sheila, et les enfants aussi. Je pense que ce qui me déprimait le plus, c'était l'idée de rentrer à la maison et de retrouver tout le monde plus vieux, identique mais plus vieux.

– Tu pourras rester avec nous le temps que tu voudras, dit-il. On va prendre une plus grande maison quand on va rentrer. »

Sheila sortit par la baie vitrée, un peignoir enfilé par-dessus son bikini, et passa devant eux en les saluant d'un geste de la main.

« Prends un bon bain », dit Kate.

Ils suivirent des yeux le peignoir blanc qui se faufilait comme un fantôme parmi les arbustes.

« À propos de Heidelberg, dit Timothy, j'imagine que tu n'as jamais entendu parler d'une fille qui s'appelait Gloria Rose?

– Ça ne me dit rien. Qui était-ce?

– Oh, juste une fille que j'avais rencontrée à cette soirée sur le bateau.

– La soirée sur le bateau? Oh, oui, je me souviens. Il s'était passé quelque chose, non? Quelqu'un était tombé par-dessus bord ou...

– Quelqu'un avait fait sauter les plombs.

– C'est ça, ça me revient maintenant. Et qu'est-ce que tu veux dire à propos de cette Gloria? » Kate était piquée dans sa curiosité féminine.

« Oh, c'était juste une fille avec laquelle je m'entendais bien. On a échangé quelques lettres après mon retour, puis on a perdu le contact. Ç'aurait été vraiment un hasard si tu avais su quelque chose. »

Ils entendirent un gros plouf provenant de la piscine lorsque Sheila plongea. Il regarda vers l'endroit d'où venait le bruit, avec des yeux d'envie probablement car Kate dit :

« Pourquoi ne vas-tu pas la rejoindre?

– Finalement, j'irais bien faire une petite trempette. Tu m'accompagnes?

– Non, merci. Les bains de minuit ne sont plus de mon âge. Je vais rester ici au cas où les enfants se réveilleraient.

– Bon, je vais peut-être y aller. »

Il rentra mettre son maillot de bain. Comme il sortait, une serviette jetée sur les épaules, il dit d'un ton enjoué :

« Hum, on dirait qu'il fait un peu moins chaud, maintenant.

– Quoi? »

Elle avait une voix étranglée et il comprit qu'elle pleurait en silence.

« Kate, qu'est-ce qu'il y a?

– Rien... fais pas attention.

– Tu as du chagrin.

– Non, c'est simplement... Il y a si longtemps que je n'avais pas parlé de cette époque avec quelqu'un.

– Je comprends. »

Il restait planté là, indécis.

« Allez, va prendre ton bain. »

Des lampes à arc accrochées aux palmiers illuminaient la piscine sans en éclairer le fond. Sheila brouillait les reflets en sillonnant la piscine de son crawl impeccable et bien rythmé. Elle nageait beaucoup mieux que lui. En l'apercevant, elle s'arrêta et fit du sur place au milieu de la piscine.

« Tu viens, finalement? cria-t-elle. C'est merveilleux. C'est délicieusement chaud.

– Ils chauffent l'eau, dit-il.

– Je sais. Ça paraît totalement farfelu avec ce climat, non? Mais c'est un vrai délice. »

Il laissa tomber sa serviette, fit voler ses espadrilles et plongea dans l'eau noire et tiède. Il fit surface et rejoignit Sheila. Il lui passa les bras autour de la taille et lui donna un baiser sur ses lèvres mouillées. Ils s'enfoncèrent doucement dans l'eau tous les deux, se séparèrent et resurgirent brusquement à la surface.

« Idiot! » dit-elle en crachotant.

Il s'approcha à nouveau, caressant son corps sous l'eau.

« On fera l'amour, ce soir? dit-il.

– Hum. »

Il tenta de glisser la main dans sa culotte de bikini, mais elle se débattit et s'enfuit à la nage, trop vite pour qu'il songeât à la poursuivre. Elle se hissa hors de la piscine et longea le bord en pataugeant dans les flaques jusqu'au plongeoir. Il se laissa flotter sur le dos et admira la souplesse et l'agilité de ses membres tandis qu'elle grimpait à l'échelle. Elle se planta sur le plongeoir supérieur et rejeta en arrière des mèches de cheveux bouclés pour dégager son visage, tout essoufflée par l'effort. Bercé par l'eau chaude, sous l'immense ciel serein, il sentit monter en lui une énorme bouffée de bonheur. C'était comme un moment de contentement parfait. Pas un seul souci quotidien, fût-ce le plus dérisoire, pas la moindre contrariété ne venait troubler la paix de son esprit et, dans les grandes choses de la vie, il avait toujours eu de la chance. Il avait tant de chance, que c'en était scandaleux, se disait-il, en songeant à Kate qui pleurait dans le noir, de l'autre côté de la cour. Et à Don, divorcé, à Vince et Greg, perdus dans la nature, à ses parents qui vieillissaient lamentablement, abandonnant les activités humaines les unes après les autres, comme les feuilles qui tombent une à une d'un arbre un jour sans vent. Comment ne pas songer à toutes ces vies contrariées, brisées, réprimées... et aux morts ? Les innombrables morts de la guerre, de sa guerre et de toutes les autres guerres, ces vies fauchées prématurément, au hasard, sans raison. Car il ne voyait vraiment pas pourquoi c'était Sheila qui était debout sur le plongeoir maintenant, ses seins se soulevant au rythme de sa respiration, plutôt que Jill, qui était née la même année et dont les seins étaient des fantômes – même pas des fantômes puisqu'ils n'avaient jamais poussé.

C'est alors qu'il fut assailli par cette crainte, vieille peur qu'il n'avait jamais pu complètement évacuer, que son bonheur ne fût qu'une cible mûrissante, offerte au destin ; que, quelque part, au virage, un désastre quelconque l'attendait tandis qu'il approchait le cœur léger. Un accident de voiture. Une maladie mortelle. Un fou tirant à l'aveuglette. Il réfréna cette crainte comme il l'avait fait tant de fois auparavant, tout en se maintenant à la surface au milieu de la piscine. Il ne put malgré tout s'empêcher de crier : « Tu ne devrais pas, Sheila ! Il fait trop noir pour plonger de si haut. »

Elle fit la grimace, se souleva sur la pointe des pieds et plongea. Son corps traversa l'air en un éclair et fendit l'eau sombre. Les images pulvérisées des lampes se balancèrent et dansèrent un ballet fou sur toute la surface et, bientôt, elles commencèrent à se reconstituer. Dans sa peur panique, une prière lui vint machinalement aux lèvres et il la refoula. Il se mit plutôt à compter en silence.

Il en était à neuf quand elle refit surface à quelques mètres derrière lui, et reprit son souffle.

« Sheila ! » cria-t-il, et il se précipita vers elle.

Collection de littérature étrangère

Harold Acton
Pivoines et Poneys
traduit de l'anglais par Christian Thimonier

Felipe Alfau
Chromos
traduit de l'anglais par Bernard Cohen

Paul Bowles
Le Scorpion
traduit de l'anglais par Chantal Mairot
L'Écho
traduit de l'anglais par Brice Matthieussent
Un thé sur la montagne
traduit de l'anglais par Brice Matthieussent

Robert Olen Butler
Un doux parfum d'exil
traduit de l'anglais par Isabelle Reinharez

Truman Capote
Un été indien
traduit de l'anglais par Patrice Repusseau
Entretiens
traduit de l'anglais par Michel Waldberg

Raymond Carver
Les Trois Roses jaunes
traduit de l'anglais par François Lasquin

Willa Cather
L'Un des nôtres
traduit de l'anglais par Marc Chénetier
La Maison du professeur
traduit de l'anglais par Marc Chénetier

Piero Chiara
D'une maison l'autre, la vie
traduit de l'italien par Simone Darses

Fausta Cialente
Les Quatre Filles Wieselberger
traduit de l'italien par Soula Aghion

Lettice Cooper
Une journée avec Rhoda
traduit de l'anglais par Nicole Tisserand

Robertson Davies
L'Objet du scandale
traduit de l'anglais par Arlette Francière

Le Manticore
traduit de l'anglais par Lisa Rosenbaum

Le Monde des Merveilles
traduit de l'anglais par Lisa Rosenbaum

Andrea De Carlo
Chantilly-Express
traduit de l'italien par René de Ceccatty

Daniele Del Giudice
Le Stade de Wimbledon
traduit de l'italien par René de Ceccatty

Erri De Luca
Acide, Arc-en-ciel
traduit de l'italien par Danièle Valin

Heimito von Doderer
Un meurtre que tout le monde commet
traduit de l'allemand par Pierre Deshusses

Les Chutes de Slunj
traduit de l'allemand par Albert Kohn et Pierre Deshusses

Les Fenêtres éclairées
traduit de l'allemand par Pierre Deshusses

Anne Enright
La Vierge de poche
traduit de l'anglais par Édith Soonckindt-Bielok

Franco Ferrucci
Les Satellites de Saturne
traduit de l'italien par Alain Sarrabayrouse

Eva Figes
Lumière
traduit de l'anglais par Gilles Barbedette

Ronald Firbank
Les Excentricités du cardinal Pirelli
traduit de l'anglais par Patrick Reumaux

La Fleur foulée aux pieds
traduit de l'anglais par Jean Gattégno

Mario Fortunato
Lieux naturels
traduit de l'italien par François Bouchard

Jane Gardam
La Dame aux cymbales
traduit de l'anglais par Suzanne V. Mayoux

William Gass
Au cœur du cœur de ce pays
traduit de l'anglais par Marc Chénetier et Pierre Gault

Kaye Gibbons
Ellen Foster
traduit de l'anglais par Marie-Claire Pasquier

Une femme vertueuse
traduit de l'anglais par Marie-Claire Pasquier

William Goyen
Une forme sur la ville
traduit de l'anglais par Patrice Repusseau

Le Grand Réparateur
traduit de l'anglais par Patrice Repusseau

Alasdair Gray
Pauvres créatures
traduit de l'anglais par Jean Pavans

Maxine Hong Kingston
Les Hommes de Chine
traduit de l'anglais par Marie-France de Paloméra

Christopher Isherwood
Octobre
traduit de l'anglais par Gilles Barbedette

Fazil Iskander
Les Lapins et les Boas
traduit du russe par Bernard Kreise

Henry James
Mémoires d'un jeune garçon
traduit de l'anglais par Christine Bouvart

Mirko Kovač
La Vie de Malvina Trifković
traduit du serbo-croate par Pascale Delpech

Hermann Lenz
Les Yeux d'un serviteur
traduit de l'allemand par Michel-François Demet

Le Promeneur
traduit de l'allemand par Michel-François Demet

David Lodge
Jeu de société
traduit de l'anglais par Maurice et Yvonne Couturier

Changement de décor
traduit de l'anglais par Maurice et Yvonne Couturier

Un tout petit monde
traduit de l'anglais par Maurice et Yvonne Couturier

La Chute du British Museum
traduit de l'anglais par Laurent Dufour

Nouvelles du Paradis
traduit de l'anglais par Maurice et Yvonne Couturier

Jeux de maux
traduit de l'anglais par Michel Courtois-Fourcy

Alison Lurie
Liaisons étrangères
traduit de l'anglais par Sophie Mayoux

Les Amours d'Emily Turner
traduit de l'anglais par Sophie Mayoux

La Ville de nulle part
traduit de l'anglais par Élisabeth Gille

La Vérité sur Lorin Jones
traduit de l'anglais par Sophie Mayoux

Des gens comme les autres
traduit de l'anglais par Marie-Claude Peugeot

Conflits de famille
traduit de l'anglais par Marie-Claude Peugeot

Des amis imaginaires
traduit de l'anglais par Marie-Claude Peugeot

Ne le dites pas aux grands
Essai sur la littérature enfantine
traduit de l'anglais par Monique Chassagnol

Comme des enfants
traduit de l'anglais par Marie-Claude Peugeot

Femmes et Fantômes
traduit de l'anglais par Céline Schwaller

Bernard Malamud
Le Peuple élu
traduit de l'anglais par Martine Chard-Hutchinson

Pluie de printemps
traduit de l'anglais par Martine Chard-Hutchinson

Javier Marías
L'Homme sentimental
traduit de l'espagnol par Laure Bataillon

Le Roman d'Oxford
traduit de l'espagnol par Anne-Marie et Alain Keruzoré

Ce que dit le majordome
traduit de l'espagnol par Anne-Marie et Alain Keruzoré

Un cœur si blanc
traduit de l'espagnol par Anne-Marie et Alain Keruzoré

Aidan Mathews
Du muesli à minuit
traduit de l'anglais par Édith Soonckindt-Bielok

Steven Millhauser
La Galerie des jeux
traduit de l'anglais par Françoise Cartano

Le Royaume de Morphée
traduit de l'anglais par Françoise Cartano

Lorrie Moore
Des histoires pour rien
traduit de l'anglais par Marie-Claire Pasquier

Anagrammes
traduit de l'anglais par Édith Soonckindt

Vies cruelles
traduit de l'anglais par Édith Soonckindt

Vladimir Nabokov
L'Enchanteur
traduit de l'anglais par Gilles Barbedette

Nicolas Gogol
traduit de l'anglais par Bernard Géniès

Vladimir Nabokov - Edmund Wilson
Correspondance 1940-1971
traduit de l'anglais par Christine Raguet-Bouvart

Grace Paley
Les Petits Riens de la vie
traduit de l'anglais par Claude Richard

Plus tard le même jour
traduit de l'anglais par Claude Richard

Pier Paolo Pasolini
Descriptions de descriptions
traduit de l'italien par René de Ceccatty

Walker Percy
Le Cinéphile
traduit de l'anglais par Claude Blanc

Le Syndrome de Thanatos
traduit de l'anglais par Bénédicte Chorier

Le Dernier Gentleman
traduit de l'anglais par Bénédicte Chorier

Darryl Pinckney
Noir, Marron, Beige
traduit de l'anglais par Michèle Albaret

Elisabetta Rasy
La Première Extase
traduit de l'italien par Nathalie Castagné
La Fin de la bataille
traduit de l'italien par Nathalie Castagné
L'Autre Maîtresse
traduit de l'italien par Nathalie Castagné
Transports
traduit de l'italien par Françoise Brun

Umberto Saba
Couleur du temps
traduit de l'italien par René de Ceccatty
Ombre des jours
traduit de l'italien par René de Ceccatty

John Saul
De si bons Américains
traduit de l'anglais par Henri Robillot de Massembre

Carl Seelig
Promenades avec Robert Walser
traduit de l'allemand par Bernard Kreiss

Jane Smiley
L'Exploitation
traduit de l'anglais par Françoise Cartano
Portraits d'après nature
traduit de l'anglais par Isabelle Reinharez

Natsumé Sôseki
Oreiller d'herbes
traduit du japonais par René de Ceccatty et Ryôji Nakamura
Clair-obscur
traduit du japonais par René de Ceccatty et Ryôji Nakamura
Le 210e Jour
traduit du japonais par René de Ceccatty et Ryôji Nakamura
Le Voyageur
traduit du japonais par René de Ceccatty et Ryôji Nakamura
À travers la vitre
traduit du japonais par René de Ceccatty et Ryôji Nakamura

Gertrude Stein
Brewsie & Willie
traduit de l'anglais par Marie-Claire Pasquier

Wilma Stockenström
Le Baobab
traduit de l'anglais par Sophie Mayoux

Italo Svevo
Le Destin des souvenirs
traduit de l'italien par Soula Aghion

Elizabeth Taylor
Mrs. Palfrey, Hôtel Claremont
traduit de l'anglais par Nicole Tisserand
Cher Edmund
traduit de l'anglais par François Dupuigrenet Desroussilles
Noces de faïence
traduit de l'anglais par Nicole Tisserand
Une saison d'été
traduit de l'anglais par Anne Rabinovitch
La Bonté même
traduit de l'anglais par Nicole Tisserand

Federigo Tozzi
Bêtes
traduit de l'italien par Nathalie Castagné

Vladimir Voïnovitch
La Chapka
traduit du russe par Agathe Moitessier

Paul West
Le Médecin de Lord Byron
traduit de l'anglais par Jean-Pierre Richard
Les Filles de Whitechapel et Jack l'Éventreur
traduit de l'anglais par Jean-Pierre Richard
Le Palais de l'amour
traduit de l'anglais par Jean-Pierre Richard

Leslie Wilson
Maléfices
traduit de l'anglais par Michèle Albaret

Evguéni Zamiatine
Le Pêcheur d'hommes
traduit du russe par Bernard Kreise

Cet ouvrage a été réalisé par la
SOCIÉTÉ NOUVELLE FIRMIN-DIDOT
Mesnil-sur-l'Estrée
pour le compte des Éditions Payot & Rivages
en octobre 1994

Imprimé en France
Dépôt légal : septembre 1994
N° d'impression : 28553